Robert Fabbri

Vespasianus
VIII

Heilig vuur van Rome

Karakter Uitgevers B.V.

Oorspronkelijke titel: *Vespasian VIII – Rome's Sacred Flame*
Copyright © Robert Fabbri, 2018
Copyright kaart © Jeff Edwards
Vertaling: Joost Zwart
© 2018 Karakter Uitgevers B.V., Uithoorn
Opmaak binnenwerk: ZetSpiegel, Best
Omslagontwerp en artwork: Mark Hesseling, Wageningen
Omslagbeeld: Tim Byrne

Tweede druk, 2018

ISBN 978 90 452 1536 5
NUR 332

Voor Ian Drury, Gaia Banks, Nicolas Cheetham, Sara O'Keeffe, Toby Mundy en Will Atkinson. Mijn dank voor jullie rol in het uitbrengen van de *Vespasianus*-serie.

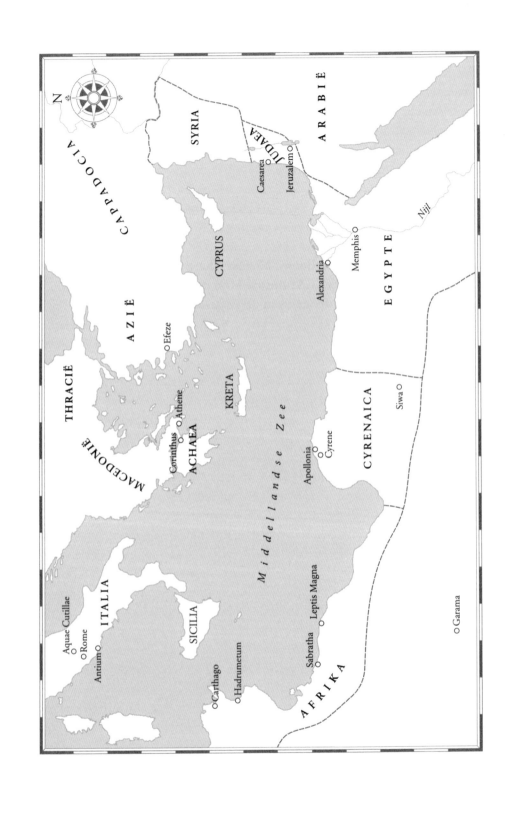

PROLOOG

ROME, NOVEMBER 63 n.C.

Het kindje had niet meer dan honderd dagen geleefd en nu werd ze als onsterflijke in de hemelen opgenomen. Tot grote vreugde van heel het rijk was Claudia Augusta in januari geboren als dochter van keizer Nero en zijn keizerin Poppaea Sabina, maar kort na de lente-equinox was ze bezweken aan een kinderziekte. De Senaat had de zuigeling goddelijke eer toegekend om de pijn van de treurende vader te verzachten, die in zijn verdriet om de dood van zijn dochter even mateloos was als hij in zijn vreugde over haar geboorte was geweest. De tranen stroomden over Nero's bleke wangen en rolden in de gouden baard onder zijn kin toen hij, keizerlijk gekleed in een purperen toga met gouden biezen, een dunne kaars nam en die in de vlam hield die door de zes priesteressen uit de tempel van Vesta was gebracht.

Met de slippen van hun toga over hun hoofd gedrapeerd uit eerbied voor de nieuwe godheid die zich bij Romes pantheon voegde, keken de verzamelde hoge senatoren – allemaal voormalige *praetores* of consuls – met passende ernst toe terwijl de keizer de kaars bij de brandstapel op het altaar hield. Het vuur vlamde op, slierten rook kringelden naar het dak van de nieuwe tempel op de Palatijn, die naast die van Apollo stond. Hij was gebouwd door slaven die in de zeven maanden sinds de dood van het kind dag en nacht hadden gezwoegd, met Nero die op alle rijke details van het gebouw toezicht had gehouden en bijna al zijn tijd aan het project had besteed, waardoor hij de staatszaken volledig verwaarloosde.

Op de voorste rij van de aanwezigen onderdrukte Titus Flavius Sabinus met moeite een snel opkomende drang om in lachen uit te barsten om de potsierlijke ceremonie die zich voor zijn ogen ontrolde. Hij had vaker een vergoddelijking gezien en had altijd moeite met het idee dat na het uitspreken van enkele woorden en het aansteken van een brandstapel met het heilige vuur uit de tempel van Vesta een dood mens als god kon opstaan. Zo werden goden niet gemaakt, wist Sabinus: ze werden in een grot uit steen geboren, net zoals Heer Mithras. Het idee dat een zuigeling die niet veel meer had gedaan dan aan de tepel van een min sabbelen nu opeens een godin was en vereerd diende te worden, was te gek voor woorden. Terwijl de met linten behangen offerram onder vervloekingen van de twee priesters van de nieuwe cultus naar het altaar werd geleid, verloor Sabinus bijna de worsteling met zijn vrolijkheid. 'Hierna zullen we neem ik aan een officiële feestdag ter ere van de goddelijke Claudia Augusta krijgen,' fluisterde hij tijdens de gebeden tegen zijn buren: zijn schoonzoon Lucius Caesennius Paetus en zijn oom Gaius Vespasius Pollo, een kogelronde man van in de zeventig met talrijke onderkinnen en vetrollen.

'Hm? Wat zei je, beste jongen?' zei Gaius, zijn gezicht een masker van religieuze eerbied.

Sabinus herhaalde zijn woorden.

'In dat geval zal ik bij de spelen vooraan zitten vanwege het meer dan genereuze offer dat ik aan de goddelijke boreling heb geschonken om de keizer van mijn vroomheid te overtuigen. Misschien is hij nu minder geneigd me te verzoeken mijn aderen te openen nadat ik een testament ten gunste van hem heb moeten opstellen als hij weer eens dringend om geld verlegen zit; en afgaand op de kwaliteit van het marmer en de hoeveelheid goud in deze tempel zal dat moment heel snel komen.' Hij veegde een zorgvuldig gekrulde, zwartgeverfde lok haar weg uit zijn met kohl aangezette varkensoogjes en keek met overdreven eerbied toe terwijl de ene priester de ram met een hamer verdoofde, waarna de tweede direct zijn keel doorsned. Het bloed spoot naar buiten en werd in een bronzen vat opgevangen. Gedesoriënteerd door de klap gaf het trillende dier zijn leven ten gunste van een minigodin die geen besef had gehad van wat een ram was.

Er volgden meer gebeden en twee tempeldienaren rolden het karkas om. Met langzame precisie sneed het mes door de buik van het dier en huid en ribben werden opzijgetrokken om hart en lever bloot te leggen. De keizer keek knielend toe, met zijn armen uitgestrekt en tranen in de ogen: een toonbeeld van verdriet in de klassieke pose die menig beroemd acteur graag aannam.

Samen verwijderden de priesters zowel het hart als de lever; het eerste werd sissend op de groeiende vlammen gelegd, terwijl ze de lever op het altaar naast het vuur plaatsten. De toeschouwers hielden collectief de adem in. Langzaam werkend, als om de spanning op te bouwen, veegden de priesters het bloed van hun handen en onderarmen voordat ze de lever droogdepten, waarna ze het doek weer aan de tempeldienaren teruggaven.

Nu kwam het moment waarop iedereen had gewacht; nu was het tijd om de lever te bestuderen. Nero huiverde, zijn lichaam schokte van het snikken terwijl hij door een raam hoog in de achtermuur van de tempel naar de grijze, broedende hemel keek. Hij bracht zijn rechterarm omhoog en sloot langzaam zijn hand, alsof hij iets onzichtbaars uit de lucht probeerde te pakken.

Op de gezichten van de twee priesters groeide een eerbiedige uitdrukking toen ze de lever omdraaiden en die zorgvuldig bestudeerden.

Nero begon te jammeren van spanning.

Na beide zijden twee keer te hebben onderzocht keken de priesters elkaar aan, knikten en wendden zich tot de keizer. 'Goddelijke Claudia Augusta is aanvaard door de goden boven en zit nu in hun midden,' verkondigde de oudste van de twee met een stem vol ontzag.

Met een kreet viel Nero flauw – zijn armen zorgvuldig voor zich houdend om te voorkomen dat zijn gezicht schade opliep bij het neerkomen op de marmeren vloer. De verzamelde senatoren barstten in een verrukt gejuich uit en riepen de nieuwe godin aan om hen te beschermen.

'We mogen de goden erg dankbaar zijn voor het accepteren van hun nieuwste collegaatje,' merkte Gaius zonder een spoor van ironie op, terwijl hij vol overgave meedeed met het applaus. 'Misschien heeft Nero nu weer tijd om zich met staatszaken bezig te houden.'

Nu het religieuze deel van de ceremonie was afgelopen haalde Sabinus de slippen van zijn toga van zijn hoofd. 'Ik hoop het. Hij heeft geen enkel beroep aangehoord en geen verzoek bekeken sinds de bouw van de tempel begon. Verspreid over de stad heb ik zeker honderd veroordeelde of beschuldigde burgers uit het hele rijk die wachten tot ze een beroep op de keizer mogen doen. Het zou niet de taak van de prefect van Rome moeten zijn om als gevangenbewaarder van gewone misdadigers op te treden, ook al zijn het Romeinse burgers.'

Paetus fronste terwijl ook hij zijn hoofd ontblootte. 'Gevangenen zijn altijd de verantwoordelijkheid van de prefect.'

'Ja, met de hulp van een van de praetores, maar het waren er nooit zoveel als nu; als de keizer regelmatig over de beroepen beslist zijn het er gewoonlijk niet meer dan twee of drie tegelijk. En dan is er ook nog die vervelende Paulus van Tarsus, die me een hoop last bezorgt met zijn vuilspuiterij in zijn brieven aan allerlei lui; mijn agenten onderscheppen en vernietigen de meeste, maar af en toe glipt er een tussendoor. Als ik hem ermee confronteer, zegt hij dat zolang de caesar nog niet over hem heeft geoordeeld hij het recht heeft om iedereen te schrijven die hij wil, zelfs als het opruiende dingen zijn en hij precies die wetten aanvalt waarachter hij zich verschuilt – onze wetten. Als Nero weer aan de slag gaat ben ik het onderkruipsel snel kwijt, maar, eh...' Sabinus wierp een verontschuldigende blik op zijn schoonzoon. 'Het betekent natuurlijk ook dat jij voor hem moet verschijnen.'

'Ik had gehoopt dat hij onkundig was van mijn terugkeer uit Armenia,' bekende Paetus fronsend. Zijn jongensachtige gezicht was bruin geworden tijdens de campagne in het oosten, waardoor zijn grote voortanden nog witter leken.

Verdere gedachten over het onderwerp werden in de kiem gesmoord want Nero stak beide armen omhoog om om stilte te vragen, die snel volgde. De emoties van het moment waren te veel voor hem en hij stond een tijdje diep adem te halen met zijn fraaiste uitdrukking van opluchting op zijn gezicht. 'Mijn vrienden,' zei hij uiteindelijk, zich vermannend, 'wat een gebeurtenis hebben we op deze plek meegemaakt: ik, de zoon van een god en de achterkleinzoon van een god, ben nu de vader van een godin geworden. Ik, jullie keizer, heb goddelijk zaad.' Hij wendde zich tot Epaphroditus, zijn vrijgelatene, en strekte zijn hand uit. 'Mijn *cythia*.' De vrijgelatene pakte achter het altaar de zevensnarige lier waarop de keizer al vijf jaar oefende. 'Ter ere van deze dag en als lofzang op mijn dochter, ontsproten aan mijn lendenen, heb ik een danklied gecomponeerd.' Hij speelde een akkoord en probeerde een bijpassende noot te zingen, zonder veel succes; zijn onvaste en zwakke stem had moeite de ruimte te vullen.

Sabinus trok een grimas en zette zich schrap. Gaius keek verlangend om zich heen naar een zitplaats, maar vond er geen.

Na nog twee akkoorden, die niets bij elkaar te zoeken hadden, barstte Nero los in een gejammer waarin hij disharmonie afwisselde met vergeefs zoeken naar de juiste toon en kreupelrijm.

Hij ging maar door, couplet na couplet; de senatoren stonden te luisteren met de verrukte gezichtsuitdrukking van mensen die zich in de aanwezigheid van een genie wisten en hun geluk niet op konden dat ze op deze plek mochten zijn.

Ze hadden het allemaal al eerder meegemaakt: de afgelopen paar jaar had Nero schandelijk genoeg in besloten kring opgetreden, voor een klein publiek van senatoren, alsof hij een slaaf of vrijgelatene was en niet de keizer van Rome. Nero was gaan beseffen dat er niets was wat hij niet kon doen sinds hij zijn moeder Agrippina had laten vermoorden en zijn leermeester Seneca de laan uit had gestuurd, die had geprobeerd om de jonge *princeps* op een waardig en sober pad te houden. Hij had zijn moeder vermoord omdat ze hem ergerde, zijn broer omdat hij een bedreiging voor hem vormde en onlangs zijn vrouw Claudia Octavia om met Poppaea Sabina te kunnen trouwen – Poppaea's huwelijksgeschenk was het hoofd van haar voorgangster. Niemand had hem aangesproken op deze daden, want dat durfde niemand. De hele elite van de Romeinse samenleving wist dat Nero het niet kon verdragen als iemand slecht van hem dacht; hij wilde algemeen geliefd zijn en iedereen die liet weten dat hij er anders over dacht had niets te zoeken in Nero's stad.

Want Rome was nu, meer dan ooit, Nero's stad.

Verdwenen was de pretentie dat de keizer niet alles kon nemen wat hij wilde, de schaamlap waarmee Augustus de werkelijkheid van zijn absolute macht had bedekt. Zelfs de onbesuisde jonge keizer Gaius – bekend als Caligula, de bijnaam uit zijn jeugd – had nog enige eerbied voor de wet gehad: als hij het bezit van een man wilde inpikken had hij nog het fatsoen gehad om een ambitieuze informant een aanklacht voor verraad tegen die persoon te laten verzinnen. Maar nu kende iedereen de naakte waarheid: alles was uiteindelijk het eigendom van de keizer. Want wie kon er twisten met een man die bijna tienduizend praetoriaanse gardisten had om zijn macht te onderstrepen? En wie durfde zijn verlangens te begrenzen? En als hij een loflied wilde zingen op de godin ontsproten aan zijn goddelijke lendenen, dan deed hij dat. Niemand van de aanwezigen liet op wat voor manier dan ook merken dat de ode waar ze naar luisterden iets anders was dan de grootste compositie ooit geschreven, uitgevoerd door de geliefdste mens ooit geboren.

Dus toen de lofzang bijna een halfuur later tot een afgrijslijk einde kwam, even banaal als ongeïnspireerd, wedijverden de senatoren met elkaar om als eerste en luidruchtigste hun virtuoze keizer te feliciteren en toe te juichen. Nero was uiteraard overweldigd en volkomen verrast door het enthousiasme waarmee zijn compositie was ontvangen en vond het onmogelijk om de roep om een herhaling te weigeren.

'Mijn vrienden,' snaterde Nero, terwijl het applaus na een tweede uitvoering wegstierf, zijn stem rauw van de overbelasting, 'nu ik mijn dochter haar rechtmatige plek in de hemelen heb gegeven en haar een passend onderkomen in Rome heb bezorgd, gaan mijn gedachten uit naar mijn eigen comfort en dat van mijn vrouw, de Augusta Poppaea Sabina.' Hij bracht de achterkant van zijn hand naar zijn voorhoofd, keek op naar de rook die opsteeg naar het plafond van cederhouten balken met daartussen beschilderde panelen, en slaakte een melodramatische zucht. 'Maar dat moet wachten, beste vrienden, want ik besef heel goed dat mijn aanwezigheid in de Senaat is gevraagd; ik zal onmiddellijk gaan. Corbulo's verslag over het verloop van de hernieuwde oorlog met Parthië in Armenia moet voorgelezen worden, waarna we ons beleid en de koers van de strijd daar kunnen overwegen. Ik voelde me verplicht Corbulo weer als oostelijk commandant aan te stellen na de vernederende nederlaag van Lucius Caesennius Paetus tegen de Parthische koning Vologases.' Hij zweeg even zodat mensen 'Schande' en 'Oneer' konden roepen.

Paetus stond met rechte rug terwijl de beledigingen op hem neerdaalden.

Sabinus verplaatste zijn gewicht onrustig naar zijn andere been. 'Ik had me nooit moeten beijveren voor dat commando na afloop van zijn consulaat,' mompelde hij tegen zijn oom zodat Paetus het niet kon horen. Nero had uit jaloezie en angst Corbulo, de grootste generaal van zijn tijd, ontheven van zijn algemeen commando over de Romeinse troepen in Armenia nadat hij een reeks verslagen had gestuurd waaruit was gebleken dat hij snel en erg effectief was opgetreden. Hij had Vologases' broer Tiridates van de Armeense troon verdreven en hem vervangen door Tigranes, een cliënt van Rome. Een keizer houdt van overwinningen, maar niet noodzakelijkerwijs van de man die ze behaalt, en Nero's gebrek aan dankbaarheid was overdonderend. De vijandelijkheden waren weer opgelaaid toen Vologases op zijn beurt Tigranes van de troon had gestoten en Tiridates er weer op had gezet. Sabinus had zijn invloed als prefect van Rome gebruikt om Paetus tot gouverneur van Cappadocia te laten benoemen, met de opdracht om met twee legioenen Armenia weer onder directe Romeinse heerschappij te brengen; iets wat op een totale mislukking was uitgelopen. Corbulo had uiteindelijk toestemming gekregen om hem te helpen.

Gaius' kaken maalden in verontwaardiging. 'Beste jongen, ik moet zeggen dat jij en je broer een ongelukkige hand hebben als het op schoonzoons aankomt. Die van Vespasianus verloor zijn hele legioen bij de opstand in Britannia en nu verbleekt de glans van het consulaat van jouw schoonzoon doordat hij zich met zijn twee legioenen moest overgeven aan de Parthen, die de soldaten vervolgens dwongen om onder het juk door te gaan voor ze toestemming kregen zich zonder wapens en harnas uit Armenia terug te trekken.'

Nero gebaarde om stilte en wendde zich tot Sabinus, ook al stond Paetus naast hem. 'Nu je schoonzoon onlangs naar Rome is teruggekeerd kun je hem vertellen dat ik ter ere van de vergoddelijking van mijn dochter hem meteen maar pardon verleen, zodat hij niet aan zorgelijkheid zal sterven in afwachting van mijn oordeel, want hij is overduidelijk een man die snel in paniek raakt.'

De menigte brulde van het lachen; Paetus liep rood aan van onmachtige woede.

Sabinus werd bleek. 'Zeker, princeps.'

Nero toonde een glimlach die de wreedheid die in hem school onthulde. 'En als ik klaar ben met de Senaat zal ik natuurlijk de beroepen aanhoren; zorg dat iedereen die van mijn oordeel wil profiteren op het forum wacht, prefect.'

'Ik zal het regelen, princeps.'

'Mooi. Ik zal me ten dienste van Rome uit de naad werken en mijn eigen comfort naar de tweede plaats verschuiven.'

Dat ontlokte luid gejuich aan het publiek, dit keer een stuk oprechter, want voor het eerst sinds de dood van zijn dochter zou Nero naar de Senaat komen om te vertellen hoe die moest denken.

15

'Het kwam omdat Corbulo weigerde me te hulp te komen, vader,' pleitte Paetus toen hij, Sabinus en Gaius samen met de rest van de senatoren de Palatijn afdaalden.

'Maar dat is niet de versie die de keizer heeft gehoord,' herinnerde Gaius hem. 'We zaten allemaal in de Senaat te luisteren naar Vologases' snoevende brief over hoe grootmoedig hij was door je te laten gaan terwijl hij je had kunnen verpletteren en je beide legioenen had kunnen vernietigen. Helaas kwam zijn brief veel eerder dan de jouwe.'

'Net als Corbulo's verslag,' voegde Sabinus eraan toe, 'waarin hij het heel duidelijk maakt dat je je in de nesten had gewerkt, maar te trots was om het toe te geven of om hulp te vragen, en nu zegt de keizer in het openbaar dat je in paniek bent geraakt en maakt hij je het mikpunt van spot.'

'Wat ik hem nooit zal vergeven!'

Gaius kromp ineen en keek geschrokken naar de groepjes senatoren om hen heen. Ze sloegen nu links af de Via Sacra in en gingen op weg naar het forum. 'Niet zo hard, beste jongen; met dat soort opmerkingen kom je in de problemen.'

Paetus keek stuurs. 'Denk maar niet dat ik niet op de een of andere manier wraak zal nemen voor die belediging.'

Sabinus greep de arm van zijn schoonzoon en trok hem dicht tegen zich aan. 'Luister goed, Paetus, omwille van mijn dochter ga je niets stoms doen, niets wat jullie in gevaar brengt. Zet alle gedachten aan wraak uit je hoofd en gebruik al je energie om weer in de gunst bij Nero te komen, want of je het nu leuk vindt of niet, hij bepaalt elk aspect van ons leven en hij is angstaanjagend grillig. Begrepen?'

Paetus trok zijn arm los. 'Het is onverdraaglijk, we mogen zelfs onze eer niet behouden.'

'Onze eer is verbleekt met de dood van de republiek en is nu niet meer dan een vage herinnering. Nero heeft alle macht in handen, dus natuurlijk hebben we geen eer, maar we zijn wel in leven.'

'En wat is een leven zonder eer?'

Gaius wist het wel: 'Heel wat aangenamer dan dood zonder eer, beste jongen.'

'En daarna, toen de Parthische marionettenkoning Tiridates afgezanten stuurde om over vrede te onderhandelen, wees ik hem niet af,' las de tweede consul Lucius Verginius Rufus van de rol met Corbulo's verslag voor, 'want ik had bericht ontvangen over een opstand in het oosten van het Parthische koninkrijk en ik besefte dat Vologases niet twee oorlogen tegelijk zou willen voeren; en dus stemde de Grote Koning in met een wapenstilstand. Maar terwijl de besprekingen voortgingen, liet ik alle Armeense edelen executeren of in ballingschap jagen die trouw aan ons hadden gezworen, maar na Paetus' debacle naar de andere kant waren overgelopen. Zo verzekerde ik me van de loyaliteit van de overgeblevenen.' Verginius stopte even toen er een gemompel door de rangen van senatoren ging, die aan weerszijden van het Senaatsgebouw op hun zetels zaten.

Sabinus legde zijn hand op Paetus' pols en hield hem op zijn plaats.

'En toen sloopte ik alle fortificaties zodat die niet meer tegen ons konden worden gebruikt. Tiridates vroeg me om een onderhoud onder vier ogen en koos daarvoor precies de plek waar Paetus was omsingeld. Ik verzette me niet tegen die keuze, want ik meende dat als we op volle sterkte op de plek van hun eerdere overwinning kwamen zij het verschil tussen de twee situaties zouden begrijpen.'

Opnieuw ging er gemompel door de vergadering en Sabinus zag dat vele ogen zich op zijn schoonzoon richtten. Nero, die naast Verginius in een curulische zetel zat, tuitte demonstratief de lippen.

'Ik was niet van plan me te laten intimideren door Paetus' schande en dus stuurde ik zijn zoon, die in mijn staf als militair tribuun dient, met enkele eenheden vooruit om alle sporen van dat noodlottige treffen uit te wissen. Hij ging gewillig, gretig om de herinneringen aan zijn vaders dwaasheid te laten verdwijnen.'

Paetus hield het bijna niet meer, de mensen om hem heen moesten hem in zijn stoel houden. Nero keek met een minachtende grijns toe.

'Ik kwam met een escorte van twintig cavaleristen en Tiridates arriveerde gelijktijdig met een even grote entourage. Tot mijn genoegen kan ik meedelen dat hij me eerde door als eerste af te stappen; ik aarzelde niet en liep op hem toe, greep zijn beide handen en prees de jongeman omdat hij oorlog afwees en van plan was een overeenkomst met Rome te sluiten. We kwamen tot een eervol compromis: hij van zijn kant verklaarde dat hij zijn kroon aan de voeten van het standbeeld van onze keizer zal leggen, om vervolgens naar Rome te reizen, waar hij de kroon persoonlijk uit Nero's handen hoopt terug te krijgen. Ik heb hier in principe mee ingestemd, in afwachting van keizerlijke goedkeuring, en de ontmoeting eindigde met een kus.'

Alle ogen waren nu op Nero gericht, want men wist nog heel goed hoe de keizer de vorige keer had gereageerd op een schrijven van Corbulo waarin hij verslag had gedaan van een snelle afwikkeling in Armenia: de Senaat was in gejuich uitgebarsten, om onmiddellijk tot zwijgen te worden gebracht door een woedeaanval van Nero, die verklaarde dat Corbulo alleen gedaan had wat alle aanwezigen in de Senaat hadden kunnen bereiken. Dit keer wilden ze eerst weten hoe ze moesten denken voordat ze reageerden. Ze hoefden niet lang te wachten.

'Wat een spektakel zal dat zijn!' verklaarde Nero, die opstond, een arm omhoogbracht en in de toekomst keek. 'Stel je voor: een koning uit de dynastie van de Arsaciden, broer van de Grote Koning van Parthië nog wel, komt naar Rome als smekeling. Komt naar mij! Gaat niet naar zijn broer, maar naar mij, want ik ben de machtigste. Door mij te erkennen als degene die uiteindelijk de Armeense kroon schenkt, erkent hij mijn heerschappij over Armenia. Ik heb gewonnen!'

Nero spreidde zijn armen als om het hele Huis te omvatten, terwijl de senatoren bijna als één man opstonden om hun keizer te eren, de meester van Armenia.

'Sta op!' gromde Sabinus, terwijl hij Paetus overeind trok om aan de lofzang mee te doen. 'En kijk blij.'

Paetus applaudisseerde met tegenzin.

'Corbulo lijkt de kunst van het vleien van de keizer onder de knie te hebben gekregen,' observeerde Gaius, overdadig zwetend van de inspanning om Nero te prijzen. 'Dat zal hem nog wat langer in leven houden.'

Het ging maar door, ze klapten, schreeuwden, zwaaiden met hun toga en strekten hun handen uit naar de keizer, die zich in zijn glorie koesterde. Uiteindelijk begonnen zelfs de fanatiekste senatoren moe te worden en Nero, die merkte dat het volume begon af te nemen, gebaarde dat het applaus moest stoppen en ging weer zitten.

'Is er nog meer?' vroeg hij Verginius toen iedereen weer zat.

'Nog een paar zinnen, princeps.'

'Goed, lees ze voor, daarna kan ik verder met de beroepen.'

'Aangezien het traditie is dat de gouverneur van Syria gezag over Judaea heeft en aangezien ik Syria al hoge belastingen had opgelegd om voor de oorlog te betalen, heb ik procurator Porcius Festus opdracht gegeven om de belastingen in Judaea aanzienlijk te verhogen en ik zal zorgen dat zijn opvolger, Gessius Florus, dat beleid voortzet als hij in het nieuwe jaar aankomt. Het zijn belastingen die ze makkelijk kunnen opbrengen, want de joden zijn zoals bekend rijk, één blik op hun tempelcomplex maakt dat duidelijk. De extra opbrengsten zullen gebruikt worden voor een nieuwe wapenuitrusting voor de twee legioenen die Paetus zo onhandig was kwijtgeraakt en die ik intussen onder mijn commando naar Syria heb gehaald.'

Het laatste woord weergalmde in de ruimte en toen heerste er stilte.

Nero greep bevend van woede de armleuningen van zijn stoel vast en moest moeite doen om zichzelf onder controle te krijgen. Hij stond abrupt op en stormde de Senaat uit in een werveling van purper en goud.

'O beste, beste jongens,' mompelde Gaius terwijl er tumult uitbrak na Nero's vertrek. 'Ik vrees dat Corbulo de dienst die hij zichzelf had bewezen door Nero als ultieme uitdeler van kronen voor te stellen weer ongedaan heeft gemaakt door de indruk te wekken dat hij legioenen verzamelt.'

'En net toen ik dacht dat hier niets goeds uit voort zou komen,' zei Paetus met een valse grijns.

'Verzoek afgewezen!' schreeuwde Nero, waarmee de volgende veroordeelde burger slachtoffer werd van het slechte humeur van de keizer. Dit keer was het een *eques* die eerder schuldig was bevonden aan het vermoorden van zijn zakenpartner. 'Wat was het oorspronkelijke vonnis?'

Epaphroditus raadpleegde kort de rol op de tafel voor hem. 'Executie door onthoofding, princeps.'

'Ontneem hem zijn burgerschap en veroordeel hem tot de wilde dieren vanwege het verspillen van mijn tijd.'

De menigte die zich voor de zitting in de openlucht had verzameld en die voornamelijk uit mensen uit het gewone volk bestond, juichte dankbaar, altijd blij om iemand uit de hogere standen ter dood veroordeeld te zien worden. Ze waren niet bovenmatig geïnteresseerd in de eerlijkheid van het proces.

De gedoemde man viel op de grond en smeekte om genade, maar hij werd aan zijn enkels weggesleept. Met zijn vingers probeerde hij vergeefs houvast te vinden in de voegen tussen de stenen waarmee het forum was geplaveid.

Sabinus keek naar het twintigtal smekelingen dat in de twee uur die Nero nu zitting hield het ene beroep na het andere afgewezen had zien worden; niemand leek nog vertrouwen in een goede afloop te hebben. Niemand? Nee, één man viel hem op: klein, kalend en met kromme benen. Paulus van Tarsus had een serene uitdrukking die wel wat leek op de lege blik van iemand die verbijsterd is, wat niet zo gek zou zijn geweest gezien het gevaar waarin hij verkeerde.

'Een interessante reactie, vindt u ook niet? Erg, eh... wat is het beste woord ervoor? Erg beheerst, ja dat is het, beheerst, als u bedenkt dat hij moet verschijnen voor een keizer wiens bezorgdheid om een potentiële rivaal in het oosten het laatste restje rechtvaardigheid uit hem lijkt te hebben verdreven.'

Sabinus draaide zich om en keek in het pafferige gezicht van Lucius Annaeus Seneca. 'Over wie hebt u het, Seneca?'

'Paulus van Tarsus natuurlijk. Het viel me op dat u hem zorgvuldig bestudeerde.'

Sabinus' nieuwsgierigheid was geprikkeld. 'Kent u hem?'

Seneca glimlachte vaderlijk en sloeg een mollige arm om Sabinus' schouders. 'Hij valt me lastig sinds hij in Rome is om bij de keizer in beroep te gaan, hij wil dat ik mijn invloed bij Nero gebruik om de beschuldiging van opruiing tegen hem te laten vernietigen.'

'U hebt geen invloed meer bij Nero.'

Seneca klopte Sabinus op de schouder. 'Dat is niet helemaal waar en dat weet u best. Ik heb nog toegang tot hem, alleen volgt hij mijn advies niet langer standaard op; hij vernedert me graag door precies het tegenovergestelde te doen van wat ik adviseer. Epaphroditus moedigt dat nog eens aan om mij in te kunnen wrijven dat hij nu de macht achter de troon is. Het is, eh... hoe zeg je dat? Het is ergerlijk, ja, ergerlijk – dat was het in ieder geval.'

Sabinus begreep het onmiddellijk. 'Tot u hem begon te adviseren het tegenovergestelde te doen van wat u wilt dat hij doet.'

'Ah, beste vriend, u begrijpt onze Nero. Ik heb wat van dat walgelijke atheïsme van Paulus gelezen en gehoord hoe hij zijn volgelingen aanmoedigt om de keizer niet als de hoogste macht op aarde te erkennen, hoewel hij heel hypocriet wel bij hem in beroep gaat. Ik moet niets van hem hebben en daarom heb ik besloten zijn verzoek in te willigen en heb ik bij Nero gevraagd om in zijn geval clementie te betonen.'

Sabinus knikte goedkeurend. 'Goed. Ik moest heel wat van zijn volgelingen vastspijkeren toen ik gouverneur van Thracië en Macedonië was. Ze ontkennen het bestaan van de goden, weigeren aan de keizer te offeren – zelfs niet ter ere van hem, zoals de joden doen – en ze geloven in een volgend leven dat beter is dan deze wereld, waardoor ze weinig angst voor de dood hebben. Ze denken sowieso dat ze binnenkort zullen sterven, want het einde der tijden, zoals Paulus het noemt, zal volgens hem snel komen. Het is gevaarlijk, irrationeel en kwezelachtig, en bovendien in strijd met alles waar onze voorouders generaties lang in hebben geloofd.'

'Daar ben ik het mee eens, al heeft hij op één punt gelijk.'

'En wat is dat?'

'Ik zag een kopie van een van zijn brieven aan enkele Griekse volgelingen, waarin hij schrijft dat vrouwen horen te zwijgen; als Poppaea Sabina dat advies nou eens zou opvolgen.' Seneca lachte om zijn eigen observatie. 'Uw broer Vespasianus zal het daar inmiddels vast wel mee eens zijn,' voegde hij eraan toe, terwijl Paulus aan de keizer werd voorgeleid.

Epaphroditus raadpleegde een rol. 'Gaius Julius Paulus; beschuldigd door Porcius Festus, de aftredend procurator van Judaea, van het aanzetten tot anti-Romeinse en anti-joodse gevoelens en het veroorzaken van een rel. Hij weigerde om in Jeruzalem terecht te staan en besloot om direct bij u in beroep te gaan, princeps.' Hij overhandigde de rol aan de keizer. 'Seneca heeft in dit geval clementie aangeraden,' voegde hij eraan toe, terwijl hij een plagerige blik op Seneca wierp.

Nero bekeek Paulus alsof hij een onaangename huidziekte bestudeerde. 'Wel?'

Paulus glimlachte met overdreven goedaardigheid naar de keizer en opende zijn armen voor hem. 'Princeps, moge de vrede van de Heer u troosten en…'

'Schiet op!' Nero was niet in een stemming om getroost te worden.

De felheid van de woorden verraste Paulus, die een stap naar achteren deed. 'Ik, eh… Het spijt me, princeps.' Hij wreef in zijn handen en liet zijn schouders hangen, waarna hij een vleierige houding aannam waarvan Sabinus walgde. 'Princeps, het was een misverstand. Ik ging naar Jeruzalem om geld te brengen dat voor de armen was ingezameld. De priesters in de tempel weigerden me het te laten uitdelen omdat ze vonden dat dat hun taak was, wat zou betekenen dat ze het allemaal in hun eigen zak zouden stoppen. Toen ik protesteerde liet de hogepriester me door de tempelwachters arresteren en overdragen aan de procurator. Toen brak de rel uit.'

Nero had genoeg gehoord. 'Er was dus een rel en je hebt je priesters niet gehoorzaamd, die offers namens mij brengen. En wat erger is, je wilde persoonlijk geld uitdelen aan de armen, alsof jíj de bron van alle overvloed bent en niet ík, je keizer?'

Paulus keek onzeker. 'Eh... ja en dan nee. Ik...'

'Neem hem mee,' beval Nero, 'en executeer hem.' Hij wendde zich tot Seneca. 'Clementie?' Hij schudde zijn hoofd in walging.

Zelfs Sabinus was verbaasd over de willekeur van Nero's rechtspraak die dag. 'Ik ben blij dat ik van Paulus af ben, maar ik ben ook opgelucht dat hij mijn schoonzoon pardon heeft geschonken voordat hij Corbulo's verslag hoorde.'

'Een groot geluk,' stemde Seneca glimlachend in, terwijl Paulus in de boeien werd geslagen en geen poging deed om zich te verzetten. 'En een erg bevredigend vonnis.'

'Denkt u dat de vlek die Paetus op het blazoen van mijn familie heeft gemaakt nog kan worden weggepoetst?'

'Dat is volledig van twee dingen afhankelijk: van hoe uw broer Vespasianus zich in Afrika weert, en van uw beslissing over het voorstel dat ik heb gedaan.'

'Ik heb al gezegd, Seneca, dat ik die beslissing pas zal maken als ik mijn broer heb gesproken na zijn terugkeer, aankomend voorjaar.'

'We kunnen allemaal wel dood zijn als het weer voorjaar is.' Seneca glimlachte vreugdeloos en liep weg. Intussen leek er een verandering over Paulus te komen: zijn kruiperige houding verdampte met het opkomende besef dat het vonnis definitief was. Hij keek omlaag naar zijn boeien, ging rechtop staan en keek Nero direct in de ogen. 'Uw vonnis betekent niets. Deze wereld is niet voor eeuwig, ik verlaat hem alleen eerder dan u, maar niet veel eerder, want het einde is nabij. Tot dat moment zal ik bij mijn Heer zijn, Joshua bar Josef, de Christus.'

'Wacht!' Nero stak een hand op. 'Wat zei hij? Christus?'

'Ik geloof het wel, princeps,' beaamde Epaphroditus.

Nero staarde naar Paulus. 'Je bent een volgeling van die nieuwe cultus met de gekruisigde god?'

'Ik geloof dat Christus voor onze zonden stierf,' stelde Paulus zelfverzekerd, 'en Hij komt binnenkort weer, bij het einde der tijden, dat snel nadert. De opkomst van de Hondsster zal het aankondigen en het zal hier beginnen.'

Nero had zichtbaar plezier. 'Is dat zo? Is dat echt zo?' Hij wendde zich tot Sabinus. 'Sluit hem veilig op in het Tullianum, prefect; ik kan zijn dood misschien nog gebruiken.'

DEEL I

GARAMA, 400 MIJL TEN ZUIDEN VAN
DE ROMEINSE PROVINCIE AFRIKA,
DECEMBER 63 n.C.

HOOFDSTUK I

Het was niet zozeer de stad Garama zelf die indruk op Vespasianus maakte, als wel de omgeving waarin hij lag. Tarwe- en gerstvelden afgewisseld met weidegronden en boomgaarden vol vijgen waren niet ongewoon in grote delen van het rijk; maar hier, na een tocht van vierhonderd mijl door barre woestijn, moest het wel het werk van de goden zijn. Ze bevonden zich inmiddels ver ten zuiden van Leptis Magna en de grens van de Romeinse provincie Afrika.

De vorige dag was iets meer dan een uur na zonsopgang een rij groene heuvels aan de horizon verschenen, vlak voordat de karavaan zijn kamp opsloeg om na de nachtelijke mars te gaan slapen tijdens de uren van brandende zon. Toen de nacht weer aanbrak waren ze veertig mijl verder getrokken en bij zonsopkomst lag de onwerkelijke oase in haar volle schoonheid voor hen. Op enkele mijlen afstand rees een heuvel driehonderd voet boven de woestijn uit, bekroond door een stad met hoge torens, met aan weerszijden over een afstand van zeker tien mijl vruchtbaar land; in die zee van groen waren groepen kleine figuurtjes aan het werk.

'Dit lijkt even onwaarschijnlijk als een Vestaalse maagd naakt een spagaat zien doen.'

Vespasianus keek naar de bron van de opmerking, een verweerde man van begin zeventig met de bloemkooloren en scheve neus van een voormalige bokser, die naast hem op een paard zat en net als Vespasianus een slappe, breedgerande strohoed droeg. 'En waarom ben jij er zo zeker van, Magnus, dat de Vestaalse maagden niet bloot aan gymnastiek doen?'

Magnus keek Vespasianus aan, één oog dichtgeknepen tegen de opkomende zon, terwijl het andere enkel de stralen weerkaatste, want het was een glazen imitatie – en een niet erg goede, zoals Vespasianus elke keer dacht als hij het zag. 'Tja, ik wil niet zeggen dat ze niet naakt ravotten en allerlei interessante strekoefeningen, sprongen en andere kunsten doen, ik zeg alleen dat het onwaarschijnlijk is dat ík ze het zie doen, als u begrijpt wat ik bedoel.'

'Ik geloof het wel en je hebt waarschijnlijk gelijk: zelfs als er toeschouwers bij mochten zijn, zie jij er veel te afstotelijk uit om toegelaten te worden.' Vespasianus grinnikte, waardoor zijn droge lippen barstten, met een pijnscheut tot gevolg. Hij kreunde en bracht zijn hand naar zijn mond.

'Eigen schuld, dat komt van al dat gespot.' Magnus knikte tevreden en leunde naar voren om tegen de man aan de andere kant van Vespasianus te praten. 'Noemt hij jou ook weleens afstotelijk, Hormus? Of is hij beleefder tegen zijn vrijgelatene dan tegen zijn oudste vriend?'

Hormus krabde in zijn sliertige baard, die deels zijn lange kaak met onderbeet verborg, en grijnsde verlegen. 'Aangezien ik geen verlangen heb om naakte vrouwen te zien, of ze nu Vestaalse maagd zijn of niet, zou het mij niets uitmaken of de meester me afstotelijk vindt of niet.'

'Dat is geen antwoord op mijn vraag.'

'Dat weet ik.'

Magnus bromde iets en richtte zijn aandacht weer op het wonder voor hen. 'Dus onder die heuvels ligt een zee?'

Vespasianus zoog een druppel bloed van zijn vinger. Zweet droop vanonder zijn hoed en bleef hangen in de ruige beharing op zijn kin en wangen, wat jeuk veroorzaakte. Hij kneep zijn ogen samen tegen de zon, waardoor de gespannen uitdrukking die zijn ronde gezicht altijd al vertoonde nog strakker leek. 'Een zee of een groot meer, wie weet? Maar wat zeker is, is dat ze honderden putten hebben waarmee ze een irrigatiesysteem voeden van in de grond begraven buizen, en het water moet ergens vandaan komen.'

'Ik wou dat het niet zo was, dan hoefden we hier niet te zijn.'

'Ik dacht dat je graag op nieuwe plekken kwam.'

'Onzin.' Magnus wreef over zijn rug en kreunde. 'Op mijn leeftijd is het enige nieuwe wat je nog wilt zien een nieuwe dag.'

Om zijn lippen te sparen onderdrukte Vespasianus een glimlach om de grap van de vriend die hij al bijna achtendertig jaar kende; in plaats daarvan dreef hij zijn paard naar voren en reed naar de weg die omhoog naar de stad slingerde, eveneens wensend dat hij hier niet was.

Hij had echter geen keus gehad, hij was weer eens het slachtoffer van politiek gekonkel in Rome, maar deze keer kon hij het alleen zichzelf verwijten, omdat hij zich aan manipulatie schuldig had gemaakt. Toch was dat de enige manier om in Nero's Rome vooruit te komen. Toen een document met belastende informatie over Epaphroditus in handen viel van Vespasianus' minnares Caenis, die toegang tot het paleis had, leek het haar niet meer dan verstandig om de machtige vrijgelatene van het bestaan van het document op de hoogte te brengen, in de hoop zo Vespasianus aan het gouverneurschap van Afrika te helpen. Epaphroditus kon vervolgens niet anders dan zijn invloed bij Nero aanwenden om Vespasianus de positie te bezorgen in ruil voor het document. Hij was bepaald niet blij, want normaal had hij een aanzienlijke hoeveelheid smeergeld voor een dergelijk prestigieus gouverneurschap in de wacht kunnen slepen. Maar het was niet alleen de wrok van Epaphroditus waaraan Vespasianus deze reis naar de rand van de bekende wereld te danken had; daar zat een nog veel grotere macht achter: de keizerin, Poppaea Sabina. Waarom zij zich zo vijandig tegenover hem gedroeg snapte Vespasianus niet, maar hij wist voldoende van imperiale politiek om te begrijpen dat er voor kwaadaardigheid vaak geen andere reden was dan het opwindende gevoel om macht uit te oefenen over degenen die zwakker zijn dan jij.

Dus uit wraak omdat hij een aanzienlijke hoeveelheid smeergeld was misgelopen had Epaphroditus Nero voorgesteld om Vespasianus in zijn functie als gouverneur van Afrika verantwoordelijk te maken voor de vrijlating van tientallen, misschien wel honderden Romeinse burgers die als slaven werkten op de boerderijen van het koninkrijk van de Garamanten. Poppaea Sabina had zich enthousiast achter het idee geschaard, met als argument dat het een geweldige zet van Nero zou zijn als hem zou lukken wat andere keizers zonder succes eerder hadden geprobeerd. Nero had hem daarom opgedragen om een gezantschap te sturen naar Nayram, koning van de Garamanten, met de volmacht om namens de keizer te onderhandelen. Met een kille glimlach en donkere ogen had Poppaea vervolgens haar echtgenoot gesuggereerd dat het veel beter was als Vespasianus zelf zou gaan, en dat als hij geen succes behaalde hij maar beter helemaal niet kon terugkeren. Na ampele overweging die wel een hele hartslag had geduurd had Nero toegestemd. Vespasianus had inwendig gevloekt maar hij kon het Epaphroditus niet kwalijk nemen dat hij hem met gelijke munt terugbetaalde, dat zou iedereen doen – maar Poppaea's plotselinge rancune had hem verbijsterd. Hij kon alleen maar gehoorzamen en bekeek de zaak van de positieve kant: nu was hij in ieder geval ruim een jaar buiten het bereik van Poppaea, terwijl zijn oudere broer Sabinus in Rome intussen de reden van de haat van de keizerin misschien kon ontdekken. En daarom was hij op de leeftijd van drieënvijftig naar Afrika vertrokken, kort na het huwelijk van zijn oudste zoon Titus met Arrecina Tertulla, de nicht van Sabinus. Het had een jaar van luxe en rust moeten zijn, maar nu was het tegendeel waar.

En zo stond hij hier aan het hoofd van een karavaan van kooplieden die de woestijnroute kenden en een halve *ala* Numidische hulpcavalerie op taaie pony's die net als hun berijders de hele dag zonder water konden doorgaan, zo goed waren ze aan de woestijn aangepast. Verder had hij zijn elf lictoren mee, die voor deze tocht ook te paard waren en de fasces op de rug van hun paarden hadden vastgebonden.

Vespasianus zette zijn paard tot wat meer haast aan, want hij wilde in de stad en uit de zon zijn voordat die nog hoger in de heldere woestijnhemel klom. De torens van de stad rezen hoog op en hoorns schalden, geblazen door de wachters binnen, die de komst van een karavaan die veel groter dan normaal was aankondigden.

Vijftien dagen – of liever gezegd nachten – waren ze van Leptis Magna over een karavaanroute naar het koninkrijk van de Garamanten gereisd, via een reeks putten, oases en wateropslagplaatsen. Maar de voorbereidingen van de reis hadden veel meer tijd gekost dan de tocht zelf, want de watervoorraden langs de route waren slechts toereikend voor een kleine karavaan van twintig tot dertig kooplieden, terwijl Vespasianus veel meer mensen bij zich had en er op de terugweg nog honderden extra moest meenemen.

Direct bij zijn aankomst in de provincie, in april, had hij bevel gegeven om de wateropslagplaatsen flink uit te breiden. Duizenden amfora's werden naar het zuiden gestuurd en langs de route ingegraven. Het had zes maanden geduurd om het voor elkaar te krijgen en daarvoor had Vespasianus nog eerst de *supheten* flink onder druk moeten zetten om mee te werken. De supheten waren de twee hoogste magistraten van

Leptis Magna, de stad het dichtste bij Garama. Toen in november alles eindelijk klaar was had hij zich in Carthago, de hoofdstad van Afrika, ingescheept. Hij voer langs de kust en legde aan in Hadrumetum, de tweede stad van de provincie, om beroepszaken aan te horen. Hij ontdekte dat er een aanzienlijke achterstand was omdat zijn voorganger, Servius Salvidienus Orfitus, tijdens zijn hele ambtsperiode geen voet buiten Carthago had gezet. Vespasianus wilde graag verder en verliet de stad al na een dag, na nog geen tiende van alle beroepszaken te hebben aangehoord, wat hem ondanks de aanwezigheid van de lictoren op een regen van rapen van ontevreden appellanten was komen te staan toen hij aan boord van zijn schip ging. Orfitus vervloekend om diens nalatigheid en zich voornemend wraak te nemen voor deze belediging aan zijn persoon, voer hij door naar de haven van Leptis Magna. Deze stad lag even dicht bij Carthago als bij het verre Cyrene in de aangrenzende provincie Cyrenaica, waar hij vijfentwintig jaar eerder quaestor was geweest.

De grote afstand van de havenstad tot de hoofdstad had de onwil van de supheten om hem te gehoorzamen vergroot. Leptis Magna was tot aan het begin van het jaar een vrije stad geweest waar de gouverneur slechts minimale macht over had. Nero's voortdurende zoektocht naar geld had daar verandering in gebracht: in ruil voor Latijnse rechten had hij de stad tot municipium gemaakt, iets waar de lokale bevolking niet blij mee was, maar waartegen men, net als tegen de nieuwe belastingen, niets kon doen. Het had tot het verzet van de supheten geleid. Ze waren niet gewend om orders te krijgen en hadden zich automatisch tegen hem gekeerd. Een van zijn eerste boodschappers, een *optio* met een escorte van acht man, was nooit teruggekeerd, wat Vespasianus ertoe bracht zijn vastberadenheid met een serieus dreigement te onderstrepen. Deze koppigheid amuseerde Vespasianus omdat Leptis Magna de geboortestad was van zijn vrouw, Flavia Domitilla, die hij had ontmoet toen hij in Cyrene diende.

Vespasianus glimlachte voor zich uit toen hij eindelijk de top bereikte en de poorten van Garama zag; de eigenzinnigheid van zijn vrouw, waar hij zijn hele huwelijk al onder leed, kwam misschien voort uit de onafhankelijke geest van de stad waarin ze was opgegroeid.

'Wat is er zo grappig?' vroeg Magnus, die zijn slappe hoed afzette om zijn voorhoofd voor de honderdste keer die dag af te vegen.

'Wat?' Vespasianus ontwaakte uit zijn gepeins.

'Dacht u aan de rapen die u over zich heen kreeg? Want dat deed ik en ik vind het nog altijd moeilijk om niet in lachen uit te barsten als ik naar u kijk.'

'Jaja, heel grappig; net zo grappig als Orfitus het zal vinden als er een raap in zijn anus wordt geramd wanneer ik hem weer in Rome zie. Als je het per se wilt weten: ik bedacht hoe de houding van de supheten tegenover autoriteit het gedrag van Flavia verklaart, want ze heeft de eerste twintig jaar van haar leven in Leptis Magna doorgebracht.'

Magnus bromde iets vaags. 'Misschien, maar over haar hebt u in ieder geval niet de macht die u over hen hebt.'

'Wat bedoel je?'

'Dat is toch duidelijk? Ze keerden onmiddellijk op hun schreden terug toen u hun schreef dat u alles best vond zolang ze maar meegingen met de expeditie om aan te wijzen waar u het extra water kunt vinden dat we nodig hebben. Het verschil is dat u het bij hen inderdaad zou doen, maar zou u ooit proberen Flavia klein te krijgen door te dreigen haar mee te nemen, waarna u haar eindeloze geklaag aan moest horen?'

Vespasianus huiverde bij de gedachte.

'U zou het heerlijk vinden om die twee vette klootzakken op een paard te zien zitten, zwetend en tweehonderd mijl van het dichtstbijzijnde badhuis en knapenbordeel, maar u zou bij wijze van spreken nog liever oog in oog zitten met Medusa's aarsgat dan Flavia hier te hebben.'

Vespasianus kon hem alleen maar gelijk geven. 'In ieder geval zou ik dan weten dat ze niet al mijn geld uitgeeft, zoals ze de vorige keer dat ik voor langere tijd weg was probeerde.'

'Dat is waar, en ik weet zeker dat ze erop rekent dat u een fortuin aan uw gouverneurschap overhoudt, zodat ze haar uitgaven alvast verdubbeld of verdrievoudigd heeft.'

Vespasianus huiverde opnieuw bij de gedachte.

'Ik raad u daarom aan om uw macht te gebruiken om flink wat geld te verdienen voordat het scheepvaartseizoen in maart weer begint en uw opvolger komt, want ik vermoed dat u zult terugkeren bij een vrouw die nu vier slaven heeft om haar te baden, vier om daarna haar haar te doen, haar op te maken en haar te kleden. En dan hebben we het nog niet over degenen die haar juwelen uitkiezen, of haar schoenen, of gewoon rondhangen voor het geval ze zin heeft om ergens op te knabbelen of in iets zoets of om flink dronken te worden van de allerbeste falerner. En die koopt ze natuurlijk zonder op de prijs te letten bij de duurste wijnhandelaar op het forum, waar de hofmeester van de keizer persoonlijk komt, want waarom zou de echtgenote van een gouverneur het met minder moeten doen?'

Vespasianus keek zijn vriend zuur aan toen die op adem moest komen van zijn tirade. 'Ben je klaar?'

Magnus gromde weer. 'Ik zeg het gewoon zoals het is.'

'Nou, bedankt dan, je zult inmiddels wel moe zijn.'

'Maar vergeet niet dat ik gelijk had toen u haar meebracht uit Cyrene: ik zei dat ze meer dan twee kappers zou willen en u had slaande ruzie met haar toen u de derde verkocht die ze achter uw rug om had gekocht, dom genoeg denkend dat iemand die zo schraperig is als u het nooit zou merken.'

'Ik dacht dat je klaar was.'

'Dat ben ik nu.'

'Mooi. Kan ik dan nu verder met de onderhandelingen over de vrijlating van alle Romeinse burgers die hier in slavernij zijn?'

'Zorg in ieder geval dat u geld uit de overeenkomst sleept,' zei Hormus, bijna onhoorbaar.

Vespasianus keek zijn vrijgelatene geschokt aan, die nooit zo vrijmoedig had gesproken. 'Jij ook, Hormus?'

Hormus knikte. 'Magnus heeft gelijk: Flavia geeft het uit voordat u het hebt, dus zorg dat u het krijgt.'

Vespasianus probeerde de opmerking te vergeten, maar diep in zijn hart wist hij dat Magnus een punt had, een heel goed punt. Hij trok de teugels van zijn paard aan toen de poorten van Garama opengingen en een buitengewoon dikke man in een draagstoel door zwoegende dragers naar buiten werd gebracht. Hij werd omringd door zes slaven die hem met enorme palmbladeren energiek koelte toewuifden, zodat zijn gewaad in de luchtstroom wapperde en zijn lange baard vervaarlijk heen en weer zwaaide.

Om zijn nek hing een ambtsketen, die in de plooi tussen zijn borsten verdween. 'Ik ben Izebboudjen, kamerheer van Zijne Uiterst Verheven Majesteit Nayram van de Garamanten, heer van de duizend putten. Zijne Uiterst Verheven Majesteit eist te weten wie zijn hoofdstad nadert.' Hij sprak Grieks met de tongval van een goed geschoold man.

Vespasianus bekeek de kamerheer een moment en vond het opmerkelijk dat er nauwelijks zweet was te zien op zowel zijn kleren als op zijn bruine huid; de slaven die hem toewuifden moesten buitengewoon goed werk leveren en ze maakten het gebrek aan transpiratie van hun meester meer dan goed, gezien de hoeveelheid vocht die van hun lichaam droop, net als van de mannen die zijn gewicht droegen. 'Mijn naam is Titus Flavius Vespasianus, gouverneur van de Romeinse provincie Afrika. Ik ben hier om met uw meester Nayram te spreken.'

'U bedoelt natuurlijk, gouverneur, Zijne Uiterst Verheven Majesteit Nayram van de Garamanten, heer van de duizend putten.'

Vespasianus boog het hoofd met zijn beste imitatie van eerbiedigheid. 'Inderdaad, zo is het, Izebboudjen.' Gelovend in de aangeboren superioriteit van zijn volk was hij niet van plan om te knielen voor een of ander potentaatje, ongeacht van hoeveel putten hij heer was.

Izebboudjen begreep dat hij de Romein maar beter niet kon proberen te dwingen de volledige titel van zijn meester uit te spreken en boog zo diep als een man van zijn omvang gezeten in een draagstoel kon doen. 'Welkom, gouverneur. Uw troepen moeten buiten de muren hun kamp opslaan, net als de kooplieden van de karavaan. Ze zullen eten en drinken krijgen – alles wat ze wensen, de heer van de duizend putten zal niet van een gebrek aan edelmoedigheid beticht worden. U, echter, kunt de stad betreden, samen met een klein escorte; er zullen vertrekken in het paleis voor u in gereedheid worden gebracht. Met hoeveel zult u zijn?'

'Ik neem mijn elf lictoren en twee metgezellen mee.'

'Heel goed. Volg me en ik zal een audiëntie met de heer van de duizend putten voor u regelen.'

Garama was oud, heel oud, dat was goed te zien aan de brede straat die ze betraden na door de poort te zijn gegaan. De meeste gebouwen aan weerszijden van de straat waren twee verdiepingen hoog en gebouwd van in de zon gedroogde lemen stenen. Ze hadden kleine ramen met luiken ervoor en toonden sporen van talloze reparaties en vele lagen verf, zodat duidelijk was dat vele generaties bewoners zich met onderhoud hadden beziggehouden. Geen enkel huis was vervallen, en geen in voortreffelijke conditie. Maar het was vooral de straat zelf die de grote ouderdom van de stad toonde: diep uitgesleten sporen in de stenen van de vele wielen, hoeven en voeten die hier gepasseerd waren getuigden van eeuwen van bewoning; glad en golvend weerkaatste het plaveisel de brandende zon in vele richtingen. Wat daarnaast opviel was hoe schoon het er was. Nergens een spoor van het gebruikelijke afval dat je in een openbare straat zou verwachten, zoals rottende groenten en vruchten, menselijke en dierlijke uitwerpselen, of gewoon afval van onduidelijk herkomst. Er was niets, nog geen notendop, en de straat was toch bepaald niet leeg. Overal waren mensen, allemaal mannen, en allemaal tamelijk dik. Ze wandelden met vrienden of stonden bij de winkels met open pui of zaten een of ander spel te spelen met stenen op een bord met vreemde markeringen, terwijl ze van aardewerk aten dat uit het rijk was geïmporteerd, en uit bekers dronken met dezelfde herkomst.

Er reden ook karren die kwamen laden of lossen en toen een muilezel midden op straat zijn uitwerpselen overdadig liet vallen, ontdekte Vespasianus hoe men de stad zo schoon hield. De wagenmenner reageerde niet op de dampende hoop paardenvijgen en reed verder, maar zodra hij weg was kwamen twee slaven aangerend van waar ze ook maar hadden gezeten. De een had een schep en een zak, de ander een amfora en een doek. De berg drollen zat al snel in de zak en de vlek werd schoongespoeld met het water en drooggemaakt met de doek. 'Zagen jullie dat?' vroeg hij verbaasd.

Magnus knikte. 'Zoiets heb ik nog nooit gezien. Doen ze dat met elk beetje vuil?'

'En als dat zo is, wie betaalt er voor de slaven?' vroeg Hormus zich af.

Tijdens hun rit verder heuvelopwaarts, waarbij de lictoren nieuwsgierige blikken trokken, werd duidelijk dat het overal gebeurde: nog twee hopen verse uitwerpselen, een hond die onder de hitte was bezweken en een paar beschimmelde kolen, afgekeurd door een straatverkoper en op de grond gesmeten, eindigden allemaal in de zakken van de straatvegers. Elke keer als er iets van afval op straat terechtkwam, schoot direct een slaaf tevoorschijn om het op te ruimen.

'Houden jullie alle straten hier zo schoon, Izebboudjen,' vroeg Vespasianus aan de kamerheer, 'of alleen deze hoofdweg?'

Met een geamuseerde uitdrukking op zijn gezicht draaide Izebboudjen met moeite zijn hoofd om. 'Schoon? We doen het niet om de stad schoon te houden, dat is een bijproduct van het verzamelen van elk beetje afval dat we te pakken kunnen krijgen om onze akkers mee te bemesten.' Hij gebaarde naar de woestijn beneden, die zich uitstrekte zover het oog reikte. 'We zijn omringd door onvruchtbare grond en daarom mogen we hier niets verspillen. Het enige wat we verbranden zijn onze lijken, die van vrijgeboren burgers om precies te zijn. Slaven en vrijgelatenen worden aan de velden overgelaten.'

'Vrijgelatenen?'

'Ja. We hebben een klein aantal vrijgelatenen en het is een voorwaarde om vrijgelaten te worden. Ze zijn altijd bereid het kleine offer te brengen in ruil voor hun vrijheid.'

'Meester!' Achter Vespasianus riep een stem in het Latijn. 'Ik ben een Romeins burger!'

Vespasianus draaide zich om en zag een slaaf over de straat naar hem toe komen rennen. Voetgangers gingen snel opzij om uit de buurt te blijven van de man die Vespasianus' gezelschap naderde, schreeuwend en zwaaiend met zijn armen.

Vespasianus keerde zijn paard.

'Pas op, gouverneur!' schreeuwde Izebboudjen.

Op het moment waarop Vespasianus zijn paard naar voren dreef om richting de slaaf te rijden, slaakte de man een scherpe kreet en gooide zijn handen in de lucht, hij vloog naar voren, de rug gekromd, en viel op de grond, waarna hij een paar voet over de gladde stenen van de straat schoof voordat hij bleef liggen, zijn ogen wijd open en glazig. Vanachter zijn oor druppelde bloed in een langzaam groeiend poeltje. Lager in de straat slenterden twee grote, kaalgeschoren, gespierde mannen die alleen in een leren rok waren gekleed naar het lichaam, beide zwaaiend met een slinger in de rechterhand.

'U hebt geluk gehad, gouverneur,' zei Izebboudjen.' De slavenopzichters missen niet vaak, maar het is altijd verstandig om opzij te gaan voor een vluchtende slaaf, zoals alle andere mensen deden.'

Vespasianus keek om zich heen: de straat was weer volgestroomd, met voetgangers die verdergingen met hun oorspronkelijke bezigheden, alsof er niets was gebeurd.

Een van de slavenopzichters tilde het slappe lichaam op en gooide het over zijn schouder om het mee te nemen naar wat voor proces het ook moest ondergaan voordat het de grond kon verrijken.

Vespasianus draaide zich woedend om naar de kamerheer. 'Hij was een Romeins burger!'

Izebboudjen haalde zijn schouders op. 'Wat hij was voordat hij slaaf werd is niet belangrijk, hier was hij enkel een slaaf en zoals alle slaven in het koninkrijk is hij gekocht door en eigendom van de heer van de duizend putten zelf. Hij tolereert geen ongehoorzaamheid van ze.' Hij gebaarde naar zijn dragers en wuivers en gaf opdracht om verder te gaan. 'Er zijn veel meer slaven dan Garamanten en daarom laten we er een aantal vrij, de sterkste, om als slavenopzichters te dienen. Als we onze greep ook maar een moment verslappen, dan kunt u zich wel voorstellen wat er zou gebeuren. Ik geloof dat het goed vergelijkbaar is met de situatie in uw Rome, maar daar is het misschien niet zo acuut als hier.'

Vespasianus kon het punt van Izebboudjen wel begrijpen – een idee om alle slaven in Rome een duidelijk merkteken te laten dragen was afgewezen juist omdat de slaven zich dan zouden realiseren met hoeveel meer ze waren dan de vrije burgers en vrijgelatenen, en dat zou verschrikkelijke gevolgen kunnen hebben. 'Goed, maar deze man was een Romeins burger, hij zou geen slaaf moeten zijn.'

'Waarom niet?'

'Omdat... omdat hij een burger van Rome is.' Vespasianus kon geen logische reden bedenken en hij wist heel goed dat er geen wet bestond die het verbood om burgers tot slaaf te maken. Hij had Flavia ontmoet nadat haar toenmalige minnaar, Statilius Capella, gevangen was genomen door de Marmariden, een volk van slavenrovers ten oosten van Cyrene. Als Vespasianus de man niet was gaan redden had die de gevaarlijke reis door de woestijn naar dit koninkrijk moeten maken en zou hij nu nog altijd op de velden hebben gezwoegd of, waarschijnlijker, er deel van zijn geworden. 'Het is verkeerd om vrijgeboren Romeinen tot slaaf te maken.'

'Waarom? Hoeveel Garamanten zijn slaaf in uw rijk? En Parthen, nu we het er toch over hebben, Nubiërs, Scythen, Germanen. Zal ik doorgaan?'

'Ja, maar die zijn allemaal... Tja, zij zijn allemaal geen Romeinse burgers.'

Izebboudjen grinnikte. 'Ik geloof dat we maar beter kunnen ophouden met deze discussie voordat een van ons zichzelf voor schut zet.'

Vespasianus slikte een scherpe opmerking door die naar hij wist enkel als holle woorden zou klinken. Hij was zich pijnlijk bewust van wie van hen tweeën gevaar liep zichzelf voor schut te zetten. Bovendien wilde hij Izebboudjen niet tegen zich in het harnas jagen, want hij wist niet of hij van nut kon zijn bij zijn onderhandelingen met diens meester, die van de vele putten.

Nayram was misschien wel de dikste man op aarde; hij was zeker de dikste die Vespasianus ooit had gezien. 'Geen woord,' siste hij zijdelings tegen Magnus, wiens adem stokte. Vespasianus schikte zijn toga tot hij naar zijn tevredenheid hing. Hij voelde zich herboren na het bad en de scheerbeurt waarop hij zich had getrakteerd na aankomst in hun vertrekken in het paleis. Zijn elf lictoren, schitterend in zuiver witte toga's, droegen bij aan zijn waardigheid. Ze stonden achter hem op een rij, met hun fasces recht voor zich gehouden.

Iedereen in de galmende audiëntiezaal was opgestaan toen veertien zwaargebouwde slaven Zijne Uiterst Verheven Majesteit Nayram van de Garamanten, de heer van de duizend putten, hadden binnengedragen. Hij lag op een bed van enorme afmetingen waar hij naar Vespasianus dacht zelden vanaf kwam. Zijn precieze buikomvang was onmogelijk te schatten want hij was uitgedost in enorme gewaden die niet te onderscheiden waren van het beddengoed, dat de diepblauwe, bleekgroene en zachtrode tinten echode van de glanzende keramiektegels waarmee de vloer, muren en het koepelplafond van de ruimte waren gedecoreerd. Het enige wat zeker was, was dat er een hoop blubberend vet onder zat, want de inhoud van het bed leek voortdurend in beweging, rustig lillend. Zijn hoofd was bedekt met een enorme, slecht passende rode pruik met lokken die tot over zijn schouders vielen en zo deels de vetrollen verborgen waar zijn nek uit bestond.

Izebboudjen ging voor bij het buigen toen Nayram voor het gezelschap langs werd geparadeerd. De kamerheer leek bijna slank in vergelijking met zijn meester, maar de verzamelde hovelingen waren de dikste groep mensen die Vespasianus ooit bijeen had gezien – en dat wilde heel wat zeggen, gezien de fysieke toestand van veel Romeinen uit de hogere kringen.

Met grote zorg en veel inspanning wisten de slaven Nayrams bed zachtjes op de grond te zetten zonder de koning te storen, die leek te slapen. Uit de schaduwen verscheen een zwerm slaven met waaiers; ze gingen aan het werk om deze berg van vlees koel te houden.

Izebboudjen wendde zich vervolgens tot de aanwezigen en somde Nayrams titels op, waarvan er heel wat meer waren dan Vespasianus aanvankelijk had gedacht. Toen hij klaar was, wendde hij zich tot zijn koning. 'Meest verheven majesteit, voor u staat Titus Flavius Vespasianus, gouverneur van de Romeinse provincie Afrika.' Vervolgens ging hij in kleermakerszit op de grond zitten. De rest van de hovelingen volgde zijn voorbeeld, zodat alleen Vespasianus, Magnus en Hormus, samen met de lictoren, nog stonden.

Een tijdje heerste er absolute stilte.

Aan niets was te merken of Nayram wakker was, of zelfs maar in leven. Vespasianus bleef staan. Hij wilde het protocol niet doorbreken door te spreken voordat zijn gastheer het woord tot hem had gewend. Beleefdheid kon in zijn ogen een bondgenoot zijn, want van zijn gesprek met Izebboudjen had hij begrepen dat hij alle hulp die hij kon krijgen kon gebruiken, vooral omdat de Romeinse eer het hem verbood om de titels van de koning te gebruiken.

Na nog eens vijftig hartslagen opende Nayram één bloeddoorlopen oog. Het tastte Vespasianus enkele momenten af voordat het andere openging. 'Titus Flavius Vespasianus, u bent welkom in mijn koninkrijk.'

'Koning Nayram, met groot genoegen ben ik hier gekomen als gezant van de keizer, Nero Claudius Caesar Augustus Germanicus, en als teken van zijn vriendschap heeft hij dit geschenk gezonden.' Hij knikte naar Hormus, die naar voren stapte en een zwaar, met edelstenen ingelegd zilveren kistje aan Izebboudjen overhandigde. De kamerheer stond met de nodige moeite op en presenteerde het kistje aan Nayram, die inhalig glimlachte en zich iets oprichtte op zijn bed zodat hij zijn geschenk kon openen, waarbij hij een luidruchtige, door iedereen volkomen genegeerde aanval van winderigheid had.

Hij veegde enkele losse strengen haar opzij, maakte de sluiting los en opende het deksel. Zijn gezicht toonde verrukking toen hij naar de inhoud keek en er zijn vingers over liet gaan. 'Hmmmm,' spon hij, het geluid ronkte in zijn keel. 'U kunt mijn broeder, keizer Nero, vertellen dat zijn geschenk me genoegen doet.' Hij plukte een zwarte parel, bijna zo groot als een kwart van Magnus' glazen oog, uit het kistje en bestudeerde hem, opnieuw spinnend van genot over de glans van het voorwerp dat hij over de palm van zijn hand liet rollen. Hij gooide hem terug en pakte een handvol van de waardevolle objecten, allemaal ongeveer even groot, en liet ze een voor een terugvallen. 'Dit doet me werkelijk genoegen, het is een waardig geschenk van de ene gelijke aan de andere. Wat zou mijn broeder in ruil willen hebben?'

Vespasianus negeerde het pretentieuze idee van de heer van de duizend putten dat hij gelijkwaardig was aan de heerser over alle landen rond de binnenzee en vele daarbuiten, en zette een plechtig gezicht op. 'Keizer Nero vraagt slechts één ding aan u, koning Nayram: uw grootmoedigheid. In het kistje zitten vijfhonderd parels, van elk wordt de waarde aanzienlijk verhoogd doordat we hier zo ver van de zee zijn. Nero vraagt dat u voor elke parel de vrijheid schenkt aan een Romein die in uw grote koninkrijk in slavernij wordt gehouden; mochten er minder dan vijfhonderd zijn, dan kunt u de rest houden.'

Nayram liet neuriënd zijn vingers weer door zijn geschenk gaan, terwijl hij Vespasianus' woorden overdacht. 'En als het er nu eens meer dan vijfhonderd zijn? Hmmm? Wat dan?'

'Dan onderhandelen we.'

'Onderhandelen? De heer van de duizend putten onderhandelt niet; hij doet wat hij wil, want wie kan hem tegenhouden?' Nayram deed het deksel dicht en keek Vespasianus in de ogen. 'Kijk om u heen, Vespasianus, kijk waar u bent. Voorbij mijn velden is er in alle richtingen honderden mijlen niets. Het water uit mijn putten maakt het bestaan van deze vruchtbare oase in het midden van onvruchtbaarheid mogelijk. De woestijn houdt ons veilig, want welk leger kan hem doorkruisen en nog sterk genoeg zijn om ons aan te vallen? Daarom hebben we geen eigen troepen nodig, afgezien van de slavenopzichters, en zo zijn de burgers van mijn rijk vrij om van een goed leven te genieten. Diezelfde woestijn die ons beschermt is ook een kooi voor de slaven die onze velden bewerken, want waarheen kunnen ze vluchten? Hoe lang overleven ze zonder mijn putten? U ziet dus, gouverneur, ik hoef nergens over te onderhandelen. Als ik daar zin in heb kan ik dit geschenk gewoon pakken en niets teruggeven, en wat zou mijn broeder Nero dan doen? Hmmm?'

Vespasianus slikte zijn woede in over dit moddervette potentaatje dat het lef had zichzelf zo verheven te vinden dat hij kon dreigen om Rome zijn voorwaarden op te leggen. 'De keizer weet dat u zoiets niet zou doen, koning Nayram, want hij weet dat u, net als hij, een man van eer bent.'

Nayram leek deze in alle opzichten overduidelijke onwaarheid als een oprechte en juiste observatie te beschouwen. Hij opende het deksel en bekeek de parels nogmaals. 'Nero heeft gelijk: we delen hetzelfde gevoel voor eer. Goed, Vespasianus, u mag uw burgers terugkopen.' Hij wenkte naar Izebboudjen. 'Laat de houder van het archief komen.'

Izebboudjen kwam weer moeizaam overeind en boog. 'Uiterst verheven majesteit Nayram, heer van de duizend putten, hij staat tot uw beschikking.' Na een knikje naar de meester van de deuren zwaaiden die open en onthulden een zwaargebouwde figuur met een scheefstaande onderkaak en een platte, asymmetrische neus.

Vespasianus' adem stokte en zijn keel kneep samen; hij kende het gezicht goed, want hij was verantwoordelijk geweest voor de gewelddadige verbouwing ervan. Hij beheerste zich, maar bleef geschokt kijken naar de man wiens daden tot de dood van tachtigduizend Romeinse burgers en evenveel inheemse bewoners van de provincie Britannia hadden geleid. De man die opdracht had gegeven Boudicca af te ranselen en haar dochters te verkrachten, waarna hij haar geld stal en Vespasianus aan haar genade overliet. De man die de provincie was ontvlucht toen die als direct gevolg van zijn wandaden in opstand kwam, en die vervolgens spoorloos was verdwenen.

Nu wist Vespasianus wat er geworden was van de voormalige procurator van Britannia, want hij keek in het gehate gezicht van Catus Decianus.

HOOFDSTUK II

'Ik zou je nu moeten doden!' siste Vespasianus in het Latijn, terwijl Magnus hem bij de arm greep om hem tegen te houden.

Decianus grijnsde, zijn mond scheef door de verpletterde kaak die Vespasianus hem twee jaar eerder in Britannia had bezorgd. 'Het zou een fatale vergissing zijn om dat te proberen, Vespasianus, want hier ben ik een man van hoog aanzien.'

'Waar hebben jullie het over?' vroeg Nayram op hoge toon in het Grieks.

'Uiterst verheven majesteit,' fleemde Decianus, die op die taal overschakelde. 'Ik vertelde Vespasianus dat het dwaas zou zijn om me te doden, zoals hij net dreigde te doen.'

'Je doden? Waarom zou hij dat willen doen nu ik je net bevel wil geven om hem te helpen? Hmmm? Waarom?' De bloeddoorlopen ogen richtten zich op Vespasianus.

Vespasianus rukte zich los uit Magnus' greep en wees met een beschuldigende vinger naar zijn vijand terwijl hij tegen de koning sprak. 'Omdat die man me achterliet om te sterven in de handen van een koningin die hij had beroofd en gegeseld.'

'En toch bent u er nog? Hmmm?'

'Omdat de koningin in tegenstelling tot die slang een groot eergevoel bezit! Ze liet mij en mijn metgezellen gaan ondanks wat zij en haar dochters hadden ondergaan in naam van Rome en door zijn handen.'

De koning leek niet onder de indruk. 'Dan is er geen kwaad geschied.'

'Vertel dat maar tegen de tachtigduizend Romeinse burgers die omkwamen bij de opstand van Boudicca.'

'Als ze er zoveel gedood heeft denk ik dat Decianus gelijk had om haar te beroven en geselen. Hmmmm?'

Magnus legde een hand op Vespasianus' schouder. 'Het heeft geen zin te discussiëren,' fluisterde hij, 'het kan niemand hier verdommen wat daar ver in het noorden is gebeurd.'

Vespasianus voelde zich verstrakken maar wist dat Magnus gelijk had: wat kon het Nayram schelen wat zijn houder van de archieven in Britannia had uitgespookt? Feit was dat de ex-procurator een veilige schuilplaats buiten het rijk had gevonden en zich overduidelijk in de gunst van de koning had weten te wurmen. Hij haalde diep adem en dwong zichzelf te kalmeren, zijn vuisten ontspanden zich.

Van diep in Nayram borrelde een gorgelend geluid op dat een uiting van vrolijkheid leek. 'Veel beter, gouverneur, diplomatieke missies hebben zelden baat bij vertoon van emoties en het is ook niet verstandig om persoonlijke gevoelens toe te laten als u de bevelen van uw meerderen uitvoert.'

Vespasianus voelde zich gedwongen de kleinerende reprimande te slikken; vanuit zijn ooghoeken zag hij hoe Decianus zich verkneukelde. 'Ik ben het met u eens.'

'En mij aanspreken met een dergelijk gebrek aan beleefdheid is ook contraproductief, zou ik willen zeggen.'

'Ik ben het met u eens, koning Nayram.'

De koning wuifde het weg. 'Ik veronderstel dat ik niet meer kan verwachten van een arrogante Romein. U kunt beter een voorbeeld aan Decianus nemen, Vespasianus: hij heeft er geen moeite mee om mijn titels te gebruiken. Nietwaar, Decianus?'

Decianus boog zijn hoofd. 'Nee, uiterst verheven majesteit, heer van de duizend putten; het is niet meer dan normaal om een glorieus heerser zo aan te spreken.'

Nayram gebaarde naar het kistje met parels. 'Neem deze mee en streep ze af tegen elke Romeinse burger die je kunt vinden, ik vertrouw erop dat je volledige rekenschap aflegt.'

'Ik voel me vereerd, uiterst verheven majesteit.'

Het verbaasde Vespasianus dat Decianus een dergelijke som kreeg toevertrouwd, maar het leek hem onverstandig om erop te wijzen dat de ex-procurator geen gevoel voor eer had en daarom bracht hij het gesprek weer terug op het oorspronkelijke onderwerp. 'Ik ben u dankbaar, koning Nayram, voor de hulp die u in deze zaak biedt en ik wil u verzekeren dat ik met alle genoegen de raad van de houder van de archieven zal aannemen bij het vinden van de Romeinse burgers die slaaf zijn in uw koninkrijk.'

'Het doet me deugd dat te horen, gouverneur; ik stel voor dat u met hem meegaat voordat ik van gedachten verander. En als mij ter ore komt dat hem iets is aangedaan of dat hij onheus bejegend is, beschouw ik dat als een belediging tegen mijn persoon en komt uw status als ambassadeur te vervallen. Ben ik duidelijk? Hmmmm?'

Vespasianus hield zijn hoofd iets scheef. 'Bewonderenswaardig duidelijk, koning Nayram; ik hoop dat Decianus dezelfde terughoudend in zijn omgang met mij zal betonen.'

'U bevindt zich niet in een positie om eisen te stellen, gouverneur; u bent te gast in dit koninkrijk en Decianus is een betrouwbaar minister. U kunt gaan.'

Nu hij zo zonder omhaal werd weggestuurd kon Vespasianus niet anders doen dan zich neerleggen bij de wensen van de monarch, hoezeer het ook tegen zijn *dignitas* als Romeins gouverneur in ging. Hij gaf zijn lictoren met een kort gebaar opdracht zich om te draaien en vooruit te lopen en volgde met een waardige pas, zijn hoofd hoog en ziedend van woede.

'Dat ging goed,' merkte Magnus op toen de deuren achter hen gesloten werden.

'Als ik je mening wil weten, vraag ik er wel naar.'

'Nee, u krijgt haar te horen of u wilt of niet. En ze luidt: nu u de rechter over leven en dood op deze door de goden verlaten plek, mijlenver van iedereen die ons kan helpen, duidelijk hebt gemaakt dat u zijn houder van de archieven het liefst zijn ballen zou afrukken om ze hem door de strot te duwen tot hij stikt, lijkt het me vrijwel zeker dat de genoemde houder een of ander incident zal bedenken dat ermee eindigt dat we allemaal de grond zullen verrijken, zodat we volgend jaar een integraal onderdeel van de oogst zijn.'

'Ik weet het! Ik heb me vreselijk aangesteld.'

'Als een kleinzielige slaaf die vanwege een onbeduidende wrok tegen een van zijn medeslaven zijn onsympathieke meester op zijn hand probeert te krijgen.'

'Onbeduidend?'

'Ja, onbeduidend.'

'Hij liet ons achter om te sterven!'

'En zoals de koning heel juist zei: we leven nog. U hebt iedereen die er in dit koninkrijk toe doet heel duidelijk gemaakt wat u van plan bent met hem te doen als u de gelegenheid krijgt. Hoe kunnen we nu onze gerechtvaardigde wraak op die gladde klootzak nemen en vervolgens ook nog toestemming krijgen om door vierhonderd mijl woestijn terug naar het rijk te reizen zonder dat iemand ons vraagt om uitleg te geven aan die vette drol met een rode pruik?'

Een schreeuw ergens achter hen voorkwam dat Vespasianus kon tegensputteren.

'Gouverneur!'

Vespasianus keek om en zag een paleisfunctionaris haastig naderen. Hij stopte en draaide zich om. 'Wat is er?'

De man boog diep. 'De houder van de archieven verzoekt u om morgen op het tweede uur van de dag naar de agora bij de westpoort te komen om daar gezamenlijk aan de rondgang door het koninkrijk te beginnen.'

'En laat je lictoren hier, Vespasianus,' beval Decianus.

Vespasianus, gezeten op zijn paard, hield zijn hoofd scheef en fronste, alsof hij het niet goed had gehoord. Waternevels van de vele fonteinen op de agora koelden de lucht, die ondanks het vroege uur snel warmer werd door de al hevig brandende zon. Verveeld kijkende burgers slenterden langs de marktstalletjes en bekeken zonder veel enthousiasme de waren, voornamelijk aardewerk geïmporteerd uit het rijk; ook hier waren geen vrouwen te zien.

'Laat ze achter,' herhaalde Decianus, 'ze houden ons alleen maar op.'

'Ons ophouden!' Vespasianus gebaarde naar de logge, door vier muildieren getrokken kar waarin Decianus in de schaduw van een luifel lag, omringd door slaven die voor koelte zorgden. 'Dat ding heeft al moeite om sneller te gaan dan die wuivende slaven.'

Decianus spreidde zijn handen en haalde zijn schouders op. 'Mijn slaven rennen zo nodig en blijven hun werk doen, terwijl lictoren met de statige pas van een imperiale magistraat voortschrijden; ze kunnen niet snel lopen want dat mist waardigheid. Ik kan het weten, ik heb zelf lictoren gehad.'

'Ik mag ook al geen cavalerie-escorte van je meenemen, moet ik dan helemaal zonder bescherming meegaan?'

'Je bent beschermd door je status als ambassadeur.' Decianus gebaarde naar Magnus en Hormus, die op hun paarden achter Vespasianus wachtten. 'En je hebt je vrijgelatene en, eh…' Hij deed alsof hij zich de naam probeerde te herinneren, vergeefs. 'Hij daar, wie en wat hij ook moge zijn.'

Magnus glimlachte overdreven welwillend tegen de ex-procurator. 'Hij heeft zeker "hij daar", Decianus, en "hij daar" mag dan maar één oog hebben, maar "hij daar" weet heel goed hoe hij ermee moet kijken.' Hij wendde zich tot Vespasianus. 'Laat maar, wat u ook zegt, hij zal zijn eigen zin willen hebben.'

Decianus gebaarde naar zijn wagenmenner dat ze konden vertrekken en de wagen baande zich een weg door een menigte burgers, allemaal goed gevoed en rond, die van de stalletjes waren komen aanlopen om bij gebrek aan iets anders interessants hier toe te kijken. 'Natuurlijk krijg ik mijn zin, ik heb de leiding.'

'Wat fijn voor je,' zei Vespasianus bijna onhoorbaar en hij wendde zijn paard om door de zuidpoort achter de wagen aan te gaan, zijn lictoren met een gebaar bevel gevend achter te blijven.

De weg bestond uit roodbruin gesteente waar zand op was gewaaid. Links en rechts liepen irrigatiekanalen waar water door stroomde; elke paar honderd passen was er een aftakking naar de velden. Troepen slaven werden voortgedreven door slavenopzichters die veelvuldig van hun zweep gebruikmaakten. In het eerste halve uur van hun tocht kwamen ze langs drie van dergelijke groepen, die bestonden uit mannen en vrouwen, jong en oud. De slaven waren vrijwel naakt, donker en gerimpeld door de zon, de buiken wezen op ondervoeding en allemaal straalden ze ellende en wanhoop uit. Dat was een groot verschil met de slaven die Vespasianus in de stad afval had zien opruimen, want die hadden er relatief gezond uitgezien. De groepen werden met zwepen velden in verschillende stadia van cultivatie op gejaagd en met veel geweld aan het werk gedwongen, zonder enige rekening te houden met leeftijd of lichamelijke conditie.

Eerst had Vespasianus de indruk dat er geen systeem in de landbouw zat, want op sommige velden waren de gewassen jong en groen, op andere al goudkleurig en rijp; er waren ook akkers waar geoogst werd en andere waar men met de ploeg bezig was, terwijl weer andere velden ingezaaid werden of braak lagen. Maar al snel begon Vespasianus met zijn landbouwkundige oog en ervaring de reden te begrijpen. 'Ze doen aan continue rotatie,' vertelde hij Magnus.

'Eh?'

'Continue rotatie; de landbouw.'

'Continue wat?'

'Rotatie. De velden zijn allemaal in een ander stadium van verbouw, want het doet er niet toe wanneer ze ploegen, zaaien of oogsten omdat ze hier geen seizoenen hebben.'

Magnus keek voor zich uit, voorbij de heuvels met akkers naar de woestijn die in de brandende verte glinsterde. 'Wat? Bedoelt u dat het hier altijd zo heet als in Vulcanus' aars is?'

'Precies, ze hebben altijd water uit de putten, zodat ze de velden het hele jaar kunnen bevloeien. De zon brandt altijd, het doet er dus niet toe in welke maand je een akker inzaait; het gewas is altijd een paar maanden later oogstrijp, op voorwaarde dat er genoeg water is, en dat hebben ze.'

'Ah, ik begrijp het. Dus als je zorgt dat er altijd akkers geoogst kunnen worden, heb je het hele jaar door een constante aanvoer van voedsel.'

'Precies.'

'Het is een slim systeem,' mengde Decianus zich met gesloten ogen in het gesprek, tot verrassing van Vespasianus, want die had gedacht dat hij in slaap was gevallen. 'Zo zijn we niet afhankelijk van één oogst per jaar, of twee als de goden ons gunstig zijn gezind. Dus anders dan Rome kunnen we onze mensen gegarandeerd het hele jaar door voeden zonder bang te hoeven zijn voor tekorten. En dat houdt ze gedwee...'

'En jou zeker van je positie,' viel Vespasianus hem in de rede.

'Dat gelukkige bijeffect is er zeker, dat geef ik toe.'

'En wat is je positie precies?'

'Erg comfortabel, dank je.' Decianus opende een oog en keek naar Vespasianus, glimlachend, waarna hij hem weer sloot.

Vespasianus besloot niet verder te vragen om Decianus niet te vleien met zijn nieuwsgierigheid, bovendien wist hij dat het in de loop van de dag toch wel duidelijk zou worden.

De zon bleef genadeloos stijgen en brandde met een toenemende felheid, tot hij bijna loodrecht boven hen stond en Vespasianus het gevoel had alsof hij in de oven van een bakker was geduwd. Maar Decianus had geen behoefte om te stoppen om schaduw op te zoeken, want hij lag onder zijn luifel en werd gekoeld door de wuivende slaven. En dus gingen ze door, in de trage pas van Decianus' muildieren, waarbij ze alleen af en toe even stopten om de dieren en slaven gezamenlijk te laten drinken bij een van de vele troggen langs de weg, die vrijwel recht naar het westen liep. Hier en daar staken oranjebruine rotsen uit de aarde. Hoog oprijzend vormden ze een richtpunt voor de talrijke zwaluwen die door de diepblauwe hemel schoten. Overal was het gekras van bruinnekraven te horen, ze zaten in hun nesten in de holtes hoog boven de velden waar ze de sprinkhanen en kleine slangen vingen die hun lievelingskostje vormden. Nog hoger cirkelden roofvogels majestueus in de lucht om hun koninkrijk vol overvloed beneden af te speuren.

Kort na het middaguur ontwaakte Decianus uit zijn sluimer toen ze wat van een afstand een stadje leek naderden, maar dichterbij gekomen kon Vespasianus zien dat het geen gewone stad was, maar meer een verzameling van lange, lage barakken.

'Nu zul je zien hoe belangrijk ik in dit koninkrijk ben,' zei Decianus, terwijl een ontvangstcomité van een zestal bruinverbrande mannen van de gebouwen in hun richting liep. Ze droegen lange zwarte gewaden en breedgerande zonnehoeden waar zwart kroeshaar onderuit kwam.

'We zijn buitengewoon vereerd door de aanwezigheid van een man die zo hoog in de gunst staat bij de heer van de duizend putten,' kondigde de leider van de groep aan, en hij boog zo diep dat hij zijn hoed moest vasthouden om te voorkomen dat die op de grond viel. Zijn metgezellen hadden dezelfde problemen bij het bewijzen van eer, omdat hun kroeshaar het de hoeden onmogelijk maakte goed te blijven zitten.

'Dat zijn jullie zeker, Anaruz,' antwoordde Decianus zonder spoortje van ironie. 'Ik wil hier zo snel mogelijk weer vandaan, dus haal vlug je inventarislijst en breng me naar een koele plek om hem te bestuderen.'

'Niets zou me een groter genoegen zijn, heer.'

Decianus negeerde de leugen, of misschien, bedacht Vespasianus, geloofde hij die wel. Intussen draaide de groep zich om en escorteerde de wagen naar de gebouwen. Vespasianus, Magnus en Hormus volgden, genegeerd door het ontvangstcomité, van wie niemand zelfs maar een blik op hen had geworpen, zo groot was het ontzag waarmee ze Decianus hadden ontvangen.

Decianus koesterde zich in deze aandacht en liet zich door de ondergeschikten van Anaruz uit zijn wagen helpen nadat ze aangekomen waren aan de voet van een trap van wat, te oordelen naar de porticus, een administratief gebouw moest zijn. Hij veegde een hand die hem steun wilde geven weg omdat die zijn elleboog te hard vastpakte en verbande de eigenaar voor de rest van het bezoek. Daarna sloeg hij een slaaf die met een parasol aan was komen rennen om die boven zijn hoofd te houden omdat die niet had weten te voorkomen dat de zonnestralen zijn huid een ogenblik raakten. Hij foeterde Anaruz uit voor de slordigheid van de slaaf en gaf bevel de mislukkeling terug naar de velden te sturen. Vervolgens weigerde hij, om onduidelijke redenen, achtereenvolgens drie slaven die ter vervanging werden aangevoerd voordat hij de vierde accepteerde. Intussen werd de oorspronkelijke slaaf schreeuwend naar een langzame dood door uitputting en ondervoeding afgevoerd. Daarna dreef hij de spot met de kruiperige excuses van Anaruz voor het incident en vernederde hem ten overstaan van zijn ondergeschikten. Vervolgens barstte hij in een oorverdovende tirade in hun gezicht uit en las hun de les vanwege hun onvermogen om Anaruz te helpen bij de zware taken van zijn positie. Hij koos er willekeurig een uit en gaf hem opdracht te voet naar Garama te gaan om zich te melden voor straf als hij was teruggekeerd van de tour. Toen er eenmaal alom verwarring heerste en hij van mening was dat de mensen hier voldoende angst voor zijn macht hadden, was Decianus tevreden en veranderde hij op slag in de vriendelijke meester. Hij legde een arm om de schouders van de zichtbaar verwarde Anaruz en vroeg naar diens gezin terwijl ze het enige gebouw van de nederzetting betraden dat niet uitsluitend functioneel was ontworpen.

'Ik geloof dat Decianus belangrijkheid met angst verwart,' observeerde Vespasianus terwijl hij en zijn metgezellen afstapten.

'Eén ding is zeker,' mijmerde Magnus, kijkend naar de onzekere Anaruz die naar een houding zocht na de abrupte stemmingswisseling van zijn meerdere, 'als Decianus spontaan in brand zou vliegen, zullen we Anaruz niet met een lege emmer naar de dichtstbijzijnde put zien rennen, als u begrijpt wat ik bedoel.'

'Dat doe ik, Magnus, ik begrijp het heel goed.'

'En met deze hitte is er altijd hoop.'

Ze lieten hun paarden achter bij de wagenmenner en volgden Decianus de trap op, de schaduw van de porticus in, en vervolgens door hoge deuren in een ruime hal met een hoog plafond, verlicht door ramen op het noorden waar de zon nooit direct op scheen. Hier, in de koelere lucht, stonden schrijftafels waar functionarissen met hun stylussen op wastabletten krasten. Na een geblaft bevel van Anaruz haastten ze zich allemaal naar de schemerige verste muur van het vertrek.

'Blieft Uwe Excellentie een verversing?' vroeg Anaruz met een stem die de angst verraadde voor de mogelijke consequenties als dit het verkeerde onderwerp was om aan te snijden.

Maar zijn zorgen waren overbodig, want Decianus sloeg hem op de rug. 'Voortreffelijk idee, mijn beste Anaruz.' Toen merkte hij Vespasianus voor het eerst sinds hun komst op. 'Je mag gouverneur Vespasianus en mij wat brengen terwijl ik met hem de inventaris doorloop.'

De inventaris was helemaal niet wat Vespasianus ervan verwacht had en hij begon te begrijpen hoe Decianus zich in een zo korte tijd zo nuttig had weten te maken in het koninkrijk. Gezeten op een lange divan en omringd door zijn slaven, de waaiers constant in beweging, bekeek Decianus wastablet na wastablet met een lange lijst van alle slaven die in het complex waren gehuisvest. Elke slaaf had een nummer, maar geen naam, en een aankoopdatum, die voor de dag stond waarop de slaaf in het koninkrijk was aangekomen. Dat was op zich al een indrukwekkend staaltje boekhouden, maar het was het laatste symbool bij elke slaaf dat Vespasianus verbaasde.

'L,' zei Decianus tegen Anaruz. 'Noteer slaaf vierennegentig van de aankoop van de calendae van juli twee jaar geleden als "Latijnse rechten".' Hij liep de lijst verder door terwijl Anaruz de aantekening op een nieuw wastablet noteerde. 'L, slaaf honderdtwaalf van dezelfde aankoop.' Decianus keek naar Vespasianus, die tegenover hem gezeten van een beker kokoswater nipte. 'Het is mijn eigen systeem, ik moest iets verzinnen om de aandacht van de koning te trekken toen ik hier kwam en dus stelde ik voor om mijn organisatievermogen te benutten, want ik had ontdekt dat ik daar talent voor had toen ik als procurator belastingen inde bij die tegenstribbelende barbaren.' Hij straalde zelfingenomenheid uit en ging verder met het raadplegen van de lijst. E, slaaf tweeëndertig van de decemberaankoop van hetzelfde jaar is een erkend burger.'

Anaruz noteerde dit nummer op een ander wastablet, terwijl Decianus met opmerkelijke snelheid de inventaris verder doorliep.

Vespasianus zette zijn beker neer, niet in staat om zijn nieuwsgierigheid langer te beheersen. 'Vertel eens, Decianus, hoe werkt je systeem?'

Decianus deed geen poging zijn plezier te verhullen. 'Ah! Je bent dus geïnteresseerd. Hoe bevredigend!' Hij zweeg even om zichzelf onder controle te krijgen, zichtbaar trots op zijn prestaties. 'Ik stelde het aan de koning voor toen ik hier aankwam met voldoende geld om in comfort te leven, maar niet genoeg voor het soort luxe waar ik de voorkeur aan geef. In dit land hoeven de burgers niet te werken, omdat alles wat ze nodig hebben op grote boerderijen als deze wordt verbouwd en het wordt zonder restricties aan ze uitgedeeld, waardoor ze allemaal een luierend leven leiden. Maar een koninkrijk dat zo van slavenarbeid afhankelijk is verkeert volgens mij in ernstig gevaar. Ga maar na, afgezien van de slavenopzichters en wat jonge mannen die bij gebrek aan andere opwinding op wilde dieren jagen voor de circussen van het rijk, is er niemand om de Garamanten te beschermen als de slaven zouden beseffen hoe kwetsbaar het land is voor een opstand. Het zal heel anders gaan dan toen met Spartacus; het hele rijk van de Garamanten zal in een paar dagen ten onder gaan, want de slaven moeten met slechts een paar honderd slavenopzichters en jagers afrekenen. Zoals de koning jullie heeft verteld is er geen leger omdat er niemand is tegen wie het koninkrijk moet worden beschermd. Maar Nayram beseft niet hoe groot de dreiging van binnenuit is, niemand hier doet dat, want ze zijn zelfgenoegzaam en denken dat hun manier van leven veilig is.' Hij keek Anaruz aan. 'Nietwaar, Anaruz?'

'Niet nu u me op de dreiging hebt gewezen, heer.'

'De dreiging. Zeker, Anaruz begrijpt de dreiging en de dreiging is heel reëel. Ik besloot dat ik iets aan de dreiging moest doen als ik in Garama wilde blijven, en daarom stelde ik de koning voor om een volledige inventarislijst van alle slaven te maken.' Hij zweeg even om Vespasianus de kans te geven een opmerking te maken over de enorme omvang van de taak, maar werd teleurgesteld; Vespasianus was niet van plan de ex-procurator te vleien. 'Omdat alle slaven publiek bezit zijn – ze zijn met andere woorden door de koning gekocht – zijn er documenten van alle aankopen, tot tientallen jaren terug. De slaven zijn uit vier bronnen afkomstig: ten eerste uit het rijk, vooral aangevoerd door dierenhandelaren die slaven ruilen tegen de wilde dieren die de jagers voor de spelen vangen. Deze slaven zijn over het algemeen van te lage kwaliteit voor landbouwwerk, want in het rijk gaan de sterkste slaven meestal naar de gladiatorscholen of naar de boerderijen of mijnen. Niettemin krijgen we soms ook goede exemplaren uit deze bron, vooral na afloop van de opstand in Britannia was dat het geval.' Hij zweeg weer even, naar Vespasianus meende om hem de kans te geven een opmerking te maken over Boudicca's opstand, maar toen duidelijk werd dat die niet kwam ging Decianus verder. 'Dan zijn er de karavanen die vanuit het zuiden door de woestijn komen. Ze brengen exotisch ogende slaven gekleed in dierenhuiden, ze zijn zwarter dan Nubiërs en sterk en gezond, zelfs de vrouwen, perfect voor allerlei dingen. Uit het westen komt een gestage stroom slaven van redelijke kwaliteit, maar sinds Claudius Mauritania in het rijk heeft opgenomen, twintig jaar geleden, brengen de meeste handelaren hun waren liever naar de keizerlijke slavenmarkten langs de kust. En dan is er de oostelijke route...'

'De Marmariden.'

Decianus was onder de indruk. 'Je kent ze.'

'Ik heb als quaestor in Cyrenaica gediend. Ik moest achter een idioot aan die het voor elkaar had gekregen zich gevangen te laten nemen door deze stam en hij liep het gevaar zijn leven hier te eindigen.'

'Goed, dan weet je dus alles van ze. Een aardig percentage van de slaven die via de oostelijke route naar Garama komen is dus burger. Nu was dat op zich niet iets waar ik in geïnteresseerd was, maar een archief van alle Romeinse burgers in slavernij hier was een bijproduct van mijn inventaris. Je moet weten dat er twaalf van dit soort boerderijcomplexen met barakken voor slaven in het land zijn, en elk complex heeft een eigen archief waarin bijgehouden wordt welke slaven men krijgt als er een nieuwe lading in het koninkrijk aankomt. Dus ik stelde de koning voor om alle complexen af te gaan om te noteren welke slaven waar zaten, want ik maakte me zorgen over een te hoge concentratie van slaven van dezelfde herkomst op één plek. Het is veel beter, dat zul je met me eens zijn, om zo veel mogelijk rassen en talen als mogelijk door elkaar te hebben, zodat de kans kleiner is dat ze zich verenigen achter een gemeenschappelijk doel. De koning begreep mijn bedoeling en stemde erin toe om me voor het werk te belonen, en dat deed hij overvloedig, kan ik eraan toevoegen.'

Weer zweeg hij even en zag er buitengewoon tevreden met zichzelf uit. 'En zo begon ik aan een rondgang langs alle twaalf complexen en noteerde van elke slaaf de aankomstdatum en waar hij of zij vandaan kwam; ik had er zes maanden voor nodig, want er zijn meer dan duizend slaven in elk complex – in een paar zelfs tweeduizend. Ik moest het allemaal alleen doen, want niemand hier begreep mijn methoden en bovendien wilde ik ook niet dat anderen het systeem begrepen. Niettemin kreeg ik het voor elkaar en toen de inventarisatie eenmaal klaar was, begon ik grote groepen mensen uit hetzelfde volk uit elkaar te halen om ze zo goed mogelijk over de andere boerderijen te verspreiden, zodat er nu nergens in Garama nog een gevaarlijk grote concentratie te vinden is.'

'En zo weet je wie Romeins burger is?'

'Natuurlijk, en zo zal het niet lang duren om ze alle vierhonderdzestig te vinden.'

'Ik heb vijfhonderd parels meegenomen.'

'Is dat zo? Ik heb er veertig minder geteld.'

Vespasianus wist dat het zinloos was om er ruzie over te maken. 'Het verbaast me dat je er niet meer hebt ingepikt.'

'Nee, ik heb het bij twintig gelaten.' Decianus keek Vespasianus nadrukkelijk aan.

Vespasianus bleef neutraal kijken. 'Maar zoals ik al zei, als er meer zijn moeten we onderhandelen en ik weet zeker dat je heel behulpzaam kunt zijn om tot afspraken te komen.'

Decianus begreep het en rook winst, precies zoals Vespasianus bedoeld had. 'Ik ben altijd blij als ik Rome een dienst kan bewijzen.'

'En toch heb je niets gedaan om de burgers hier te helpen?'

'Wat gaat mij het aan als iemand zo stom is zichzelf tot slaaf te laten maken?'

Vespasianus wilde wel toegeven dat Decianus een punt had: hij had een vergelijkbaar argument bij zijn vrouw Flavia gebruikt, jaren geleden, toen ze erop aandrong dat hij haar toenmalige minnaar zou redden van eenzelfde lot. Uiteindelijk was hij Statilius Capella gaan redden, niet zozeer omdat die een Romeins burger was, maar om indruk op Flavia te maken. Hij was echter niet van plan om Decianus te helpen zich gerechtvaardigd te voelen over zijn daden. 'Niet alleen heb je niets aan hun situatie gedaan, maar je hebt ze ook verdeeld en het potentieel erger gemaakt.'

'Uiteraard, als het om mijn veiligheid gaat is geen voorzorgsmaatregel te veel.'

'Dat was me al opgevallen in Britannia.'

'O, hou daar toch over op, anders moet ik me weer mijn geplette neus en gebroken kaak herinneren.'

'Bedreig je me nu?'

'Vespasianus, onthoud nu eens dat ik je niet hoef te bedreigen want je bent al volledig in mijn macht, ik kan je laten doden wanneer ik maar wil.'

'Dat is een leugen, Decianus, en dat weet je heel goed. Je vette meester zou absoluut niet tevreden zijn als je dat deed, want hij beseft heel goed dat Nero de verdwijning van een van zijn gouverneurs tijdens een diplomatieke missie niet licht zal opvatten. Het is voor Nayram van vitaal belang om op goede voet met Rome te blijven, waarom denk je anders dat hij instemde met Nero's verzoek om alle burgers hier vrij te laten? Maar genoeg daarover, ga terug naar je lijsten en dan zal ik je belangrijkheid bewonderen.'

Het was halverwege de middag toen ze weer verdergingen, op weg naar wat volgens Decianus het meest westelijke boerderijcomplex van het koninkrijk was. Daarna zouden ze naar het zuiden gaan en vervolgens naar het oosten, waarmee ze een volledig rondje door Nayrams domein zouden hebben gemaakt en terug konden keren naar Garama. Anaruz was achtergebleven met een lijst met drieënvijftig nummers en de order om die slaven over zeven dagen naar Garama te brengen.

Ze kwamen voor het donker aan op hun bestemming – die vergelijkbaar was opgezet als het eerste complex dat ze hadden bezocht. Na de functionarissen die het boerderijcomplex beheerden op dezelfde manier te hebben geterroriseerd als hij bij het eerste had gedaan bekeek Decianus de inventaris. Deze lijst leverde in totaal zesendertig slaven op, die op bevel van Decianus aan hem en Vespasianus werden voorgeleid nadat ze na het invallen van de duisternis waren teruggekeerd van de velden.

Het was een vermoeide en haveloze groep slaven met zowel mannen

54

als vrouwen waar Vespasianus op het terrein voor het administratie-gebouw in het licht van een fakkel naar stond te kijken. De slavenop-zichters probeerden met hun zwepen wat orde in het zooitje te ranse-len, maar de meesten waren te uitgeput en te immuun voor de aanraking van het leer om zich er wat van aan te trekken.

'Zo is het genoeg!' schreeuwde Vespasianus toen een jonge vrouw na meerdere zweepslagen op haar knieën viel.

De slavenopzichter keek om zich heen en zag dat Vespasianus het tegen hem had, waarna hij met een nadrukkelijk vertoon van tegenzin stopte met slaan.

Vespasianus liep naar de groep toe en ging voor een oudere man staan die naar de grond staarde. Hij tilde de kin van de man op en keek in zijn ogen, die bijna leeg voor zich uit staarden en weigerden in de zijne te kijken. 'Waar kom je vandaan?' vroeg hij in het Latijn.

De slaaf zei niets, merkte nauwelijks dat er iets tegen hem was ge-zegd.

Vespasianus herhaalde de vraag.

Dit keer schudde de slaaf lichtjes zijn hoofd, alsof hij zijn hoofd hel-der wilde maken. Hij keek op met een vragende blik in zijn ogen. 'Wat zei u?' Zijn stem kraste, hij had hem een tijd niet gebruikt.

'Ik vroeg waar je vandaan komt.'

'Waarom?'

'Geef gewoon antwoord.'

De slaaf dacht een ogenblik na. 'Apollonia.'

'De haven in Cyrenaica?'

'Ja.'

'En je bent een Romeins burger?'

'Dat was ik.' Hij deed een verbeten poging tot een ironische grijns, die Vespasianus overtuigde van de waarheid van de bewering.

'Hoe ben je hier beland?'

'Ik had een vissersboot.'

Vespasianus wist genoeg, want hij had vele jaren eerder een vergelijk-baar verhaal gehoord van Josef, de joodse tinhandelaar die hij samen met Statilius Capella uit handen van de Marmariden had bevrijd. 'En je ging tussen Cyrenaica en Egypte aan land om water in te nemen en werd gevangengenomen door Marmaridische slavenhandelaren?'

De slaaf keek verbaasd. 'Ja, drie jaar geleden, hoe wist u dat?'

'Doet er niet toe.' Hij ging de rij af om zich ervan te verzekeren dat elke slaaf een geldige aanspraak op burgerschap of Latijnse rechten had; ze waren allemaal in erbarmelijke toestand en ze hadden allemaal een verhaal vol rampspoed.

Vespasianus was dan ook verrast toen hij een goedgebouwde man ontdekte, halverwege de twintig, die rechtop stond en hem in de ogen keek. 'Marcus Urbicus,' zei de man, die in de houding ging staan. 'Optio van de derde centurie, zesde cohort van de Derde Augustus, gouverneur.'

Vespasianus staarde Urbicus volkomen verrast aan. 'Hoe lang ben je hier al, Urbicus?'

'Iets meer dan zes maanden, gouverneur. Sinds de supheten van Leptis Magna me gevangennamen toen ik ze uw boodschap gaf dat ze moesten meewerken aan de watervoorraden.'

'Wat hebben ze gedaan?'

'Ze hebben mij en mijn mannen gevangengenomen, gouverneur, en ons verkocht aan de Garamanten. We konden niets doen, gouverneur!'

Vespasianus keek geschokt naar de optio en wendde zich toen tot Decianus. 'Wist jij hiervan?'

De ex-procurator haalde onverschillig de schouders op. 'Ik kan het me niet herinneren.'

Vespasianus keek weer naar Urbicus. 'Waar zijn je mannen?'

'Weet ik niet, gouverneur, we waren met zijn achten voordat we van elkaar gescheiden werden.'

Vespasianus keek Decianus woedend aan. 'Jij wist hiervan! Je hebt ze uit elkaar gehaald, jij vet...' Vespasianus hield zich in.

'Voorzichtig met wat je zegt, gouverneur, we willen geen onaange-naamheden. Ze waren slaven in het koninkrijk van de Garamanten, ik heb alleen het beleid uitgevoerd.'

'En ik veronderstel dat het jou niets aanging toen ze zichzelf tot slaaf lieten maken, hè?'

'Precies.'

'Tja, Decianus, helaas voor jou gaat het míj wel aan! Deze man was mijn boodschapper en werd verraderlijk gevangengenomen en vervol-gens door de supheten van Leptis Magna illegaal in slavernij verkocht, en de koning van de Garamanten was medeplichtig in die misdaad door ze te kopen.'

'Het gebeurt voortdurend.'

'Met legionairs? Dat denk ik niet, Decianus. Dat is een directe aanval op de autoriteit van de gouverneur en daarmee een aanval op de keizer zelf, en jij bent erbij betrokken, Decianus, net als je kolossale koning. En Rome zal ervan horen als ik het wil. Als je ooit de hoop hebt gekoesterd om je op een dag weer in de gunst te kopen, kun je dat nu gevoeglijk vergeten, tenzij je me je volledige medewerking garandeert in deze zaak en ophoudt te proberen me te imponeren met hoe belangrijk je bent, iets wat me werkelijk niets kan schelen.'

Decianus staarde hem kil aan. 'En hoe weet je zo zeker dat je de reis terug naar het rijk overleeft?'

'Wil je daar een weddenschap op afsluiten, Decianus?' Hij wees naar Magnus en Hormus, die achter hem stonden. 'In jouw ogen lijken ze misschien niet veel, maar we staan ons mannetje, zeker nu we ook Urbicus hebben. Urbicus, ga bij ze staan.'

De optio salueerde en marcheerde naar Magnus en Hormus toe.

'Zorg nu dat deze mensen te eten krijgen en dat ze van de rest van de slaven worden afgezonderd. Morgen neem ik ze mee terug naar Garama en daar zal ik wachten, in het kamp van mijn Numidische cavalerie voor de stadsmuur. Jij haalt intussen de rest van de Romeinse burgers in dit koninkrijk bij elkaar en stuurt ze naar mij en niet naar Nayram.'

'Maar je wordt geacht met mij mee te gaan.'

'Waarom? Ik kijk alleen maar toe wat je doet. Je kunt je werk heel goed alleen uitvoeren. Bovendien voel ik me niet zo veilig in je gezelschap als ik me misschien zou moeten voelen, ik geef de voorkeur aan het gezelschap van mijn Numidiërs. Zoals je al zei: als het om mijn veiligheid gaat is geen enkele voorzorgsmaatregel te veel.'

'Maar de koning…'

'Je koning kan de tyfus krijgen en jij ook. Denk erover na, Decianus: wil je echt hier de rest van je leven zitten, in dit strontgat, of wil je een kleine kans overhouden om naar Rome terug te keren?'

Decianus' zwijgen was veelzeggend.

'Doe dan wat ik je opdraag!'

HOOFDSTUK III

Met grote opluchting keek Vespasianus toe terwijl de elfde haveloze colonne van burgerslaven langs het kamp van de kooplieden strompelde en de poort bereikte van het legerkamp dat de Numidische cavalerie op een kwart mijl van Garama's noordpoort had gebouwd. Hij schatte hun aantal op veertig en hun toestand was zo miserabel dat ze door slechts twee slavenopzichters werden geëscorteerd.

'De laatste groep moet morgen komen en dan kunnen we vertrekken,' zei Vespasianus tegen Magnus en Hormus, die ook de aankomst van de slaven gadesloegen. Ze zaten in de schaduw van een luifel die tussen drie palmen was gespannen en deelden een kom dadels. Deze plek was de afgelopen vijf dagen hun thuis geweest.

Magnus spuugde een dadelpit uit. 'Ik kijk eigenlijk wel uit naar een ritje van vierhonderd mijl door de woestijn, want alles is beter dan vastzitten in dit kamelengat. Niet dat ze hier kamelen hebben. En nu ik erover nadenk, waarom eigenlijk niet?'

Vespasianus knikte. 'Dat vroeg ik me ook af toen we voor het eerst in Afrika aankwamen: waarom zijn er geen kamelen ten westen van Cyrenaica? Het is een perfect gebied voor die beesten.'

'Tja, je zou een fortuin kunnen verdienen door ze hier in te voeren en te fokken, en aangezien u de raad van mij en Hormus niet lijkt op te volgen om een flinke winst uit onze komst hier te slepen, moest u dat misschien maar gaan doen.'

Vespasianus glimlachte en stopte nog een dadel in zijn mond. 'Misschien ga ik dat wel doen – of laat iemand het voor me doen. Ik denk er al over na sinds we hier zitten te wachten. Hormus, wat zou jij ervan vinden om nog een paar maanden in Afrika te blijven om de zaak op poten te zetten?'

Hormus probeerde enthousiast te kijken, maar wist Vespasianus niet te overtuigen. 'Als u het nodig vindt, meester.'

'Als senator kan ik niet in zaken gaan, zoals je weet, en waar zijn vrijgelatenen anders voor? Wie weet, misschien investeer ik wel een deel van het kleine fortuin dat ik aan deze missie overhoud.'

Magnus en Hormus keken hem beiden verbaasd aan.

'Hoe gaat u hier geld aan verdienen, meester?' vroeg Hormus, die als eerste over zijn verbazing heen was.

'Ah! Nou, laat ik het zo formuleren: de ontmoeting met Decianus hier was niet alleen maar slecht; in feite was het een behoorlijk geluk. Toen we naar dit kamp teruggingen viel het me in.'

Maar een verdere uitweiding werd verhinderd door de komst van de hoogste *decurio* van de Numidische cavalerie, samen met een slavenopzichter.

'Gouverneur,' zei de decurio, die voor Vespasianus in de houding ging staan.

'Wat is er, Bolanus?'

'Deze man beweert een Romeins burger te zijn.'

Vespasianus keek de slavenopzichter geïnteresseerd aan. 'Wat is je naam?'

'Juncus Nepos, gouverneur, uit Cumae.'

'En je wilt met ons mee?'

Nepos kneep stevig in zijn zweep. 'Als het mogelijk is, gouverneur.' Hij was halverwege de twintig, bruinverbrand, en droeg alleen een leren rok en sandalen; zijn haar en baard waren lang en twee loodgrijze ogen keken Vespasianus aan met de levendigheid van een dode.

'Wat houdt je tegen? Je bent tenslotte een vrijgelatene.'

'In theorie wel, maar ze laten je hier alleen vrij om een taak te vervullen en je moet trouw aan de koning zweren. In plaats van snel als slaaf te sterven leef je iets langer en sterf je als een vrijgelatene. In beide gevallen krijg je geen fatsoenlijke begrafenis, maar eindig je in stukjes op de velden.'

'Barbaars.'

Nepos haalde zijn schouders op. 'Het is hun gewoonte en als je de pech hebt hier terecht te komen, kun je niets anders verwachten. Als het had gekund was ik misschien wel gebleven, want wat heb ik nog in het rijk te zoeken? Ik ben hier nu vijf jaar, waarvan drie als slaaf, en thuis heb ik niets meer.'

'En waarom blijf je dan niet?'

Nepos wees naar de burgerslaven die net waren binnengebracht. 'We waren maar met zijn tweeën om ze te bewaken, normaal zouden we voor dat aantal mensen met vijf of zes zijn geweest, maar dat bleek niet nodig. En waarom? Omdat ze nog voor Decianus bij onze boerderij aankwam al wisten dat ze vrijgelaten zouden worden. Het gerucht heeft zich razendsnel verspreid en de meeste slaven weten dat de Romeinse burgers hun vrijheid terugkrijgen.'

'Waardoor de overgrote meerderheid die moet achterblijven nog wrokkiger is over hun situatie dan ze al waren.'

'Als dat mogelijk was, inderdaad, gouverneur; en ik kan u vertellen dat toen ik deze groep vanochtend van de boerderij wegbracht, het mijn collega-opzichters een hoop moeite kostte om de rest van de slaven met zwepen weer aan het werk te zetten. Ik heb ze er ten minste twee zien executeren.'

Magnus bromde en pakte nog een dadel uit de schaal. 'Een genadige ontsnapping voor hen, zou ik denken, aangezien het een lot erger dan de dood is om hier slaaf te zijn.'

'Dat is het precies, en ik kan het weten,' stemde Nepos in. 'Nu ze zien dat sommigen van hen bevrijd worden denk ik dat de achterblijvers eindelijk echt beseffen dat hun goden hen in de steek hebben gelaten.'

Vespasianus knikte. 'Het laatste flintertje hoop is verdwenen en nu hebben ze letterlijk niets meer te verliezen.'

'Ik ken het gevoel goed, meester,' zei Hormus. 'Voordat u me kocht, klampte ik me vast aan het kleine beetje hoop dat er misschien, heel misschien een god was die voor me zou zorgen en dat op een dag alles goed zou komen. Zonder die hoop had ik niets te verliezen gehad als ik mijn toenmalige meester zou doden, zelfs al neukte hij me. Maar ik deed het niet en de goden hebben me beloond door me uw slaaf te maken. Maar deze mensen? Als zij hun laatste beetje hoop kwijt zijn, dan zullen ze samen een angstaanjagende kracht vormen.'

'Ik denk dat je weleens gelijk zou kunnen hebben, Hormus,' zei Vespasianus, terwijl er zich langzaam een glimlach over zijn gezicht verspreidde. 'Ondanks alle inspanningen van Decianus om volksgenoten uit elkaar te halen zodat de slaven niet samen zouden gaan werken, hebben wij ze onbedoeld een gemeenschappelijke zaak gegeven. Hij is even schuldig aan zelfgenoegzaamheid als de koning en al diens onderdanen, wat hij ook zegt. Als hij voorzichtiger was geweest had hij het gevaar gezien en had hij het selecteren van de Romeinse burgers verborgen gehouden. Maar nee, hij liet de burgerslaven midden in het boerderijcomplex publiekelijk voor ons paraderen. De anderen moeten gezien hebben wat er gebeurde en alles hebben ontdekt.'

'En de slavenopzichters hebben gepraat,' voegde Nepos eraan toe, 'daar kunt u van op aan. Ze zullen de slaven ermee bespot hebben. Ik kan het weten, want ik heb het zelf ook gedaan.'

Vespasianus schudde in gedachten langzaam zijn hoofd. 'Dat voorspelt weinig goeds voor Garama.'

'Ik zou zeggen dat het tijd is om te vertrekken,' merkte Magnus op.

Vespasianus keek op naar Nepos. 'Weet je wanneer de colonne van de twaalfde boerderij zal aankomen?'

'We zijn vlak na het middaguur langs de boerderij gekomen en Decianus was er al, dus het zou me niet verbazen als ze slechts enkele uren achter ons zitten.'

'Maar daarna moet hij nog de burgers uit de stad zelf halen, dat kan morgen de hele dag duren.'

'Hebben we tijd om te wachten?' vroeg Magnus, die opstond en over zijn billen wreef om het bloed weer te laten stromen.

'We hebben geen keus.'

'Waarom?' Magnus gebaarde naar al de ex-slaven die in groepjes bij elkaar zaten. 'Kijk, dat moeten er al vier- of vijfhonderd zijn.'

'Vijfhonderdelf plus degenen die Nepos heeft meegebracht.'

'Drieënveertig, gouverneur.'

'Dus vijfhonderdvierenvijftig bij elkaar,' berekende Magnus, 'dat moet genoeg zijn. Laten we gewoon gaan, voordat het hier nog heter wordt, als u begrijpt wat ik bedoel.'

Vespasianus schudde zijn hoofd. 'We moeten op de rest wachten, en bovendien: wat voor gevaar zouden wij lopen? Wij zijn niet degenen die ze op onze boerderijen uitbuiten tot aan de dood. Ze zullen de stad aanvallen.'

Magnus wees naar de nabijgelegen noordpoort. 'En dat is direct daar en als ze komen om dat te doen, zien ze ons hier wachten en zullen ze beseffen dat wij de sleutel hebben om door de woestijn te komen. Het is al een hele opgave om vijfhonderd mensen mee terug te nemen, maar vijfduizend of zelfs meer? We zullen allemaal sterven.'

'Hij heeft gelijk, gouverneur,' viel Nepos Magnus bij. Hij keek naar de honderden burgers die in groepjes zaten. 'Het is al bijna onmogelijk om met deze mensen de woestijn over te steken.'

'Iedereen heeft een zak met wat beschuit en gedroogd vlees en de karavaan is beladen met meer voorraden. Wat water betreft hebben we opslagplekken en putten langs de route.'

Nepos keek twijfelend. 'Dan nog, iedere extra persoon vergroot het gevaar voor de hele groep.'

Vespasianus keek peinzend uit over de woestijn die zich naar het noorden uitstrekte tot aan het rijk. 'Goed, we zullen niet allemaal wachten. Bolanus, laat de burgers nu vertrekken, allemaal, en stuur een *turma* van je mannen met ze mee als gids en om te voorkomen dat ze alle watervoorraden opmaken – of maak daar maar twee turmae van. Jij gaat met ze mee, Nepos. Ze moeten de hele nacht doorlopen om zo veel mogelijk voorsprong te krijgen. Zeg tegen de karavaan dat ze morgenochtend klaar moeten staan om met ons te vertrekken, ik hoop dat we tegen die tijd al onze slaven bij elkaar hebben. We reizen dan zo snel mogelijk. Te paard moeten we de colonne in een dag en een nacht kunnen inhalen.'

'Maar de slaven op wie we wachten hebben geen paarden,' bracht Magnus hem in herinnering. 'Hoe kunnen ze ons dan bijhouden?'

Vespasianus haalde zijn schouders op. 'Wat kan ik doen? Ik kan ze in ieder geval vrij krijgen. Daarna moeten ze maar in hun eigen tempo volgen en op hun goden vertrouwen. Mijn geweten is ieder geval schoon, want ik geef ze een kans.'

Magnus keek hem fronsend aan. 'Er zit hier meer achter, niet?'

Vespasianus zei niets en keek naar Bolanus die de burgerslaven aanspoorde om zich klaar te maken voor vertrek.

De korte zuidelijke schemering had net plaatsgemaakt voor de nacht toen een zestal flikkerende puntjes licht in het oosten opdoemde.

'Dat zullen ze zijn,' zei Magnus, Vespasianus uit een plezierige sluimer in de afkoelende lucht wekkend. 'Hopelijk kunnen we snel op weg gaan.'

Vespasianus bromde iets onbestemds, hij kwam stijf overeind en liep richting poort.

'Alles is ingepakt, meester,' verzekerde Hormus hem, die achter hem liep, 'en Bolanus zei dat de paarden gevoerd en gedrenkt zijn.'

De toortsen naderden en al snel werd de massa van Decianus' wagen in het midden zichtbaar, gevolgd door een lange schaduw, donkerder dan de nacht, die langzaam oploste in de individuele figuren van bevrijde slaven.

'Ik heb me aan mijn woord gehouden, gouverneur,' zei Decianus toen de wagen de poort naderde, zijn vleierige stem verraadde een opvallende omslag in houding. 'Ik vertrouw dat u dat niet vergeet als u beslist over mijn verzoek.'

Vespasianus veinsde onwetendheid; hij wist heel goed wat er ging komen en ging dichter bij Decianus staan zodat niemand hen kon afluisteren. 'Welk verzoek?'

Decianus wierp een snelle blik over zijn schouder, die Vespasianus meer vertelde over de situatie in het oosten van het koninkrijk dan Decianus had kunnen vermoeden. 'Ik wil graag met jullie mee, ik vind dat ik eventuele misverstanden die in Rome heersen moet ophelderen.'

'Wil je nu dat ik je help? Het is één ding om je niet direct te doden uit gerechtvaardigde wraak, maar jou helpen om je ellendige huid te redden? Je bent niet goed wijs.'

'Ik zal je rijkelijk betalen als we in Rome terug zijn.'

'En vertel me eens waarom je niet rechtstreeks naar Rome bent gegaan nadat je op zo'n laffe manier uit Britannia was gevlucht.'

'Dat was mijn oorspronkelijke plan, tot ik hoorde dat Suetonius Paulinus Boudicca had verslagen en dat hij, jij en je broer alle drie nog leefden. Ik vermoedde dat ik, ook al handelde ik alleen in het belang van de keizer, geen eerlijk proces zou krijgen als jullie drie met een aanklacht zouden komen en Seneca zouden overhalen om jullie te steunen.'

'De belangen van de keizer? Je hebt het geld gepakt dat Boudicca had verzameld om Seneca's lening af te betalen, dat had niets met de keizer te maken.'

'Ik inde de oorspronkelijke lening die Claudius aan haar echtgenoot Prasutagus had gegeven zodat hij senator kon worden nadat hij trouw aan de keizer had gezworen.'

'En dus gaf je het geld aan de gebroeders Cloelius om naar Rome mee te nemen en in hun bank op het forum te bewaren. Het stond op jouw naam, de gebroeders Cloelius hebben het toegegeven tegenover Seneca.'

'Natuurlijk staat het op mijn naam, maar ik was van plan om het aan de keizer te geven zodra de tijd rijp was, dat wil zeggen zodra Seneca dood was en ik naar Rome kon terugkeren.' Hij wierp weer een nerveuze blik in de duisternis achter hem. 'Maar omstandigheden veranderen en ik geloof dat nu het moment is aangebroken om het risico van een terugkeer te nemen. Ik denk dat ik met mijn geld de plooien glad kan strijken.'

'Daar is het te laat voor, Decianus.'

De ex-procurator fronste en keek weer over zijn schouder. 'Waarom zeg je dat?'

Vespasianus voelde een warme gloed vanbinnen opkomen toen hij Decianus het antwoord gaf. 'Omdat Seneca de gebroeders Cloelius heeft gedwongen het geld aan hem te geven.'

'Maar dat kunnen ze niet doen, dat gaat tegen alle regels van het bankieren in!'

'Ik weet zeker dat zij er ook zo over dachten, maar Seneca wees erop dat de regels van het bankieren niet van toepassing zijn op de overledenen, en jij was verdwenen en er werd daarom aangenomen dat je dood was. En er waren ook geen aanwijzingen dat je een testament had geschreven. Bovendien zei hij dat het geld dat je aan hen had toevertrouwd in feite van hem was. Het was iets wat mijn broer, Caenis en ik allemaal maar al te graag bevestigden. Verstandig als ze zijn overhandigden de gebroeders Cloelius het aan de rechtmatige eigenaar, waarna Seneca zijn voorstel introk om nog eens goed naar de belasting op banken te kijken, een voorstel dat hij had gedaan in het licht van Nero's toenmalige financiële moeilijkheden. En die kwamen weer voort uit het feit dat hij zich niet uit Britannia kon terugtrekken vanwege de opstand daar.'

Decianus' verslagen gezicht was een toonbeeld van wanhoop. 'Maar dat was mijn geld!'

'Je zei toch dat het van de keizer was?'

De ex-procurator staarde Vespasianus woedend aan, niet in staat een verdediging te bedenken.

'Het is sowieso irrelevant nu, want Seneca zag zich gedwongen om de keizer enkele forse leningen te verstrekken en Nero is niet van plan die terug te betalen, dus het geld is precies daar geëindigd waar je het wilde hebben.'

'Maar wat moet ik doen? Je moet me meenemen.'

Vespasianus knikte naar het oosten. 'Waarom, Decianus? Wat gebeurt daar, waar ben je zo bang voor? Loopt het een beetje uit de hand ondanks je briljante systeem?'

Decianus slikte. 'Ze komen, ze zullen snel hier zijn.'

Als om zijn woorden te bevestigen verscheen er in het oosten in de verte een gloed.

'Dan kun je maar beter opschieten en de Romeinse burgers uit de stad zelf halen, want we vertrekken niet zonder hen.'

'Als ik dat doe, mag ik mee. Ik zal het geld om je te betalen bij elkaar krijgen als we terug zijn, dat beloof ik je.'

'Nee, Decianus, je betaalt me nu, we weten beiden dat je het je kunt veroorloven. Doe het en ik zal je niet tegenhouden om ons te volgen. Dat is mijn beste aanbod.'

'Goed, goed. Ik zal alle burgerslaven voor zonsopkomst hier brengen.'

'Dan vertrekken we met het eerste licht.' Vespasianus keerde zich om, hij voelde zich verscheurd tussen opluchting omdat hij een aanzienlijke som had binnengesleept en walging omdat hij daarmee het leven redde van de man die hem de dood in had proberen te jagen. Maar de medewerking van Decianus was nu cruciaal voor het slagen van de missie om alle burgers vrij te krijgen.

Snelheid was van het grootste belang nu het platbranden was begonnen.

'Maar u moet blijven. Zijne Uiterst Verheven Majesteit Nayram van de Garamanten, de heer van de duizend putten, heeft bevolen dat u, Titus Flavius Vespasianus, blijft om te helpen de stad met uw cavalerie te verdedigen,' herhaalde Izebboudjen de kamerheer met meer wanhoop in zijn stem. Zijn ogen schoten naar de feller wordende gloed in het oosten. De ademhaling van zijn dragers werd harder terwijl ze het hoge tempo van Vespasianus probeerden bij te houden.

'Heeft hij dat gedaan? En waarom denkt hij dat ik er belang bij zou hebben dat te doen?' Vespasianus versnelde zijn pas in een poging weg te komen van de aandringende kamerheer, die niet in staat leek om een nee te aanvaarden.

'Omdat hij weet dat zijn broeder, de keizer Nero, u dat zou bevelen.'

Vespasianus deed een stap naar Izebboudjen toe, waardoor de dragers gedwongen werden abrupt stil te blijven staan. 'Laten we Nayrams pretentie dat hij de gelijke is van Nero nu maar laten varen. U weet even goed als ik dat Nero nog geen pink zou optillen om uw koninkrijk of uw vette koning te redden. Ik vertrek zodra Decianus met de rest van de Romeinse burgers komt, u kunt proberen om onze colonne te volgen of hier blijven en een poging doen om tienduizend buitengewoon boze slaven uit te leggen waarom ze uw leven zouden moeten sparen.'

'Maar dat zullen ze nooit doen.'

'Nee, dat denk ik ook niet.'

'Maar ik heb boodschappers gestuurd om de jagers te halen en met hen, uw cavalerie en de slavenopzichters kunnen we de rebellen verslaan, ze zijn niet meer dan een haveloos zooitje.'

'Een zooitje dat niets meer te verliezen heeft dan een leven dat het leven niet waard is, wat het een uiterst gevaarlijk zooitje maakt. U moet begrijpen, Izebboudjen, dat het systeem onhoudbaar was, u had het moeten zien aankomen en uw volk moeten voorbereiden zodat het zichzelf zou kunnen verdedigen. In plaats daarvan liepen ze allemaal de hele dag te niksen. Er waren enkele van de beste legioenen voor nodig om de Spartacus-opstand neer te slaan en wat hebben jullie? Inwoners met overgewicht voor wie alles gedaan wordt. Tja, beste vriend, ik zou zeggen dat morgen het moment aanbreekt om te laten zien wat jullie waard zijn.'

Aan Izebboudjens gezicht was goed te zien hoe groot hij de kans achtte dat de burgers van Garama van enige kwaliteit blijk zouden geven. 'Ik smeek u, gouverneur, alstublieft.'

'Nee!'

Er verscheen een wraakzuchtige glinstering in de ogen van de kamerheer. 'Goed dan.' In reactie op een kortaf bevel draaiden de dragers om en liepen terug naar de stadspoort, bijgelicht door een toorts aan weerszijden.

Een uur voor zonsopgang gloeide de oostelijke hemel alsof de zon al vlak onder de horizon was en in het westen leek hij net ondergegaan, zo hevig waren de branden die er woedden. Kleine groepjes vluchtelingen doken op, silhouetten die door de nacht renden, zich haastend naar de stadspoorten, waar ze op bonsden om toegelaten te worden. Ze glipten naar binnen als hun smeekbeden werden verhoord.

Vespasianus ijsbeerde bij de ingang van het kamp, blikte steeds naar de poorten als die opengingen in de hoop mensen naar buiten te zien komen, maar elke keer werd hij teleurgesteld. De knoop in zijn maag werd groter. 'Kom op, Decianus,' fluisterde hij toen de poort weer openging voor een groepje van een tiental Garamanten op de vlucht voor de woede van de slaven.

'Ik wed dat u nooit gedacht had ooit zo naar Decianus' komst te verlangen,' merkte Magnus op. Intussen leidde Bolanus zijn Numidische cavalerie, met volle waterzakken achter het zadel gebonden, het kamp uit. Ze stelden zich in een linie op tussen het kamp en de karavaan, die nu over de slingerende weg naar de woestijn beneden op weg was.

'Het is een nieuw gevoel,' bekende Vespasianus, die evenzeer aan de parels als aan de burgers dacht. Zijn lictoren voegden zich bij de Numidiërs in voorbereiding op het vertrek.

Toen de poorten dicht begonnen te gaan nadat de vluchtelingen veilig binnen waren, klonk er opeens boos geschreeuw vanuit de stad, gevolgd door enkele kreten, waarvan er een lang en gerekt was en in gegorgel eindigde.

Vespasianus keek Magnus aan. 'Was dat wat ik denk dat het was?'

'Ja, en waarom zou iemand gedood worden net nadat hij door de poort naar binnen is gekomen op zoek naar veiligheid? Tenzij, natuurlijk, ze naar buiten probeerden te komen.'

'Dat is wat ik me afvroeg. Ik heb het nare gevoel dat we met een verraderlijke kamerheer zitten. Bolanus!'

De decurio draaide zich om in zijn zadel. 'Ja, gouverneur.'

'Laat twee dozijn mannen afstappen en zich onmiddellijk voor actie klaarmaken, alleen zwaard en schild.'

Met geloofwaardige dringendheid bonsde de Numidische militair op de stadspoort en smeekte in de lokale taal om toegang. Zijn kameraden, gewapend met de rechte *spathae* van de cavalerie en een klein, rond, met huid overtrokken schild, vielen hem vervolgens bij en schreeuwden om naar binnen te mogen, alsof ze door de furiën zelf door de nacht achtervolgd werden.

Vespasianus en Magnus wachtten met getrokken zwaard midden voor de poort, met Bolanus vlak achter hen.

De Numidiërs bleven om toegang smeken, hun geschreeuw nam in volume toe totdat ze eindelijk beloond werden met het geluid van een sluitbalk die aan de andere kant weggehaald werd. De linkerdeur begon naar binnen te draaien.

'Nu!' schreeuwde Vespasianus, die in de opening sprong, met Magnus op zijn hielen. Ze stormden naar binnen, gevolgd door Bolanus en zijn mannen, en stortten zich op de poortwachters die aan het oude houtwerk trokken. De wachters werden in een oogwenk tegen de grond gewerkt. Verderop in de straat zag Vespasianus in het fakkellicht een kluwen mensen en hij versnelde zijn pas. Een twintigtal figuren in leren rokken probeerde uit alle macht met zwepen en dolken een grote groep mannen en vrouwen tegen te houden, enkele lagen op de grond, sommige volledig stil.

'Vespasianus! De slavenopzichters laten ons niet door!' Het was de stem van Decianus, het silhouet van zijn wagen was in het gewoel zichtbaar.

De schreeuw vestigde de aandacht van de slavenopzichters op de dreiging achter hen en ze draaiden zich om. Deze mannen, die gewend waren straffen uit te delen aan de onderdrukten zonder daarbij ooit op veel verzet te stuiten, wisten niet wat ze moesten doen nu ze zich geconfronteerd zagen met een eendrachtige charge van professionele militairen, maar ze konden niet vluchten, omdat ze ingesloten waren door hun potentiële slachtoffers.

Vespasianus stormde heuvelopwaarts, zijn borst brandde van de inspanning, Magnus zat vlak achter hem, eveneens naar adem happend, terwijl Bolanus en zijn jongere, fittere cavaleristen te voet hen inhaalden. Ze renden verder naar de zichtbaar aarzelende slavenopzichters, terwijl de aanblik van gewapende hulp de slaven die ze hadden proberen tegen te houden juist moed gaf. Tanden en nagels zonken in de ruggen van de slavenopzichters, handen grepen naar kelen en knepen met langzaam genot, armen werden om borsten geslagen en hielden de slavenopzichters in bedwang, zodat die hulpeloos waren toen de eerste slagen en steken van de Numidische zwaarden hun lichamen raakten. Ze vielen in een wervelwind van geweld dat van voren en achteren over hen werd uitgestort, met klingen die door vlees sneden en bebloede vingers die aan wonden trokken en ze verder openscheurden.

Vespasianus stootte zijn zwaard op lendenhoogte naar voren in een man die wanhopig een slaaf van zich af probeerde te schudden die zich aan zijn rug had vastgeklampt en zijn tanden in diens nek had gezet. Vespasianus voelde zijn pols dubbelklappen toen de zwaardpunt tegen het heupbeen kwam, maar zijn greep bleef stevig. De schreeuw die uit de mond van de slavenopzichter kwam galmde in zijn oren en overstemde een moment lang alle andere geluiden; hij duwde het scherpe ijzer verder en sneed door ingewanden, terwijl de slaaf de kaak in een explosie van bloed loswrikte, een flink stuk van de nek meetrekkend, zijn ogen wijd open in een waanzinnige, moordlustige blik. Vespasianus bracht zijn arm met al zijn kracht omhoog en sneed door de buikspieren, waarmee hij de buik openlegde en de stank van de ingewanden zich verspreidde. Naast hem dook Magnus onder een krachteloze zwaai van een dolk door, greep de pols toen die boven zijn hoofd langsging en draaide hem met plotseling geweld omlaag en terug, waardoor de elleboog ontwricht werd. Een moment later beukte zijn voorhoofd in het gezicht van de man, waardoor diens hoofd naar achteren vloog, met open mond en gebroken tanden.

De slavenopzichters vielen de een na de ander, doorboord en aan stukken gescheurd, en hun voormalige slachtoffers lieten hun frustraties lopen over de jaren van kwelling onder de zwepen. Ogen werden uitgedrukt, haar uitgetrokken, vlees afgebeten, de opzichters verdronken in een golf van woede die vrijkwam nu de bezitlozen een zekere controle over hun leven hadden teruggekregen en zich konden wreken op de veroorzakers van hun ellende. Een snelle dood door een zwaardslag was een genade die dankbaar werd aanvaard.

'Trek je mannen terug, Bolanus!' schreeuwde Vespasianus toen spathae in de slaven hakten die vooraan stonden na het wegvallen van de slavenopzichters. 'Ga naar het kamp. We vertrekken onmiddellijk.'

Boven het lawaai klonk een herhaaldelijk geblafte order uit en de Numidiërs trokken zich terug, geen van hen was gevallen. Ze draaiden zich om en haastten zich heuvelafwaarts.

'Volg ze,' riep Vespasianus in het Latijn naar de vrijgelaten burgers, 'zo snel als je kunt!'

De burgers hadden geen tweede aansporing nodig en renden achter de Numidiërs aan, waardoor Decianus' wagen in het zicht kwam, met de ex-procurator, die er overstuur uitzag, maar verder ongedeerd was.

'Izebboudjen is meer slavenopzichters gaan halen,' zei Decianus terwijl zijn wagenmenner de muildieren de zweep gaf zodat ze richting poort begonnen te lopen. 'Ze zullen hier zo zijn.'

Vespasianus knikte, onwillig om Decianus voor deze informatie te danken of zelfs maar toe te geven dat die nuttig was. Hij draaide zich om en rende met Magnus de heuvel af. De poort stond open en er was geen levende ziel meer te bekennen. Alleen de doden waren er nog, gevallen, hun ledematen in vreemde hoeken. Een groep vluchtelingen haastte zich de stad in, hun opluchting om binnen te zijn vernietigd door de aanblik van de doden op straat. Vespasianus en Magnus gingen door de poort de stad uit, met Decianus in zijn wagen vlak achter hen. Voor hij de Numidiërs en burgers naar het kamp volgde keek Vespasianus nog een keer omhoog door de straat: een massa toortsen op minder dan tweehonderd passen naderde snel; in het midden het silhouet van Izebboudjens bed. Vespasianus draaide zich om en rende.

De Numidiërs zaten te paard toen Vespasianus de vierhonderd passen naar het kamp had afgelegd; ook de lictoren zaten al in het zadel, net als Hormus, die de teugels van de paarden van Vespasianus en Magnus vasthield. Ze stegen snel op, terwijl de karavaan met kooplieden in het donker verdween, de pas vrijgelaten burgers in het kielzog.

In het oosten en westen waren de branden gegroeid en inmiddels werd de gloed begeleid door een gebulder in de verte van duizenden stemmen die schreeuwden en juichten, terwijl meer groepjes vluchtelingen uit het donker opdoken, hun comfortabele wereld ondersteboven gekeerd.

'Ga, Bolanus!' schreeuwde Vespasianus en hij trok de teugels strak.

Decianus' wagen ratelde voorbij, de menner gaf de muildieren er genadeloos van langs en haalde de Numidiërs in. Vespasianus, Magnus, Hormus en de lictoren keerden hun paarden en dreven ze naar de weg die de enige route in noordelijke richting van de heuvel af was.

'Ik denk niet dat iemand van ons er rouwig om is om dit strontgat te verlaten,' merkte Magnus op, die zijn rijdier aanzette en een nerveuze blik over zijn schouder wierp; toortsen stroomden door de poort en kwamen in hun richting. De slavenopzichters hadden de achtervolging ingezet.

'Ze zijn gek als ze ons aanvallen,' zei Hormus. 'Ze zouden de poorten moeten barricaderen en de muren bemannen, niet naar buiten gaan. De hoofdmacht van de opstandelingen kan niet veel meer dan een mijl ver zijn, te oordelen naar het lawaai. Ze zullen op open terrein aangevallen worden.'

'De slavenopzichters zullen zo in ieder geval tussen ons en de rebellen in zitten,' observeerde Vespasianus. 'We hoeven alleen maar sneller te zijn, wat geen probleem kan zijn aangezien we te paard zijn.'

'Wíj wel,' benadrukte Magnus, 'maar de burgers die we net uit de stad hebben gehaald niet, net zomin als degenen die we gisteravond op pad hebben gestuurd. En als ik het me goed herinner van mijn tijd in het legioen marcheert een colonne zo snel als de langzaamste component, niet de snelste.'

Vespasianus grimaste. De zon was inmiddels vlak onder de horizon, het licht van de dageraad werd versterkt door het handwerk van duizenden brandschattende slaven. 'Ik geloof dat je je dat heel goed hebt herinnerd, Magnus. We hebben een lange dag voor ons en ik...' Hij stopte midden in een zin door een bons en het bokken van zijn paard, dat met de achterbenen naar achteren trapte. Met moeite kreeg hij zijn rijdier weer onder controle en merkte vervolgens dat er enkele onbekende objecten voorbij suisden. Hij draaide zijn hoofd om en keek in de richting van de slavenopzichters: velen maakten een draaiende beweging met hun arm boven hun hoofd; hij dook onwillekeurig toen er weer een object vlak langsvloog. 'Slingers! Zelfs van deze afstand kunnen ze schade aanrichten.'

Magnus keek om en zette meteen zijn paard tot galop aan. 'Dan is het tijd om voldoende afstand te nemen.'

Op het moment dat hij sprak kwam de zon aan de oostelijke horizon tevoorschijn en onthulde, in de verte en van achteren aangelicht, een menselijke golf.

De slavenopstand was bij de stad Garama aangekomen.

HOOFDSTUK IV

Furieus was het gehuil waarmee de zonsopkomst werd begroet, want de zon had niet alleen de rebellen zichtbaar gemaakt, maar ook het object van hun diepste haat: de slavenopzichters. Zelfs in het bleke licht waren ze duidelijk herkenbaar in hun leren rokken. Ze stonden voor hen op open terrein, bijna tweehonderd man sterk.

De opzichters zagen het gevaar te laat, want ze hadden zich volkomen geconcentreerd op het uitvoeren van Izebboudjens wens om de ontsnapping van Vespasianus en zijn cavalerie te voorkomen zodat die de weinige strijders van Garama wel moesten bijstaan. Twijfel spleet hun rangen, want er waren twee opties, afgezien van blijven staan en vechten om vervolgens ledemaat voor ledemaat uit elkaar getrokken te worden: een haastige terugkeer naar de poort, die nu nog openstond; of in de voetsporen van de Romeinen de woestijn in vluchten. Toen Vespasianus over zijn schouder keek, langs zijn lictoren, zag hij de beslissing de groep verdelen, want degenen die het dichtst bij de stad waren draaiden zich om en renden terug, terwijl degenen die het dichtst bij de vluchtende Romeinen waren zich achter hen aan haastten. Ze waren elke gedachte aan een aanval met hun slingers inmiddels vergeten. De rebellenmacht splitste zich eveneens en het laatste wat Vespasianus van Garama zag was een gezette kamerheer die belaagd werd door een brullende menigte. De slaven die ooit zijn bed hadden gedragen blokkeerden zijn ontsnapping naar de poort, die bezig was te sluiten.

Vespasianus, Magnus, Hormus en de lictoren hielden hun rijdieren in uit angst dat ze zouden wegglijden op de stenige grond en gingen in een gecontroleerde galop de heuvel af, makkelijk afstand nemend van de slavenopzichters achter hen. Al snel hadden ze de vluchtende

Romeinse burgers bereikt, die dicht opeen liepen nu de weg nog maar vier passen breed was – de gemiddelde breedte, zo wist Vespasianus nog van de tocht omhoog, tot helemaal beneden, waar de woestijn begon. Ze gingen over op een draf terwijl ze door de doodsbange groep heen probeerden te rijden, die zich inmiddels maar al te bewust was van de slavenopzichters die achter hen afdaalden. Handen grabbelden naar teugels, benen en zadels in een poging de ruiters uit het zadel te trekken of zelf achterop te klimmen.

'Rot op!' schreeuwde Magnus, zijn zwaard trekkend en een grommende man in de mond trappend toen die aan zijn tuniek trok.

Vespasianus en Hormus volgden zijn voorbeeld en haalden met het plat van hun wapen uit naar de wanhopige mensen om hen heen, ze sloegen er een paar bewusteloos om de rest af te schrikken; de lictoren waren minder scrupuleus en er vloeide bloed. Langzaam waadden ze door de menigte, enkele mensen werden bij hun passage over de rand geduwd en gleden langs de steile puinhelling omlaag, hun kreten onopgemerkt in de stijgende paniek. Vespasianus duwde door en eindelijk was hij door de groep burgers heen en kon hij de achterhoede van de Numidiërs zien, een halve mijl verderop op de slingerende weg, tweehonderd passen lager, heen en weer kronkelend langs de steile helling.

Voorzichtig dreven ze hun paarden voort, zo snel als ze durfden. Boven zwollen angstkreten aan omdat de slavenopzichters de burgers hadden bereikt, zelf opgejaagd door de achtervolgende opstandige slaven. De opzichters hadden alleen oog voor hun eigen veiligheid en drongen in de menigte door, maar anders dan Vespasianus en zijn metgezellen, die achter elkaar waren gaan rijden, namen ze de hele breedte van de weg in. Heel wat burgers werden door hun voormalige kwelgeesten onder de voet gelopen, maar zij hadden nog geluk, want wolken stof die van de puinhellingen opstegen markeerden de snelle afdaling van degenen die van de weg waren geduwd. Ze tuimelden hulpeloos naar beneden, hun huid werd weg geschaafd, hun botten braken op de uitstekende rotsen die hen lanceerden, waarna ze met een pijnlijke klap weer neerkwamen.

'Kut!' schreeuwde Magnus toen het lichaam van een jonge vrouw, dood of bewusteloos, haar vlees rauw, vlak naast hem op de weg viel en bijna de voorbenen van zijn paard raakte. Hij trok aan zijn teugels en wist met moeite het geschrokken dier in bedwang te houden. Meteen daarna kwam de volgende, een jongeling die omlaaggleed in een wolk van kiezels die als een hagelbui over hen heen kwamen, waardoor de paarden nog onrustiger werden.

'Snel,' schreeuwde Vespasianus, die zijn benen in de flanken van zijn rijdier drukte en omhoogkeek naar de strijd die daar gaande was; rook van de branden boven maakten de ochtendlucht heiig. 'We moeten onder ze vandaan komen.' Hij reed inmiddels met een snelheid die hij nooit had aangedurfd als ze niet in gevaar waren geweest.

Magnus, Hormus en de lictoren volgden hem, terwijl er nog twee lichamen in een wolk van vallende stenen naar beneden kwamen. Na een volgende haarspeldbocht begon de weg nog steiler te dalen, zodat de paarden alleen nog in stap konden gaan en dan nog moeite hadden met het onregelmatige terrein, ze briesten van groeiende angst. Maar Vespasianus verslapte de controle over zijn rijdier geen moment en daalde gestaag verder. Boven groeide het gegil en geschreeuw alleen maar in volume, ondanks het feit dat Vespasianus en zijn metgezellen steeds meer afstand namen.

'De rebellen hebben de slavenopzichters ingehaald,' zei Magnus, die een snelle blik omhoog riskeerde. 'Dat zal ze allemaal vertragen.'

Vespasianus keek niet omhoog, want zijn paard was bezig een volgende scherpe bocht te nemen. 'Hoeveel rebellen zijn er?'

'Weet ik niet, ze lijken over de hele helling verspreid te zijn.'

Vespasianus keek naar de achterhoede van de Numidiërs, die nu nog maar enkele honderden passen voor hen reed en net op het punt stond om achter een volgende bocht te verdwijnen, de op twee na laatste voor ze beneden bij de woestijn waren. 'Als we door kunnen blijven gaan, zullen we ze achter ons laten zodra we op vlak terrein zijn.'

De helling werd langzaamaan minder steil, ze konden weer vaart maken en al gauw hadden ze de Numidiërs ingehaald, die opgehouden werden door de trage karavaan. Boven woedde een slag, maar hoe die verliep was volkomen onduidelijk, want de wolken stof die opwervelden door stampende voeten en de vele lichamen die langs de steile hellingen tuimelden onttrokken de gebeurtenissen aan het zicht. Enkele vluchtelingen, voormalige slaven, doken uit de stofwolk op, ze renden langs de weg en gleden vaak uit in hun haast om weg te komen, maar van de in leren rok geklede slavenopzichters was geen spoor te zien.

Vespasianus reed zonder problemen door de ordelijke formatie van de

74

Numidiërs en stuurde zijn paard tot naast Bolanus voor aan de formatie, die inmiddels vlak achter de achterste lastdieren van de koopmans-
karavaan was. 'Zodra we beneden zijn gaan we langs de karavaan om zo
snel mogelijk bij de hoofdgroep te komen, ik wil er zeker van zijn dat
ze voldoende water bij de bevoorradingspunten achterlaten.'

Bolanus knikte en wees met zijn duim over zijn schouders. 'Denkt u
dat de opstandige slaven daar zullen blijven?'

'Ik geloof dat ze niet veel keus hebben. De meesten hebben niets om
naar terug te keren, zelfs als ze zouden weten waar hun thuis ooit was
en hoe ze daar moeten komen. En waarom zouden ze het risico van een
reis nemen? Ze hebben hier een goed stuk land en bijna alles wat ze
nodig hebben.'

'Maar wie zal het werk doen?' vroeg Magnus.

'Ah! Daar ligt het probleem. Ik denk dat ze eerst alle Garamanten die
nog in leven zijn in de velden aan het werk zetten, maar daarmee hebben ze nog lang niet voldoende werkkrachten.'

'En dus gaan ze terug naar het oude systeem, maar nu met andere
mensen die geen kloot uitvoeren, terwijl het land gewoon bekend blijft
als het koninkrijk van de Garamanten.'

Vespasianus haalde zijn schouders op. 'Wat kan het mij schelen? Wij
zijn weg en ik heb de meeste Romeinse burgers bij me.'

Magnus antwoordde niet op deze uitspraak. Vespasianus wierp een
blik op hem en keek toen waar Magnus naar staarde, beneden, in de
schaduw van de heuvel, nu zichtbaar nadat ze de laatste bocht hadden
genomen.

'Medusa's ongewassen kont!' Magnus zoog de lucht tussen zijn tanden door. 'Zei u nou dat we het hadden gehaald?'

Ze keken naar een eenheid van twee- tot driehonderd ruiters, die zich
in vier linies had opgesteld en het punt waar de weg op de vlakte uitkwam afgrendelde.

De jagers waren teruggekomen om hun vertrek te verhinderen.

De karavaan kwam tot stilstand omdat de kooplieden het gevaar hadden gezien. Ze blokkeerden de weg volledig.

'Laat ze opzijgaan, Bolanus!' beval Vespasianus. 'Leid je cavalerie erlangs, we moeten die klootzakken direct aanpakken, en hard ook. Het
zijn jagers, geen soldaten, voer een charge uit, recht op ze af.'

'Maar ze zijn wel gewapend,' mompelde Magnus terwijl Bolanus zich door de karavaan wurmde, vloekend en tierend tegen de kooplieden dat ze opzij moesten zodat zijn mannen erlangs konden.

'Klagen is zinloos want we moeten er toch doorheen breken, tenzij je wilt omkeren en de heuvel op gaan om ons in die chaos daar te storten.' Vespasianus keek om naar de plek waar de slag in de stofwolk doorging en vervolgens naar de rook die nu boven Garama hing. 'We hebben geen keus, zou ik zeggen.'

Magnus bromde met tegenzin iets instemmends. De Numidiërs reden intussen tussen de kooplieden door. Er klonk een lange en huiveringwekkende strijdkreet van de jagers op, waardoor de Numidische paarden schichtig werden, want ze voelden de dreiging die hun berijders ervoeren. Vespasianus, Magnus en Hormus volgden de Numidiërs, ze passeerden de karavaan, kwamen langs Decianus in zijn wagen en begonnen sneller te rijden toen ze de laatste paar honderd passen van de weg aflegden. Aan het hoofd van de colonne ging Bolanus rechtovereind in het zadel staan, zijn speer in zijn vuist, hij zwaaide ermee in de lucht en riep zijn mannen op hem te volgen; de hoornblazer produceerde een serie schelle stoten op zijn *lituus*. De Numidiërs antwoordden met vibrerende kreten, ze volgden hun decurio en zetten hun paarden tot grotere snelheid aan. Ze galoppeerden langs de weg op de wachtende jagers af. De jagers konden ook alleen maar wachten, want een poging tot een tegenaanval zou betekenen dat ze de smalle weg op moesten, waar ze weinig aan hun meerderheid hadden, en dus moesten ze toekijken hoe de professionele soldaten op hen afstormden en profiteerden van de dalende helling. Nerveuze blikken uitwisselend hieven ze hun speren en wierpen die na het bevel van hun leider naar voren. Maar een speer vanaf een stilstaand paard omhoog langs een helling werpen is bepaald niet makkelijk en de snelheid van hun slanke wapens was niets vergeleken met die van de Numidiërs, die op hun beurt hun speren lanceerden. Ze regenden op de jagers en sloegen diverse mannen uit het zadel, terwijl de rest bewegingsloos bleef wachten op de onafwendbare stormloop die op hen afkwam over de smalle weg die ze dachten te hebben afgesloten.

Een tweede regen dodelijke projectielen overviel hen een moment voordat er contact werd gemaakt. Mannen en paarden werden doorboord en er viel een gat in de rangen van de jagers, omdat mannen ter aarde stortten en paarden steigerden en er in angst of pijn vandoor gingen. Toen Bolanus' paard op het punt stond contact te maken, draaide het paard tegenover hem zich om, de zenuwen niet meer onder controle. Zo ontstond er ruimte, waardoor de Numidiërs vrijwel zonder verlies van momentum verder konden stormen. Eenmaal binnen de statische formatie van de jagers waaierden ze naar links en rechts uit in de chaos die door de twee golven speerworpen was ontstaan. Ze trokken hun spathae uit de schede en brulden zo hard ze konden. Op en neer en heen en weer zwaaiden ze hun klingen, ze hakten zich een weg door het hart van de vijandelijke formatie. Intussen probeerden de jagers hun paarden weg te sturen of zich te verdedigen door de slagen te pareren en blokkeren. Maar deze mannen waren alleen getraind in de kunst van het jagen en vallen zetten, niet in oorlogsvoering; deze mannen hadden niet dag in, dag uit op een houten paal ingehakt, hun spieren en technieken oefenend, zoals de Numidiërs hadden gedaan. De professionele cavalerie stormde verder, in een uitbarsting van houwen, slagen en stoten die de in paniek geraakte jagers doorboorden en opensneden en ledematen afhakten. Bloed explodeerde uit diepe wonden en geamputeerde stompen, het spoot en gutste, de metalige geur prikkelde de zintuigen van wie het over zich heen kreeg en droeg bij aan de strijdvreugde.

Schreeuwend tegen zijn lictoren dat ze hem moesten volgen zwenkte Vespasianus met zijn zwaard stevig in de hand gekneld naar links, zodat hij niet de hoofdgroep cavaleristen naar de jagers volgde, maar in plaats daarvan langs de snel desintegrerende voorste linie reed. Hij haalde met het zwaard uit naar de hoofden van paarden en ruiters, sneed vlees met lange slagen die zijn schouder bijna ontwrichtten open en liet een reeks hinnikende paarden en gillende mannen achter zich, die door Magnus, Hormus en de anderen die hem volgden werden afgemaakt.

Er heerste nu complete verwarring in de linies van de jagers. Sommigen probeerden te vechten, anderen de vijand die hun formatie was binnengedrongen te ontvluchten, allemaal realiseerden ze zich dat ze werden omsingeld. Wat ze vanwege hun aantallen als een zekere overwinning hadden gezien bleek op een bloederige nederlaag uit te lopen vanwege hun militaire onervarenheid. Ze zochten een uitweg, maar waarnaartoe? Uit de stofwolk heuvelopwaarts verschenen de opstandige slaven als overwinnaars uit de strijd tegen de gehate slavenopzichters, in die richting lag een zekere dood voor de jagers. In de andere richting lagen de lege mijlen tot de grens van het rijk, waar de cavaleristen, die nu de ene jager na de andere doodden, hen helemaal tot aan Leptis Magna genadeloos zouden opjagen. Maar bange mannen willen alleen ontsnappen aan de oorzaak van hun angst en in plaats van naar het oosten of het westen te gaan, langs de ruige randen van de heuvelrug, waar ze misschien een schuilplaats in grotten of kloven konden vinden, vluchtten ze recht de woestijn in, hopend aan de zwaarden van hun kwelgeesten te ontkomen. De Numidiërs volgden, want ook zij vluchtten naar het noorden om te ontsnappen aan de opstandige slaven die in drommen de heuvel afstormden richting de stilstaande karavaan. Op hun vlucht hakten ze in op de flanken van de paarden en slingerden speren naar de jagers en haalden zo nog velen neer, die dol van de pijn over de grond rolden.

Intussen zagen de kooplieden te laat het gevaar dat van boven naderde, gebiologeerd als ze waren door het spektakel van de jagers die voor hun ogen in de pan werden gehakt. Met bezorgde kreten probeerden ze hun paarden en lastdieren tot grotere haast aan te zetten, maar ze bevonden zich nog op de smalle weg. Paard blokkeerde paard en de karavaan bewoog zich tergend traag voorwaarts. Alleen Decianus, wiens menner als een bezetene met zijn zweep sloeg, wist zijn door vier muilezels getrokken wagen enige snelheid te geven, want hij had voor aan de karavaan staan wachten. Hij rolde voorwaarts, de heuvel af, terwijl uit de rest van de karavaan wanhoopskreten klonken toen de kooplieden overspoeld werden door ontsnapte slaven met een onstilbare honger naar wraak. De karavaan verdween in een draaikolk van haat en daarmee gingen de voorraden waar Vespasianus voor de terugtocht op had gerekend verloren.

Vloekend om het verlies haalde Vespasianus met zijn zwaard uit naar de nek van een vluchtende jager, sloeg diens hoofd er bijna af. Hij dreef zijn paard verder voorwaarts door de desintegrerende vijandelijke formatie, de woestijn in, weg van de chaos van Garama. Overal om hem heen richtten de Numidiërs een bloedbad aan, ze overrompelden de jagers, die naar hun goden in de hemel schreeuwden. Ze werden echter niet gehoord op deze dag waarop de Garamanten werden overgeleverd aan een gruwelijk lot in een koninkrijk dat ondersteboven was gekeerd.

'Vespasianus! Vespasianus! Laat me niet achter!' De stem was wanhopig en indringend.

Vespasianus draaide zich om in het zadel en zag Decianus honderd passen achter hem, zijn muildieren hadden moeite om de wagen over het ruige terrein te trekken, hoe hard de menner ook de zweep hanteerde. Maar hoewel hij de betaling voor Decianus' overtocht nog niet had gekregen, was Vespasianus niet van plan om de ex-procurator te hulp te komen, ook al hadden de opstandige slaven de karavaan overspoeld en zwermden ze nu uit over de woestijn. Toen Vespasianus zich weer omkeerde stootte Decianus een dolk in de ribben van de wagenmenner, gooide hem van de kar en nam zelf de teugels in handen. Nu de wagen minder lading had, was hij makkelijker te trekken voor de onfortuinlijke dieren. Het zweet vormde schuim op hun flanken, maar hun snelheid nam toe, zodat ze de achtervolgende slaven konden voorblijven.

'Jammer,' observeerde Magnus, die zijn paard aanzette om in het spoor van Vespasianus te blijven. 'Ik had Decianus wel willen zien kennismaken met de objecten van zijn systeem.'

Vespasianus kneep zijn ogen dicht tegen de wolken stof die de cavalerie voor hem deed opwervelen. 'En ik weet zeker dat het hun evenveel genoegen had gedaan, maar het mag kennelijk niet zo zijn.' Zijn opluchting over de ontsnapping van de ex-procurator verbergend wierp hij nog een blik over zijn schouder. Nu ze geen kans meer zagen om nog meer slachtoffers in te halen om in stukken te scheuren stopten de rebellerende slaven, onwillig om dieper de woestijn in te gaan nu ze een koninkrijk voor zichzelf hadden.

De overgebleven jagers vluchtten naar links of naar rechts, zich eindelijk realiserend dat ze de meeste kans op overleven hadden als ze niet als bange konijnen recht voor de achtervolgers uit bleven vluchten. Zo verloren de Numidiërs hen uit het oog, want zij bleven noordwaarts gaan, op weg naar de eerste wateropslag, waar naar Vespasianus hoopte nog voldoende amfora's waren gevuld met de kostbare vloeistof.

Maar het was niet het water waardoor Vespasianus en de Numidiërs slechts een uur later halt hielden, het was bloed. De zon was in alle ernst begonnen te branden en boven de trillende lucht cirkelden gieren. Ze daalden in langzame spiralen en er naderden er nog meer. Op hun hoge plekken op rotswanden hadden ze de geur van de dood geroken.

79

'Ik denk dat ik wel kan raden wat ze aantrekt,' mompelde Vespasianus, zijn ogen samenknijpend om de vormen die in de trillende lucht in de verte zichtbaar werden beter te kunnen zien.

'De vraag is: hoeveel?' zei Magnus toen de eerste vorm herkenbaar werd als een uitgestrekt lichaam.

Het waren er vele. Er lagen naar schatting van Vespasianus zeker een paar honderd doden op de grond, een banket aan aas.

'De meesten lijken van achteren te zijn geraakt,' merkte Bolanus op toen ze met de paarden aan de teugel langs het eerste tiental lijken liepen.

Hormus schoof een voet onder de schouder van een jonge jongen en draaide hem op zijn rug; dode ogen keken op naar de cirkelende vogels die op hun feestmaal wachtten. 'De burgers die afgelopen nacht vertrokken?'

Vespasianus haalde zijn schouders op. 'Wie zouden het anders kunnen zijn?' Hij keek om zich heen, het was alsof de colonne alle kanten op was gerend. 'Maar ze zijn niet allemaal gedood, slechts de helft, zou ik denken, er kunnen hier niet meer dan zo'n tweehonderd lichamen liggen.'

'Tja, het vermindert in ieder geval het waterprobleem,' zei Magnus toen ze verder tussen de lijken door liepen.

'Zo kun je het ook bekijken, maar het helpt niet met het probleem van de voorraden: hun provisiezakken zijn allemaal meegenomen. De echte vraag is: wie heeft het gedaan?'

'De jagers?'

'Mogelijk, maar we hebben al gezien dat ze niet al te beste vechters zijn.'

'Maar ze hoefden alleen maar ongewapende mensen te voet af te slachten.'

'Ongewapende mensen die beschermd werden door twee turmae van Bolanus' cavalerie. Kijk naar de lichamen, wat valt je op?'

Hormus zag het als eerste. 'Het zijn alleen bevrijde slaven, meester.' Hij wees over Vespasianus' schouder. 'En een paar Numidiërs.'

'Precies. Waar zijn de lichamen van jagers? Want een aantal van hen moet gedood zijn en ik kan me niet voorstellen dat ze hun dode kameraden mee terug hebben genomen. Bovendien zijn deze mensen gisternacht vertrokken en we zijn nu op ongeveer drie uur van hun vertrekpunt. Dat betekent dat het in het donker is gebeurd, en als het de jagers waren, waarom hebben ze dan met hun aanval gewacht tot ze in de open woestijn waren? In het donker konden de mensen makkelijk wegrennen, zoals velen duidelijk ook gedaan hebben. Het zou toch veel slimmer zijn geweest om hen te pakken op de plek waar ze ons ook opwachtten? Nee, ik denk niet dat het de jagers waren.'

'Maar wie waren het dan?' vroeg Bolanus, al verraadden zijn gezicht en zijn toon dat hij een idee van het antwoord had.

'Ik denk dat wat je vermoedt weleens zou kunnen kloppen, Bolanus, aangezien er ook een paar van je mannen liggen.'

'Maar ze hadden twee decuriones bij zich, Romeinse burgers. Betrouwbare mannen. Ze zouden hun eigen mensen niet afslachten.'

Vespasianus spreidde zijn handen. 'Verklaar dan maar eens wat er gebeurd is, want ik kan het niet.'

Magnus hees zichzelf weer in het zadel, kreunend van de inspanning. 'Wat er ook is voorgevallen, hier in deze hitte blijven staan en erover kletsen gaat niet helpen. We kunnen maar beter verdergaan, want als de Numidische cavaleristen zich niet gedragen, dan is de kans dat ze voldoende water bij de wateropslag achterlaten volgens mij verwaarloosbaar, en wij hebben niet genoeg bij ons om de tweede wateropslag te halen. We kunnen maar beter achter ze aan gaan om ze duidelijk te maken wat we ervan vinden.'

Vespasianus kon het daar alleen maar mee eens zijn. 'En dat kunnen we alleen doen door dag en nacht door te rijden.' Hij besteeg zijn paard en keek met een groeiend gevoel van onrust om zich heen. Zijn oog viel op Decianus, die in zijn wagen aan kwam rijden, en besefte dat parels geen nut hadden voor een man die in de woestijn van dorst omkwam. 'Ik had niet moeten wachten tot Decianus de burgers uit de stad had gehaald.'

Nu was het Magnus' beurt om in te stemmen. 'Omdat ze nu allemaal toch dood zijn? Natuurlijk had u dat niet moeten doen en bovendien had u dan zonder die aalgladde klootzak kunnen vertrekken, want ik kan u garanderen dat het heel wat erger wordt dan de dank die u voor het redden van zijn ellendige leven krijgt. Als u begrijpt wat ik bedoel.'

Vespasianus keek naar de ex-procurator die zonder met zijn ogen te knipperen net zijn wagenmenner had vermoord om zijn eigen hachje te redden, en mompelde: 'Dat doe ik, Magnus, dat doe ik zeker, misschien moeten we hem onderweg ergens lozen.'

'Maar niet voordat hij u betaald heeft wat hij beloofd heeft te betalen, en ik hoop dat het om een fatsoenlijk bedrag gaat.'

Vespasianus probeerde zonder succes zijn verrassing te verbergen.

'Het was overduidelijk: waarom zou u hem anders mee laten gaan?'

De tocht terug was een stuk zwaarder dan de heenreis, ook al volgden ze precies dezelfde route en waren ze op vlak terrein. De reden was dat ze nu zo snel mogelijk moesten rijden om de bedreiging voor hun leven die zich ergens voor hen bevond in te halen. Op de heenweg hadden ze een rustig tempo aangehouden om water te besparen, maar nu zetten ze hun rijdieren tot het uiterste aan en zagen zich gedwongen het grootste deel van het water dat ze bij zich hadden aan hun paarden te geven. Hun kelen waren kurkdroog toen de zon onderging en de hitte afnam.

'We houden de Noordster direct voor ons,' legde Bolanus uit toen de korte woestijnschemering in de nacht overging. 'Zo doen de karavanen het. Later komt er een bijna volle maan op zodat we met een redelijke snelheid door kunnen. Met wat geluk bereiken we kort na zonsopgang de eerste wateropslag.'

'Als die er nog is,' zei Magnus op een toon die zijn pessimisme verraadde.

'Als hij er niet meer is,' zei Vespasianus, die zijn irritatie over de somberheid van zijn vriend probeerde te verbergen, 'dan moeten we gewoon door naar de volgende.'

'Als die er nog is.'

'Magnus!'

Magnus deed een poging berouwvol te klinken. 'Het spijt me, gouverneur, niet goed voor het moreel en zo. Ik zal de rest van deze nachtmars tot alle goden bidden dat de wateropslag er nog is; als zij er nog zijn, tenminste.'

Maar de goden negeerden Magnus' gebeden of ze waren er echt niet meer; hoe het ook zij, ze stuitten op een deprimerend tafereel toen ze op het tweede uur van de dag bij de eerste opslag kwamen. Het waren niet de honderden amfora's die met water gevuld waren geweest en nu in scherven lagen, noch de lijken verspreid rond de opslag die de grootste schok gaven; die werd veroorzaakt door de twee onthoofde lichamen die duidelijk geëxecuteerd waren en niet in de strijd gevallen.

'Het waren goeie kerels,' zei Bolanus, terwijl hij naar de verminkte hoofden van zijn twee voormalige decuriones keek.

Vespasianus schudde zijn hoofd, verbaasd. 'Waarom hebben ze gewacht tot ze hier waren om ze te doden? Ze moeten de twee op de plek van het eerste bloedbad overmeesterd hebben; waarom hebben ze ze daar niet vermoord?'

'Ik weet het niet, maar ik weet wel dat ik de lui die dit gedaan hebben zal castreren.' Bolanus richtte zich tot zijn mannen, die tegen elkaar stonden te mompelen over de gruwelijke aanblik. 'Begraaf ze en doe het fatsoenlijk.'

Terwijl de graven met zwaarden werden gegraven, knielde Vespasianus bij het gebroken aardewerk; hij schepte een handvol zand op en wreef het tussen zijn handen. Fronsend keek hij naar Magnus. 'Het is vochtig.'

Magnus spuugde. 'De klootzakken! Wat ze niet mee konden nemen hebben ze weg laten lopen.'

'Daar lijkt het wel op.'

'Waarom zouden ze dat doen?'

'Om er zeker van te zijn dat zij terugkomen, wat er ook gebeurt, en dat niemand achter hen aan kan komen met vervelende verhalen over moord op Romeinse burgers, neem ik aan.'

'Maar ze hoefden niemand te doden, we hadden genoeg water om terug te komen.'

De concentratie op Vespasianus' gezicht werd nog groter. 'Het zou erg krap zijn geweest, niet iedereen zou het hebben gehaald.'

'Gouverneur!'

Door de schreeuw draaide Vespasianus zich om en keek naar het oosten. Achter een rotspartij kwamen twee figuren tevoorschijn.

'Gouverneur, ik ben het, Marcus Urbicus, optio in de Derde Augusta.'

'Urbicus,' mompelde Vespasianus voor zich uit, zich de slaaf herinnerend die hij op een van de boerderijcomplexen had ontmoet.

'We hebben op u gewacht, gouverneur,' zei Urbicus, terwijl hij en zijn kameraad naderbij kwamen. 'Al hadden we niet gedacht dat u zo dicht achter ons zat.'

'Wat is hier gebeurd, Urbicus?'

'Het was die klootzak van een slavenopzichter.'

'Nepos?'

Urbicus probeerde te spuwen, maar zijn mond was te droog. 'Ja, die hoerenzoon.'

'Hoe is het begonnen?'

'Nou, toen we de heuvel af gingen, ik en mijn maten – ik had vier van de jongens met wie ik in Garama in slavernij was geraakt teruggevonden.' Hij wees op zijn metgezel, een tiener nog, maar hard en gespierd en met uitdrukkingsloze ogen, de ogen van iemand die veel heeft geleden. 'Dit is Lupus.'

Vespasianus knikte naar de man, wiens naam in zijn ogen goed gekozen was.

'Hoe dan ook,' ging Urbicus verder, 'ik en mijn maten liepen aan het hoofd van de colonne, want wij behoorden tot de fitsten, en dus zaten we direct achter het cavalerie-escorte. We zagen Nepos naast ze gaan lopen en om de beurt met ze praten. Ik dacht er verder niet over na en ik nam het hem niet kwalijk dat hij een slavenopzichter was geweest, ik bedoel, wie zou het niet gedaan hebben als hij de kans kreeg? Ieder van ons zou het zeker gedaan hebben, beter om iemand anders te laten lijden dan zelf te moeten lijden, vindt u ook niet?'

Vespasianus kon er niets tegen inbrengen, zeker als het lijden zo groot was als in het koninkrijk van de Garamanten. 'Natuurlijk.'

'Hoe dan ook, Nepos bleef de hele tijd bij ze terwijl we richting woestijn liepen en ook nog toen we doorgingen en de Noordster volgden. En opeens waren ze er niet meer.'

'Wie waren er niet meer?'

'De Numidische cavalerie, ze reden gewoon weg. Allemaal, behalve de twee decuriones, die even verbaasd leken als wij en niets konden doen om ze tegen te houden. Nepos was er nog, maar zei dat hij niet wist wat ze aan het doen waren. Nou, het duurde niet lang voor we ontdekten waar ze naartoe waren, want van het einde van de colonne kwam geschreeuw, we werden aangevallen. Eerst dacht ik dat het de jagers waren, maar toen werd duidelijk dat het ons eigen escorte was.'

'Waarom?'

'Ik denk dat ze er zeker van wilden zijn dat ze voldoende water hadden. Ik en mijn maten slaagden erin om er een paar van hun paarden te trekken en we lieten ze merken wat we van hun verraad vonden, maar het was verder zinloos en dus gingen we er in het donker vandoor, net als iedereen die er de energie voor had.'

'Hoe zit het met de decuriones?' vroeg Bolanus.

'Die moeten beseft hebben dat het zelfmoord was om te blijven, want na een dergelijke muiterij zouden hun mannen ze nooit in leven laten, dus ze denderden naar het noorden zo snel als hun paarden ze konden dragen, maar het was niet snel genoeg, hè? Hoe dan ook, nadat ze zo veel mogelijk van ons hadden afgeslacht, gingen ze achter de decuriones aan.' Hij knikte naar de plek waar de lichamen werden begraven. 'En ze werden hier gepakt.'

Vespasianus fronste en schudde zijn hoofd in verwarring. 'Het snijdt geen hout. Waarom al die moeite doen om zo veel mogelijk mensen te vermoorden als ze net zo makkelijk de twee decuriones hadden kunnen doden om er dan in de nacht vandoor te gaan?'

'Nou, dat werd de volgende dag duidelijk. De overlevenden besloten gezamenlijk dat ze het beste naar het noorden door konden gaan, want niemand wilde natuurlijk terug naar Garama. We kwamen hier vanochtend een paar uur voor zonsopgang aan en daar waren ze, de Numidiërs, nu geleid door Nepos op een van de paarden van de mannen die we hadden gedood. Ze lieten de twee decuriones op de grond knielen. Nepos kwam naar voren en zei dat nu de zwakken waren gewied en we niet meer met zoveel waren er ruim voldoende water voor iedereen was en dat we met ze mee konden – op één voorwaarde.'

'En die was?'

'En die was dat we allemaal drie amfora's water moesten dragen, een voor onszelf, een voor de Numidiërs en een voor hun paarden, en iedereen die weigerde zou hetzelfde lot als de decuriones ondergaan. Vervolgens gaf hij de mannen die de gevangenen bewaakten een teken en met twee houwen van een kling lagen beide hoofden in het zand. Tja, de meesten stemden toen in met deze slavernij, maar ik en mijn maten plus enkele anderen waren niet van plan om water te dragen voor die klotekroeskoppen die net hun officieren hadden vermoord en dus gingen we een partijtje matten, wat we uiteraard verloren, en een paar jongens haalden het niet. Ik en Lupus hier wisten het donker in te rennen en te ontsnappen en besloten dat we het beste hier op u konden wachten om u te vertellen wat er gebeurd was.'

'Dat was verstandig van je, Urbicus. Vertel me, hoe lang geleden zijn ze vertrokken?'

'Vrijwel meteen, een paar uur voor zonsopgang.'

'Is dat zo? Dat betekent dat ze niet meer dan vijf uur voorsprong kunnen hebben en ze reizen met de snelheid van hun zwaarbeladen nieuwe slaven. Wij zijn allemaal te paard, we kunnen ze in een halve dag inhalen, ruim voordat ze de tweede wateropslag bereiken.'

Urbicus' gezicht kreeg een zorgelijke uitdrukking. 'Laat u mij en Lupus hier achter, gouverneur? Want we hebben geen paarden.'

Vespasianus glimlachte en keek richting Decianus, zwetend in zijn wagen. 'Nee, die hebben jullie niet, maar ik kan jullie beiden een muildier geven.'

HOOFDSTUK V

Alle vocht was allang uit Vespasianus' mond verdwenen, zijn neusgaten, ogen en oren voelden allemaal alsof er een flink stuk van de woestijn was binnengedrongen, ondanks de doek die hij voor zijn gezicht had gebonden en de breedgerande hoed die hij diep over zijn ogen had getrokken. Het ellendige gevoel van echte dorst plaagde hem en de dreiging van dood door uitdroging onder de gloeiende zon groeide met elke mijl die ze verder reden. Er was nog steeds geen spoor te zien van de stofwolk die hun doelwit zeker zou opwerpen. Onder zich voelde hij zijn rijdier zwakker worden, alle paarden en muildieren begonnen tekenen van uitputting te vertonen en hun tempo was het afgelopen uur aanzienlijk afgenomen. Zelfs Magnus, die naast hem reed, had geen energie meer om te klagen; hij zat ingezakt in het zadel, de ogen gesloten, en verdroeg de hitte en dorst in een voor hem ongewoon zwijgen.

Weggeworpen amfora's, in scherven in het zand, vertelden dat ze zich op het juiste spoor bevonden, maar onderstreepten ook dat de Numidische muiters over veel meer water beschikten en dus langer en sneller door konden blijven gaan.

Omdat de waterzakken die over de rug van de paarden hingen bijna leeg waren, had Vespasianus bevel gegeven dat het water alleen nog aan de paarden en muildieren mocht worden gegeven, want zolang deze dieren nog leefden, was er nog hoop voor de mensen om het te overleven. Iedereen had de wijsheid van deze strategie begrepen, op Decianus na, wiens vermogen om met extreem zware omstandigheden om te gaan letterlijk pijnlijk op de proef werd gesteld door op een muildier te moeten rijden, met niets dan een stoffen tas die hij uit zijn rijtuig had gered over het rijdier gedrapeerd om zijn achterwerk enige zachtheid te bie-

87

den. Vespasianus had ondanks hun weinig rooskleurige situatie het nodige plezier beleefd aan het vorderen van drie van de muildieren van de
ex-procurator. Twee waren er voor Urbicus en Lupus en het derde om
de last voor de andere dieren te verminderen. Daarmee moest de wagen
achtergelaten worden. Decianus was uitermate geschokt en had zich
vreselijk opgewonden, en hij werd nog bozer toen Vespasianus eiste dat
hij de afgesproken prijs voor zijn overtocht onmiddellijk zou overhandigen. Zo niet, dan zou het enige muildier dat Decianus nog had geen
water krijgen. Maar deze kleine overwinningen verloren snel hun glans,
want met elke stap verder groeide het uiterst reële gevaar dat ze het
niet zouden halen. Ze waren ruim voorbij het punt waarop ze nog konden omkeren, zelfs als ze al terug hadden gewild naar het koninkrijk
van de Garamanten, dat nu ver achter hen in het zuiden lag, gehuld in
slierten rook en inmiddels ongetwijfeld een plek van onbeschrijflijke
gruwelen. Ze hadden geen keus meer, ze moesten Nepos en zijn muitende Numidiërs inhalen of van dorst sterven om aas te worden voor de
gieren, die hen hoopvol volgden.

'Gouverneur!'

Bolanus' schreeuw rukte Vespasianus uit zijn morbide mijmeringen.
Hij tilde zijn hoofd op. 'Wat is er, decurio?'

Bolanus wees naar een verzameling rotsen op ongeveer een halve mijl.
'Recht voor ons.' Hij gaf de colonne een teken om halt te houden.

Vespasianus kneep zijn ogen samen, ze brandden in het felle licht. In
de trillende lucht aan de horizon zag hij vormen en sommige daarvan
konden geen rotsen zijn, omdat ze bewogen. En toch hing er geen stofwolk boven. Zich inspannend om de details beter te zien begon hij
langzaam te begrijpen wat hij zag. 'Ze zijn gestopt, ze moeten aan het
rusten zijn. Dat zijn in de wind flapperende luifels die we zien, je mannen moeten hun mantels hebben gespannen tegen de zon.'

'Het zijn mijn mannen niet meer. En ze zullen ook niet lang meer
mannen zijn als ik ze te pakken krijg.'

'Ik denk dat je die gelegenheid misschien krijgt. Ze moeten erop ge-
gokt hebben dat we zouden stoppen om uit de zon te blijven en water
te besparen. Dat was erg dom.'

'Ze hebben geen officieren om ze te leiden en verstandige beslissin-
gen te nemen.'

'We zullen ze langzaam naderen, met een beetje geluk liggen de Numidiërs te slapen en beseffen de slaven dat we ze komen helpen en ze niet willen doden, en slaan ze geen alarm.'

Bolanus deelde Vespasianus' optimisme duidelijk niet en ook Vespasianus zelf geloofde eigenlijk geen moment dat ze veel dichterbij konden komen zonder dat hun aanwezigheid zou worden opgemerkt. En zodra dat het geval was zouden de muitende cavaleristen naar het noorden vluchten om zo snel mogelijk bij de tweede wateropslag te komen. Maar overwegingen deden er nu allemaal niet meer toe, want het kamp kwam tot leven omdat ze gezien waren en nu stond er veel op het spel. Vespasianus voelde niet de teleurstelling die Bolanus kennelijk ervoer, te oordelen naar de serie vloeken die hij slaakte. Hij zette zijn uitgeputte rijdier nog een keer aan, terwijl Nepos en zijn muiters haastig in het zadel sprongen en weg galoppeerden.

'Blijf waar jullie zijn!' schreeuwde Vespasianus tegen de verwarde en bange burgerslaven, die niet wisten of ze zich moesten verdedigen of niet. 'We doen jullie niets.' Hij hield zijn rijdier in toen hij het kamp betrad en tot zijn grote opluchting zag hij wat hij gehoopt had te zien: amfora's, een heleboel. Hij geloofde eindelijk dat ze een kans hadden, al was het een kleine, om de provincie Afrika levend te halen.

En dan zou er een afrekening volgen.

'We laten jullie niet achter!' Deze woorden kwamen raspend uit Vespasianus' droge keel toen hij ze voor minstens de vierde keer herhaalde. 'Maar als we niet snel doorgaan en voldoende water bij ons hebben halen we de muiters nooit in voordat ze bij de volgende wateropslag komen. En als ze die vernietigen, dan maakt het niet meer uit of we jullie achterlaten of niet, want dan sterven we allemaal. Zodra we de wateropslag in handen hebben, zullen we daar op jullie wachten.'

'Ja, maar kunnen we jullie vertrouwen?' Het was weer dezelfde man die de vraag stelde, boven het geroezemoes uit schreeuwend. Hij hield twee amfora's tegen zijn getaande borst geklemd en was, met zijn vertrokken mond vol rotte tanden en wanhoop in zijn ogen, vooral bezorgd om zichzelf.

'Zoals ik al zei, ik ben degene die jullie heeft bevrijd. Waarom zou ik dat doen als ik jullie vervolgens op weg naar huis zou laten sterven?'

'Om er zeker van te zijn dat jullie thuiskomen.'

Vespasianus haalde diep adem. 'Zo zou jij misschien denken in mijn situatie, maar ik beloof je dat ik er belang bij heb om zo veel mogelijk van jullie terug naar Afrika te krijgen. En om dat te doen moeten jullie mijn mannen een deel van het water geven, anders moet ik ze opdragen het te pakken, jullie kunnen elk een amfora houden voor onderweg.'

De burgers, ruim tweehonderd bij elkaar, omringden Vespasianus' paard en begonnen nu onderling luidruchtig te discussiëren. Uiteindelijk was zijn geduld op. 'Bolanus! Doe wat je moet doen, we kunnen niet nog meer tijd verliezen met dit zinloze gepraat.' Hij trok zijn zwaard en dreef zijn paard door de menigte, zich een weg banend door enkele klappen met het plat van de kling uit te delen en anderen omver te trappen.

Vuisten vlogen door de lucht en de emoties liepen hoog op toen Bolanus' mannen zich in de massa begaven en de aardewerken kruiken waar al hun levens van afhingen vastpakten en eraan trokken. Mannen en vrouwen, uitgeput door de slavernij en de tocht door de woestijn, probeerden zich tegen de Numidiërs te verzetten, maar die waren veel sterker en van hun medeleven – als ze dat al ooit gehad hadden voor hun lot – was inmiddels niets over nu ze de dwaze koppigheid van de voormalige slaven zagen.

'Probeer ze niet te verwonden,' schreeuwde Vespasianus, meer voor zijn eigen gemoedsrust dan in een serieuze poging om het geweld te stoppen dat intussen onvermijdelijk was. Een aantal mensen had besloten verstandig te zijn en bracht vrijwillig hun extra water naar de plek waar de lictoren de voorraad bewaakten, maar zeker driekwart van de menigte kon het niet opbrengen om anderen weer te vertrouwen na zo lang zonder dat vermogen te hebben geleefd. Vespasianus keek machteloos toe, zachtjes vloekend toen de eerste wond werd toegebracht en de eerste amfora stukviel. Bloed en water stroomden en drongen in de uitgedroogde grond, die eerste vloeistof nu veel minder kostbaar dan de tweede.

'Ze beseffen niet dat het water belangrijker is dan hun leven, meester,' zei Hormus, die naast hem liep. 'Het is niet uw fout.'

'Ik weet het, maar hoe minder ik er terugbreng, hoe meer het lijkt alsof ik gefaald heb en daarmee word ik een groter doelwit voor Poppaea's rancune.'

'Als u er maar een aantal terugbrengt.'

Vespasianus dacht een moment na, zijn gezichtsuitdrukking verhardde.

'Om dat te garanderen moet ik duidelijk maken wie hier de baas is. Ga aan de andere kant van de meute staan.'

Hormus gehoorzaamde, terwijl nog twee man gillend neergingen, ze lieten hun amfora's vallen zodat ze de grijsblauwe linten darm konden binnenhouden die door de gapende sneden in hun buik naar buiten dreigden te komen. Dat was genoeg voor de anderen om te beseffen dat ze de keus hadden tussen leven met één amfora water en de dood, en de eerste optie was toch de beste, zodat de opstandigheid verschrompelde tot kwaad gemompel en het gekreun van de gewonden. Met slecht verholen onwil werd het water afgegeven en de voorraad groeide, waarna er een nors kijkende menigte tegenover Vespasianus stond, elk met een amfora tegen zich aan gedrukt.

'Laat je mannen en de lictoren hun waterzak snel vullen, Bolanus,' beval Vespasianus. 'En ze moeten flink drinken en hun paarden zo snel mogelijk water geven, we hebben al genoeg tijd verspild.' Hij wendde zich tot de burgers. 'Als die confrontatie van net betekent dat we de muiters niet op tijd kunnen pakken, moeten we ze blijven achtervolgen om te voorkomen dat ze de bron vergiftigen die onze volgende halte op de weg terug is.'

'En wij dan?' Het was dezelfde man die de vraag stelde, nog altijd op agressieve toon.

'Kom hier!' Vespasianus stapte af, zijn zwaard nog altijd in zijn hand, en liep op de agitator af. De menigte nam afstand van hem, niemand wilde het slachtoffer van meer geweld worden.

Voelend dat zijn steun snel afbrokkelde deinsde de man naar achteren, de menigte in, maar Vespasianus volgde hem, ongehinderd. Met een kreet draaide de man zich om en begon te rennen. Aan de achterkant van de menigte gekomen stormde hij recht in de vuist van Hormus. Zijn hoofd vloog naar achteren, zijn armen gingen de lucht in en lanceerden de amfora, die door Hormus werd opgevangen, terwijl de man tegen de grond ging.

Vespasianus trok hem aan zijn haar omhoog en zette hem op zijn knieën, bloed stroomde uit een gescheurde en opzwellende lip. 'Hou zijn armen achter hem, Hormus.'

Hormus zette de amfora op de grond en trok de armen van de half bewusteloze man achter diens rug, zijn hoofd hing naar voren.

'Door deze man hebben we kostbare tijd verloren, waardoor de kansen op overleving voor de hele groep zijn verminderd. Dat kan ik niet tolereren, we kunnen alleen overleven als jullie zonder tegenstribbelen doen wat ik zeg. Ik wil geen gemor horen, begrepen?'

Vespasianus wachtte, er was wat gemompel, een deel kon voor instemming worden gehouden, maar het meeste klonk in zijn oren vooral wrokkig.

Het was in een moment voorbij: de flits van een zwaard, het fluitende geluid van de kling, de korte, verraste kreet van het slachtoffer, de natte klap van de aanraking en de verschrikte kreten van de menigte toen het hoofd de grond raakte en wegrolde en naast de amfora tot stilstand kwam. Alle ogen waren gericht op het bloed dat uit de nek spoot en een met schuim bedekte poel op de kale grond vormde.

'Ik zal iedereen executeren, man of vrouw, die zich tegen me verzet, en als gouverneur van Afrika heb ik het wettelijke recht daartoe.' Hij wees op zijn lictoren, die zijn macht representeerden, terwijl hij de menigte strak aankeek. 'Is dat duidelijk?'

Dit keer kwamen er wat meer positieve antwoorden op zijn vraag. Hormus liet intussen de armen los en het lijk zakte in elkaar.

'Mooi.' Vespasianus veegde zijn zwaard af aan de lendendoek van de dode en liep uitdagend terug door de menigte, oplettend of iemand hem in de ogen durfde te kijken, maar dat was niet het geval. 'Volg ons spoor en het komt goed.'

'En hoe zit het met mij?'

Vespasianus draaide zich om naar de vragensteller en stond oog in oog met Decianus. 'Wat bedoel je met "hoe zit het met mij?"'

Decianus klonk bijna verontschuldigend. 'Gewoon, hoe zit het met mij? Met wie ga ik mee? Ik ga toch zeker met jou mee?'

'Dat mag als je het wilt, maar nog voor we een mijl ver zijn zul je achteropraken.'

'Dan vorder ik een paard van een van de Numidiërs of lictoren, die kan dan verder op mijn muildier, dat is voor iedereen veel bevredigender.'

'Je kunt het proberen, Decianus, maar ik geef weinig voor je kansen. Probeer het maar, ik zou het weleens willen zien.'

Decianus keek naar de Numidiërs en lictoren die bezig waren hun paarden water te geven en toen weer naar zijn verloren ogende muildier en wierp Vespasianus vervolgens een blik vol diepe haat toe.

Vespasianus glimlachte met oprecht plezier en liep weg.

Het duurde een uur voor ze een eerste teken van de muiters tegen-kwamen, een uur in de brandende zon waarin ze een behoorlijke af-stand hadden weten af te leggen omdat ruiters en dieren flink gedron-ken hadden en weer fris waren.

Het paard lag op zijn zij, de ogen gesloten, de flank ging onregel-matig op en neer. Van de berijder was, tot Bolanus' teleurstelling, geen spoor te bekennen.

'Ze raken verzwakt,' zei Vespasianus, die op het stervende dier neer-keek. 'Hoe ver nog naar de wateropslag, decurio?'

Bolanus keek in de verte, zijn ogen afschermend. 'Daar.' Hij wees iets oostelijk van het noorden naar het grillige silhouet van een heuvel aan de horizon. 'Het is ongeveer op die hoogte, dus een mijl of twintig. Nog drie uur als de paarden het volhouden.'

Vespasianus schatte de hoogte van de zon. 'Het zal gauw koeler be-ginnen te worden, we moeten zo snel mogelijk rijden. Als iemands paard het begeeft, dan zij het zo, hij kan te voet met de anderen volgen.'

Het tweede paard dat ze tegenkwamen was al dood.

Naast het karkas knielden twee Numidische ruiters hun armen sme-kend uitgestrekt, ze vroegen Bolanus in een mengeling van hun eigen taal en slecht Latijn om genade. Hij steeg af en liep met getrokken zwaard naar hen toe, terwijl hij twee van zijn soldaten een teken gaf hem te volgen en de rest opdroeg om hun paarden te drenken.

'Zeg op, waarom zou ik jullie verraderlijke levens sparen?' Bolanus zette het puntje van zijn zwaard onder de kin van een van de muiters en dwong hem om op te kijken. Zijn mannen gingen intussen achter de twee staan om te voorkomen dat ze zouden vluchten. 'Wat is je naam, soldaat?'

'Mezian, decurio.' Hij keek met angstige ogen naar de kling.

'Kijk me aan, Mezian, niet naar het zwaard. Waarom hebben jullie je laten overhalen om te gaan muiten?'

Mezian slikte voor hij in een stroom woorden in zijn eigen taal uit-barstte. Hoewel Vespasianus er niets van verstond was het uit de toon duidelijk dat het ieders schuld was behalve die van Mezian en te oorde-len naar de verontwaardigde blik en het protest van zijn kameraad, was het vooral diens schuld.

Bolanus keek de andere man aan. 'Is het waar dat jij ze hebt overge-haald om te gaan muiten, Lahcen?'

'Nee, decurio,' antwoordde Lahcen met een zwaar accent in het Latijn. 'Nepos, hij zegt niet genoeg water voor vele honderden mensen. Hij spreekt onze taal na tijd in Garama. Wij beter gaan met minder mensen. Beter wij leven dan iedereen dood. Wij allemaal zeggen ja, allemaal. Mezian liegt, hij geen eer want ik deel mijn paard toen zijne valt.'

Mezian schreeuwde ontkennend.

Bolanus trok zijn zwaard terug van Mezians keel en doorboorde met een bliksemsnelle beweging de borst van zijn kameraad. Lahcen staarde een moment verbaasd naar de kling, spuugde er een bloedige fluim op en viel toen achterover op het zand, dood.

Mezian gooide zich naar voren, greep Bolanus' enkels en kuste zijn voeten.

Bolanus keek met walging naar het wanhopige gedoe. 'Hoe lang ben je hier?'

Mezian antwoordde in zijn eigen taal.

'Leg hem plat op zijn rug,' beval Bolanus de twee cavaleristen.

Mezian gilde en kronkelde terwijl zijn voormalige kameraden hem bij benen en polsen grepen en hem omdraaiden.

'Lahcen was hier omdat hij je probeerde te helpen,' zei Bolanus toen Mezian eenmaal was vastgepind, 'en jij hebt hem terugbetaald door de schuld van je daden op hem af te schuiven. De beloning voor zijn eerlijkheid was een snelle dood.' Opnieuw een bliksemsnelle beweging van het zwaard, maar dit keer stak het niet, dit keer rustte het tussen Mezians benen. 'Je dubbele verraad levert je het tegenovergestelde op.'

De Numidiër huilde als een harpij toen Bolanus met een paar polsbewegingen door de lendendoek sneed en de genitaliën afhakte.

'Terwijl je leegbloedt heb je de tijd om je gebrek aan dankbaarheid te overdenken, Mezian.' Bolanus sprong in het zadel en grijnsde naar Vespasianus, terwijl de gecastreerde man gillend en kronkelend op de grond lag en zijn wond vasthield. 'Dat voelt al veel beter, hopelijk beginnen de gieren aan hun feestmaal terwijl de klootzak nog leeft.'

Vespasianus keek neer op Mezian. 'Wat heeft hij gezegd?'

'O, niet langer dan de tijd die de zon nodig heeft om de breedte van twee vingers aan de hemel af te leggen, minder dan een halfuur. Als het niet zo heiig was zouden we het stof van de rest moeten kunnen zien, maar het zal er om spannen of we ze voor de wateropslag inhalen.'

'Dan kunnen we maar beter gaan.'

En het spande erom. Hoewel ze wisten dat ze hun prooi bijna hadden ingehaald en dus hun paarden harder konden afbeulen dan misschien verstandig was, was de heuvel die de plek van de wateropslag markeerde erg dichtbij toen ze de muiters door de trillende lucht konden zien.

'Ze zitten niet te paard!' schreeuwde Vespasianus tegen Bolanus. 'Ze moeten bij de opslag zijn.'

Het besef dat de watervoorraad misschien wel op dit moment werd vernietigd deed Vespasianus zijn uitgeputte paard tot het uiterste aansporen voor de laatste paar honderd passen. De Numidiërs stormden achter hem aan, hun vibrerende strijdkreten stegen op, samen met het stof dat ze opwierpen. Verder galoppeerde Vespasianus, terwijl de muiters in de gaten kregen dat ze ingehaald waren en naar hun paarden renden. Maar de urgentie die de Numidiërs in hun hart voelden leek zich voort te planten tot in de geest van hun rijdieren, want ook die leken te beseffen dat hun leven afhing van deze laatste charge; ze lieten hun brede borstkas opzwellen en dwongen hun pijnlijke spieren over hun grenzen heen en ze streden met elkaar wie de snelste was. Ze zweetten niet, want ze waren uitgedroogd, maar ze behielden hun snelheid en vermeerderden die zelfs. Toen ze langs de wateropslag denderden kon Vespasianus zien dat die opgegraven was en hij ving een glimp op van kapotgeslagen aardewerk, nat en stomend.

'Ik wil Nepos levend!' schreeuwde hij, zijn zwaard uit de schede rukkend en biddend tot zijn beschermgod Mars dat zijn paard het nog enkele honderden passen zou volhouden. En Mars verhoorde zijn gebed, want in minder dan honderd slagen van het grote hart van het dier zwaaide Vespasianus' kling door het hoofd van de achterste muiter; de schedeltop kwam los en tolde hoog door de lucht, bloed in het rond sproeiend, terwijl de ruiter met open hoofd enkele momenten verder reed voordat hij inzakte en van het voortrazende paard viel, waarbij zijn hersenen alle kanten op spatten. Bolanus overviel met zijn Numidiërs de kleine formatie van hun voormalige kameraden, van achteren op hen inhakkend en ze een voor een uitschakelend. Vespasianus hield zijn uitgeputte paard in en liet de andere, jongere mannen het moorden doen; ze hadden niet veel tijd nodig om het vijftigtal levens te beëindigen. Begeleid door het geschreeuw van de stervenden en het gedreun van de hoeven zaaiden ze dood en verderf onder de mannen die hen van dorst hadden willen laten sterven om als uitgedroogde lijken in de woestijn te eindigen, zonder hoop op een begrafenis, zonder waardige overgang naar de onderwereld; een echte dood, een ultieme dood. De Numidiërs moordden en namen wraak op de verraders met de woede van mannen die door hun voormalige kameraden tot de dood waren veroordeeld. En Vespasianus keek toe met vreugde in zijn hart en opluchting in zijn buik.

Maar dat gevoel van opluchting verdween zodra hij zich weer herinnerde hoe de wateropslag eruit had gezien toen hij erlangs was gestormd; hij keerde zijn paard en liet het vermoeide dier teruglopen naar waar Magnus, Hormus en de lictoren naast een in het zand uitgegraven kuil stonden.

'Het ziet er niet al te slecht uit,' zei Magnus, die het stof met de rug van zijn hand uit zijn gezicht veegde. 'Maar ook niet fantastisch, de klootzakken hebben de nodige schade aangericht.'

Vespasianus steeg af en liep naar de rand van de kuil, aan beide kanten lagen de planken die onder een dunne laag zand oorspronkelijk de wateropslag hadden afgedekt. In de kuil stonden rijen amfora's, sommige heel, andere in scherven, kostbaar water lekte in het zand waarin de puntige bodem van de amfora's was begraven om ze overeind te houden.

Vespasianus telde ze: vijfentwintig rijen bij twintig. 'Ik schat dat van de vijfhonderd amfora's er nog zo'n driehonderd heel zijn.'

'Driehonderd, dan is het maar goed ook dat de muiters en rebellerende slaven onze aantallen wat hebben uitgedund, zou ik zeggen. Vijfhonderd was ook niet genoeg geweest voor iedereen van ons plus de karavaan. Misschien had Nepos een punt.'

Vespasianus liet zich op de grond zakken, zich plotseling uitgeput voelend. 'Ik word te oud voor dit soort dingen.'

'Ú wordt te oud? En ik dan? Ik zit in het stadium waarin ik elke dag moet kiezen tussen vechten en neuken, want beide gaat niet meer.' Magnus ging naast hem zitten en keek naar de geplunderde opslag en schudde zijn hoofd. 'Is het genoeg?'

'Het moet maar. Laten we kijken wat we kunnen redden.'

'Nee,' zei Magnus met een grimmige glimlach op zijn gezicht. 'Volgens mij is er iets met hogere prioriteit.'

'Wat dan?'

'Ik denk dat u eerst Nepos maar eens flink aan de tand moet voelen, als u begrijpt wat ik bedoel.'

Vespasianus draaide zich om en keek naar Bolanus' mannen die Nepos met zich meevoerden, bebloed en gekneusd na een val van zijn paard, om berecht te worden. 'Dat doe ik, Magnus, zeker, maar wat kan hij vertellen dat ik niet al weet?'

'Wat!' Het antwoord op die vraag verraste Vespasianus volkomen. 'Ik geloof je niet.'

Nepos, op zijn knieën, keek met onbuigzame blik omhoog naar Vespasianus. 'Tel de lichamen en u zult zien dat ik de waarheid spreek.'

Vespasianus wendde zich tot Bolanus. 'Hebben je mannen de doden geteld?'

De decurio knikte. 'Dat hebben we gedaan toen we al het eten van ze afpakten; vierenvijftig. Aangezien we er al twee eerder te pakken hadden missen er dus nog vier.'

Nepos' glimlachte vreugdeloos. 'Denkt u dat ik zo dom was om niet voor een verzekering te zorgen? Vier cavaleristen met een flinke voorraad water zijn direct naar de bron gegaan met de opdracht die te besmetten als ze mij en hun kameraden niet zien naderen. Ik heb verteld dat we bij daglicht komen, zodat ze zich niet kunnen vergissen, elke poging om de bron 's nachts te naderen zullen ze als vijandelijk beschouwen en dan besmetten ze hem direct. Dus u begrijpt dat u me levend nodig hebt.'

'Wat hebben ze om de bron mee te vervuilen?'

'Een paar zakken met ontbindende ledematen; niet erg fijn om te vervoeren, dat kan ik u verzekeren, maar nog minder in drinkwater.'

'We halen ze wel in voor ze daar zijn, ze kunnen niet meer dan een paar uur voorsprong hebben.'

'Kijk naar uw paarden, ze zijn uitgeput, u kunt pas over een paar uur vertrekken, en tegen die tijd zijn mijn mannen al een flink eind op weg.'

'Hun paarden zijn net zo uitgeput als de onze, ook zij moeten rusten.'

'Durft u die gok te nemen? Zij hebben niet net een gevecht in de hitte geleverd. U hebt me nodig, Vespasianus, ontken het maar niet.'

Vespasianus vloekte, beseffend dat de verraderlijke slavenopzichter gelijk had. Hij stak zijn zwaard in de schede. 'Goed dan, je blijft leven.

Maar ik heb je enkel tot aan de bron nodig, als we eenmaal daar zijn heb je geen nut meer.'

'We zullen het zien, gouverneur,' zei Nepos, terwijl hij overeind kwam. 'We zullen het zien.'

Vespasianus wilde die opmerking als pure bluf afdoen, maar Nepos was sluwer gebleken dan hij gedacht had. 'Geef deze klootzak het paard van een van de dode soldaten, Bolanus, en zorg dat vier van je jongens altijd om hem heen rijden. We gaan met vierenvijftig man naar de bron, de rest blijft hier om uit te rusten en op de burgers te wachten. Belaad zes paarden van de muiters met extra water. Laat de mannen en paarden die met ons meegaan als eersten eten en drinken, we vertrekken kort na het donker. Wanneer komt de maan op?'

'In het derde uur van de nacht, gouverneur.'

'Dan vertrekken we dan, nu gaan we een paar uur slapen.'

Twee uur rust was bij lange na niet genoeg en toen hij gewekt werd voelde Vespasianus zich alleen maar nog vermoeider dan toen zijn hoofd het kussen van zijn opgerolde mantel raakte. Maar hij besefte heel goed dat het gebrek aan slaap waar ze nu allemaal onder leden een kleine prijs was die betaald moest worden om te voorkomen dat ze snel aan uitdroging zouden sterven.

En dus leidde hij met grimmige vastberadenheid, en na een paar klappen met open handen tegen zijn wangen om de vermoeidheid weg te jagen, de verkleinde colonne noordwaarts. Ze reden zo snel als ze konden in het licht van de net opgekomen halve maan.

'Ik begin te vermoeden dat dit nog gecompliceerder gaat worden dan aanvankelijk de bedoeling was,' observeerde Magnus, die naast hem reed.

Vespasianus masseerde zijn slapen met de duim en ringvinger van zijn ene hand. 'Ja, en ik denk dat ik weet hoe Nepos het ons nog moeilijker wil maken.'

'Wat bedoelt u?'

'Tja, hij schijnt te denken dat ik een reden zal hebben om hem niet te doden als we bij de bron aankomen.'

'Misschien is hij gewoon van plan ervandoor te gaan.'

'Waarheen? Hij kan zich nergens verbergen en het zal hem niet lukken sneller te zijn dan wij, en bovendien heeft hij zelf geen water, daar heb ik wel voor gezorgd; hij is afhankelijk van het water dat door de zes pakpaarden wordt vervoerd.'

'Misschien is hij van plan er een te stelen.'

'Nee, hij wist niet dat we pakpaarden zouden meenemen toen hij liet doorschemeren dat ik hem bij de bron niet zou doden. Nee, hij had alles van tevoren al bedacht en het draait allemaal om wat hij zijn mannen heeft opgedragen. Hij zei dat ze de bron zouden vergiftigen als ze hem en hun kameraden niet zien verschijnen, met andere woorden als ze óns zien verschijnen.'

'Ja, en?'

'En wat doen ze dan? Wachten tot we komen en ze doden?'

'Nee, uiteraard rijden ze zo snel mogelijk verder naar het noorden, in de hoop bij de volgende wateropslag te komen voor we ze pakken.'

'Precies.'

'Dus?'

'Dus wat zijn hun orders als ze Nepos en hun kameraden zien aankomen?'

Magnus dacht even na. 'Ah!'

'Inderdaad, ah! Ze doen hetzelfde: ze willen ons steeds een stap voorblijven voor het geval we Nepos op de hielen zitten of hem al te pakken hebben, zoals nu het geval is. En Nepos zal ze geen teken geven om de bron te vergiftigen, want hij heeft het water even hard nodig als wij.'

'Dat kan zo doorgaan tot Leptis Magna aan toe.'

Vespasianus wierp een blik achterom, langs de colonne naar waar Nepos reed, omringd door vier bewakers. 'En daarmee heeft Nepos reden te denken dat ik hem voorlopig niet zal doden.'

'En hoe dichter we bij Leptis Magna zijn, hoe meer kans hij heeft om te ontsnappen en een of andere bewoonde plek te bereiken.'

'Precies. En dus moeten we als we bij de bron komen een stokje voor zijn slimme plannetje steken.'

'En hoe wilt u dat doen?'

'Zoals ik al zei heeft hij er niet op gerekend dat we pakpaarden zouden meenemen.'

De rest van de nacht en de eerste koele uren van de volgende ochtend reden ze zo snel als ze durfden naar het noorden, hopend dat hun frissere paarden zouden inlopen op die van de vier overlevende muiters, die niet alleen weinig tot geen rust hadden gehad, maar ook het gewicht van hun eigen water moesten dragen.

Met dat in gedachten gaf Vespasianus bevel om eerst het water van de pakpaarden te gebruiken bij de rustpauze die ze tijdens de hete uren van de dag namen. Toen ze aan het einde van de middag van de tweede dag kamp opsloegen mochten de pakpaarden die naam niet meer hebben, omdat ze niets anders meer droegen dan hun zadel.

'Nee, Bolanus,' zei Vespasianus toen de decurio hem over het onderwerp ondervroeg. 'We laten ze zoals ze zijn.'

'Maar ze zouden flink wat gewicht van de andere paarden kunnen overnemen, zodat die niet zo snel moe worden.'

'Dat scheelt maar een beetje, terwijl deze zes veel frisser blijven en straks van veel meer nut voor ons zullen zijn, geloof me nou maar. Zorg alleen dat hun zadels goed zitten en dat elk een goedgevulde koker werpsperen heeft.'

De decurio haalde zijn schouders op maar ging niet verder op de zaak door.

Vespasianus trok zich in de volgende uren in zijn eigen gedachten terug, tot de hemel in het westen rood gloeide en de zon achter de bergen in de verte verdween. Uit het niets stak er een warme bries op.

'Hoe ver is het volgens jou nog naar de bron, Bolanus?' vroeg Vespasianus, het doek optrekkend dat zijn mond en neus bedekte.

'We moeten er tegen de ochtend zijn.'

'Dan moeten we langzamer gaan.'

'Maar de muiters zitten voor ons.'

'En we zullen ze niet inhalen voor ze bij de bron zijn, het zou me zelfs niet verbazen als ze er al zijn. We kunnen het ons niet veroorloven om daar in het donker aan te komen, want dan vervuilen ze hem. Ze moeten Nepos bij daglicht kunnen zien, dus we gaan nu langzamer rijden zodat de paarden minder moe zijn, we stoppen de laatste drie uur van de nacht en gaan vervolgens bij zonsopgang verder.'

En zo, toen het oosten door de stralen van een nieuwe zon in een gouden gloed werd gedompeld, tuurde Vespasianus samen met Bolanus in de verte, de ogen samengeknepen. Het kleine groepje mannen en paarden was net zichtbaar aan de horizon, die nog niet versluierd werd door de trillende hitte die uit de bakkende grond opreeer. 'Laat Nepos en zijn bewakers aan het hoofd van de colonne rijden, Bolanus,' beval

Vespasianus. 'We naderen langzaam, we willen niet dat ze schrikken en denken dat we achtervolgd worden.'

'Het lijkt me toch beter met enige snelheid te gaan,' zei Magnus, terwijl Bolanus de orders doorgaf en Nepos door zijn bewakers naar voren werd gebracht.

Vespasianus schudde zijn hoofd. 'Als ze doen wat ik denk dat ze gaan doen, dan is het mogelijk dat ze iets langzamer zijn als ze zien dat we absoluut geen haast hebben. Ze denken tenslotte dat we hun kameraden zijn.'

'Dat zou kunnen.'

'Jij blijft bij de colonne en houdt Nepos in de gaten.'

'Wat gaat u doen?'

'Ik ga een lekker fris pakpaard halen. Bolanus, ik heb jou en vier van je beste mannen nodig.'

Uit het zicht van Nepos lieten Vespasianus, Bolanus en hun mannen zich zakken en gingen aan de zijkant van de colonne rijden. Bij de bron was een van de muiters op zijn paard gestegen en reed op de colonne af, terwijl de andere drie bleven. Op een mijl afstand stopte de verkenner en stak beide handen in de lucht. Nepos stak de zijne in antwoord eveneens in de lucht en de verkenner draaide zich om en ging in een rustige galop terug naar zijn collega's.

'Klaar,' zei Vespasianus, meer tegen zichzelf dan tegen zijn metgezellen. Hij keek toe hoe de verkenner de bron naderde en hij hoorde vaag een schreeuw. De drie andere muiters klommen in het zadel en toen de verkenner langs hen reed volgden ze hem in een flink tempo in noordelijke richting. Vespasianus wendde zich tot Bolanus. 'Ik wist het, Nepos heeft het zo geregeld dat ze ons altijd voor zijn voor het geval hij gevangen is genomen. Hij denkt dat we hem nodig hebben om bij elke wateropslag of bron te komen.'

Hij wachtte honderd hartslagen zodat de muiters ver genoeg van de bron waren om niet meer te kunnen terugkeren. 'Nu!' riep hij en hij zette zijn frisse paard aan tot actie; het dier steigerde bijna, geschrokken van het plotselinge commando, maar voegde zich toch naar zijn wil. Bolanus en zijn mannen volgden, ook hun paarden versnelden. Nepos wierp een angstige blik op hen toen ze hem passeerden en in volle galop achter de vluchtende muiters aan gingen.

De warme woestijnwind blies zand in Vespasianus' ogen en trok aan zijn hoed, die uiteindelijk afvloog, waardoor hij in zijn nek klapperde en het leren riempje aan zijn keel trok. Hij leunde voorover, laag, zodat zijn hoofd bijna op de nek van het rijdier rustte. Met vaste pas stormde het dier over de barre grond, een diepgeworteld paardeninstinct stuurde de hoeven naar vlak terrein en vermeed verraderlijke holtes en losse stenen. Het gestamp van zijn paard en de andere vijf achter hem en het gerammel en gekletter van de speren in hun koker vulden Vespasianus' hoofd. De vastberadenheid om met de bedreiging voor zijn leven af te rekenen staalde hem en dreef hem voort in een vliegende achtervolging van de muiters, die niet meer dan een halve mijl voor hen reden. Fel dreef hij zijn paard voort, wetend dat hij maar één kans had om de vluchtende vijand te pakken, nu het dier nog fris was, want dat zou niet lang zo blijven. Nog enkele honderden passen en de afstand tussen de twee groepen begon te verminderen. Vespasianus zette zijn rijdier tot nog grotere inspanning aan en hij voelde een kleine versnelling, alsof het paard, de oren plat in de nek, begreep dat het om een kwestie van leven en dood ging. Door galoppeerde het dier, het grote hart dreunde onder Vespasianus, zijn manen wapperden in diens gezicht, klodders schuimend speeksel vlogen uit zijn mond. Voor hem zag Vespasianus dat de vier muiters af en toe over hun schouder begonnen te kijken; de galop van hun paarden leek moeizaam, de afgelegde afstand scheen niet gelijk aan de geleverde inspanning.

'Ze worden al moe!' schreeuwde Vespasianus over zijn schouder, zijn metgezellen zaten vlak achter hem.

Nog eens tweehonderd passen en Vespasianus voelde nog geen vermoeidheid in zijn paard, terwijl ze nu met elke spierstrekking van de galop zichtbaar terrein wonnen. De blikken naar achteren van hun prooi werden frequenter. Vespasianus reikte achter zich en trok een speer uit de koker. Zijn bewegingen waren vloeiend en vielen samen met die van het dier. Hij tastte naar de leren lus halverwege de schacht en stak zijn wijsvinger erdoor. Een snelle blik naar achteren leerde dat Bolanus en zijn mannen inmiddels zijn voorbeeld hadden gevolgd. Nu concentreerde hij zich op het schatten van de afstand tussen hem en de muiters. Hij liep steeds verder in. Weliswaar voelde hij zijn rijdier nu wel moe worden, maar de paarden voor hem werden sneller moe. Hij kon de achtervolgden opeens horen schreeuwen en hij begreep wat er ging gebeuren. 'Bolanus! Ze gaan splitsen! Jij gaat met twee jongens links, ik ga met de anderen rechts.'

Net toen hij het bevel had gegeven veranderden de muiters opeens van richting, zoals hij had voorspeld; zijn paard wendend achtervolgde hij de twee die in noordoostelijke richting gingen. De manoeuvre had voor een licht verlies aan momentum en ritme bij de muiters gezorgd en ze lagen nu nog maar honderd passen voor. Vespasianus zag de vermoeidheid in de benen van de paarden toen die weer op volle snelheid probeerden te komen. Een van de dieren hinnikte opeens erbarmelijk toen het been onder hem dubbelklapte en brak nadat het op een onstabiele, losse rots was gestapt; het paard ging neer en schoof met zijn borst en vervolgens zijn hoofd over de ruwe grond. Vlees scheurde open en stof wervelde op, terwijl de berijder in het zadel naar achteren leunde en met alle macht probeerde om zijn been over de nek van het dier te zwaaien om eraf te kunnen springen. Met openscheurende huid en brekende botten sloeg het paard tegen een rots aan, de nek vloog in een onnatuurlijke hoek en het dier belandde op zijn zij, waarbij de ruiter afgeworpen werd. Die viel op zijn buik en zijn gezicht werd tot een bloederige massa geschaafd. Na zijn beide mannen een teken te hebben gegeven om de gewonde te negeren en hem te volgen, maakte Vespasianus zich gereed om zijn speer te werpen; hij klemde zich met zijn dijen aan zijn rijdier vast en bracht zijn rechterarm naar achteren en schatte de afstand: zestig, vijftig, veertig. Met een machtige zwaai van zijn arm en een laatste zet met zijn vinger tegen de lus liet hij het wapen los op dertig passen afstand; de speer vloog weg, volgde zijn voorgeschreven baan en scheerde vlak over de schouder van de ruiter, om trillend in de uitgedroogde aarde te blijven staan. Twee speren suisden over zijn hoofd, de ene vloog te ver, de tweede landde net naast het doelwit, omdat de muiter zijn rijdier op het laatste moment had gewend. Met het volgende projectiel in zijn hand zocht Vespasianus zijn evenwicht, hij lanceerde het en zag het langs de ruiter vliegen en op een haar na langs het hoofd van het paard scheren, dat net weer van koers veranderde. De speer bleef vlak voor het dier in de grond steken. Het paard had geen tijd meer om te reageren en stormde tegen het trillende uiteinde van de speer, dat vol tegen de borst kwam en botten brak, terwijl de schacht in stukken versplinterde. De achterbenen van het paard vlogen omhoog en de ruiter werd in een reeks salto's gelanceerd, terwijl het paard over de kop sloeg en met rollende ogen wild met de benen om zich heen begon te trappen. Een blik op de muiter toen hij zijn paard naast de man tot stilstand bracht vertelde Vespasianus dat hij een gebroken nek had en dood was.

Hij spuugde naar het gezicht met lege ogen en steeg toen af, zijn zwaard trekkend. Het gewonde paard trilde, de benen trokken, de ademhaling was onregelmatig, het ene zichtbare oog staarde Vespasianus aan en toonde zowel angst als pijn.

'Reken met de andere ruiter af en neem zijn voorraadzak mee,' beval hij de twee soldaten die bij hem waren.

Knielend naast de hals van het paard legde Vespasianus een hand op de snuit, aaide het dier, terwijl hij zijn zwaard tegen de keel plaatste. Met een snelle haal sneed hij door huid en spieren, het bloed gutste naar buiten en sijpelde in de grond, het leven van het dier met zich meenemend. Twee schaduwen gleden zachtjes over het lichaam, afkomstig van cirkelende vogels in de lucht die zich tegoed wilden doen aan mens en dier.

De voorraadzak van het zadel hakend liet Vespasianus de gieren hun maaltijd.

HOOFDSTUK VI

'Daar zijn ze!'

Die kreet deed Vespasianus de ogen openen en ontwaken uit de slaperige toestand waarin hij een groot deel van de afgelopen vier dagen had doorgebracht. Hij richtte zijn blik op de zachtjes in de warme bries wapperende luifel boven hem, die een beetje bescherming bood tegen de meedogenloze aandacht van de zon, nu drie uur oud.

'Ze lijken het gehaald te hebben,' zei Magnus, die zich bukte om onder Vespasianus' luifel te komen. 'Een flink aantal nog, zou ik zeggen, gezien de hoeveelheid stof die ze opwerpen.'

'Mooi.' Vespasianus probeerde enthousiast te klinken, op zijn ellebogen steunend om te kijken, maar de lethargie waarin hij was verzonken tijdens het wachten bij de bron op de bevrijde burgers maakte elke vorm van levendigheid onmogelijk. 'Ze krijgen de rest van de dag om uit te rusten en dan vertrekken we zodra het donker is geworden.'

'We kunnen nog op tijd terug zijn voor de laatste dag van de saturnalia.'

'Met wat geluk.' Vespasianus gaapte, kwam overeind en liep gebukt onder de luifel vandaan. De zon beukte onmiddellijk op zijn kale kruin. 'Bolanus!'

'Ja, gouverneur,' zei de decurio, zijn hand boven zijn ogen terwijl hij naar het zuiden naar de colonne keek, die in de verte opdoemde in de warmtetrillingen.

'Zorg dat je mannen de orde bij de bron handhaven, ik wil niet dat er om water wordt gevochten.'

'Ja, gouverneur.'

'O, en hou ze uit de buurt van Nepos.' Vespasianus wees naar de plek

105

waar de verraderlijke slavenopzichter naakt in de zon was vastgebonden, op honderd passen van de bron. Af en toe trok hij nog met een ledemaat als een van het zestal gieren naar hem pikte en een stuk vlees wist af te scheuren. Het was het enige teken dat er nog leven in hem zat. 'Ik wil niet dat iemand hem afmaakt uit misplaatste wraakzucht, hij is nog niet klaar met lijden.'

Bolanus draaide zich om en grijnsde naar Vespasianus. 'En we gunnen hem het volle pond, zeker na alle moeite die we hebben gedaan om hem zijn gerechte straf te geven.'

Vespasianus glimlachte terug. 'Ja, het is een erg bevredigende vorm van gerechtigheid.' En zo was het: Vespasianus had vooral van de eerste dag van de straf genoten, toen Nepos nog had gesmeekt, eerst om zijn leven te sparen, en toen, toen de dorst toesloeg, om een snelle dood; geen van beide werd ingewilligd. Bij het zwakker worden namen zijn smeekbeden geleidelijk af en toen hij eenmaal de kracht miste om zich nog langer te verzetten werden de vogels dapperder; de vorige dag was hij zijn eerste oog kwijtgeraakt. Het tweede volgde al snel. 'Hoe lang nog voordat we de vooruitgestuurde groep terug kunnen verwachten?'

Bolanus dacht een moment na. 'Als ze een flink tempo kunnen aanhouden, moeten ze morgen in Leptis Magna zijn; geef ze een dag om voorraden te regelen, dan zouden we ze over drie of vier dagen moeten zien.'

'Het gaat krap worden. Zorg dat je mannen klaarstaan om op het tweede uur van de nacht te vertrekken.'

En zo kroop de haveloze colonne de volgende vier nachten noordwaarts met de snelheid van de zwakste, wandelende schakel. De allerzwaksten en de paar kinderen die het hadden weten te redden reden op de rug van de reservepaarden en de vier muildieren, want Decianus had een paard gevorderd, terwijl Urbicus en Lupus er allebei een hadden gekregen.

Maar het was niet wie wel en wie niet een paard had waar Vespasianus aan dacht toen ze verder trokken: dat was eten. De Numidiërs waren, begrijpelijk, onwillig om hun magere rantsoenen te delen, omdat ze zelf maar net genoeg hadden om met aangehaalde riem terug te komen. De zakken die van de doden waren afgepakt bevatten een aardige hoeveelheid beschuit en gedroogd vlees, maar het was bij lange na niet genoeg om de tweehonderdvijftig burgers voldoende kracht te geven om de reis te voltooien nu de kleine hoeveelheid voedsel die ieder aan het begin had gekregen op was en de rest van de provisie met de karavaan verloren was gegaan. Toen ze op de colonne burgers hadden gewacht hadden ze vlees uit de dode paarden gesneden en in de zon gedroogd, maar het was niet voldoende.

De opluchting was dan ook groot toen de voorhoede, die Bolanus na de inname van de bron op weg had gestuurd, op de avond van de vijfde dag in zicht kwam, juist toen ze zich klaarmaakten om weer op pad te gaan. Maar die opluchting verdween alweer snel toen de decurio die de turma leidde verslag uitbracht aan Vespasianus en Bolanus.

'Wat bedoel je? Waarom heb je bijna niets meegenomen?' Vespasianus' gezicht stond ongelovig.

Ook Bolanus kon zijn oren niet geloven. 'Je had strikte orders om zoveel voedsel mee te nemen als jullie konden vervoeren.'

'Dat weet ik, decurio, maar we hadden geen geld.'

'Geld? Natuurlijk hadden jullie geen geld, jullie moesten… Wacht.' Vespasianus zag opeens wat er gebeurd was. 'De supheten hebben geweigerd jullie iets te geven, is dat het?'

'Ja, gouverneur. Ze zeiden dat ze alleen tegen contant geld voorraden konden geven aangezien u nog steeds in de woestijn was en er geen garantie bestond dat u Leptis Magna zou halen om uw schuld af te betalen.'

Vespasianus vond het moeilijk zich te beheersen. 'En hoe worden we verondersteld te overleven zonder hulp? Hadden ze daar nog iets over te zeggen?'

'Dat weet ik niet, gouverneur. Ik heb niet persoonlijk met ze gepraat, het ging allemaal via een woordvoerder.'

'Ze weigerden je te ontvangen? Mijn vertegenwoordiger? Een boodschapper van de gouverneur zelf?'

'Ja, gouverneur. Ik heb een hele dag geprobeerd ze te spreken te krijgen, maar ze weigerden en zeiden dat ik er beter aan deed om naar Carthago terug te gaan en te vergeten dat dit ooit was gebeurd. Ik besloot dat ik maar beter verslag bij u kon uitbrengen, zodat u weet hoe de zaken ervoor staan.'

'Weten ze dat je terug bent gegaan?'

'Nee, gouverneur. Ik had het gevoel dat ze ons dan zouden proberen tegen te houden en daarom gingen we eerst naar het westen alsof we naar Carthago teruggingen, pas toen we een flink stuk van Leptis Magna af waren sloegen we naar het zuiden af de woestijn in.'

Vespasianus knikte, de handelswijze van de decurio goedkeurend. 'Laat je mannen hun paarden drenken en eet wat, jullie gaan met mij terug naar Leptis Magna.' Hij wendde zich tot Bolanus. 'Ik geloof dat het tijd is om een bezoekje bij de supheten af te leggen. We nemen de hele cavalerie mee, en vertel mijn lictoren dat ze over een uur klaar moeten staan voor vertrek. En zoek Urbicus en Lupus, zij gaan ook met ons mee.' Hij zweeg even om na te denken. 'En zoek Decianus, ik heb hem liever in de buurt, want ik wil niet het risico lopen dat hij ervandoor gaat als we de kust naderen.'

De zuidmuren van Leptis Magna, op niet meer dan twee mijl afstand, oogden niet onneembaar want de dreiging voor de stad kwam traditioneel niet van die kant. De verdedigingswerken van de havenstad waren vooral aan de zeezijde geconcentreerd, zoals Vespasianus van zijn vorige bezoek wist. Wat er nu veranderd was, was dat de muren bemand leken te zijn.

'Ik krijg het idee dat ze iemand verwachten die ze liever niet zien,' zei Magnus toen duidelijk werd dat de zuidpoort dichtzat, ook al was de dag al enkele uren oud.

Vespasianus kon de wrange glimlach van een man wiens verdenkingen zojuist zijn bevestigd niet onderdrukken. Hij keek toe vanuit een met palmen begroeide oase, waarvan het water werd gebruikt om de omringende velden te bevloeien. 'Het zal een hele schok voor de supheten zijn om iemand uit het zuiden te zien komen, want ze denken natuurlijk dat ze ons doodvonnis tekenden toen ze weigerden voorraden te leveren. Ik neem in ieder geval aan dat dat hun motief was toen ze geen eten wilden meegeven.'

'Maar waarom willen ze zo graag dat we niet terugkeren?' vroeg Bolanus. 'Ze hebben uiteindelijk toch meegewerkt aan het bevoorraden van de waterdepots.'

'Ja, dat klopt, maar pas nadat ik ze flink bedreigd had. Maar ik kan me niet voorstellen dat ze daarom bang voor mijn terugkeer zijn. Je zou eerder denken dat ze bij me in 't gevlij proberen te komen zodat ik het incident zal vergeten.' Hij keek naar Urbicus en Lupus. 'Ik denk dat de supheten beseffen dat er een goede kans was dat ik de mannen van de

Derde Augusta die ze in slavernij hebben verkocht zou vinden en ze hebben geen zin in de lastige vragen die ik dan kom stellen.'

In de twee dagen die ze nodig hadden gehad om het laatste stuk door de woestijn naar de kust af te leggen had Vespasianus gepeinsd over de vraag waarom de supheten zo kortzichtig waren om het verzoek van de gouverneur om hulp te weigeren. Het leek geen hout te snijden, tenzij ze actief zijn terugkeer wilden verhinderen. Het was dat besef waardoor hij een reden ging zoeken waarom ze bang voor zijn terugkeer konden zijn, en nu hij manschappen op de muren en de poort gesloten zag, was hij ervan overtuigd dat hij de oorzaak wist.

'Als ik gelijk heb, komen we er niet in, tenzij we geweld gebruiken.'

Magnus leek dat geen probleem. 'Dan gebruiken we geweld, het is tenslotte slechts een burgermilitie op de muren en ze zullen niet lang weerstand bieden.'

'Maar wij hebben alleen cavalerie.'

'Laat ze afstappen en geef ze als het donker is bevel de muren te beklimmen.'

'Dat kan ik doen. Maar hoe zou dat eruitzien als ik terugkeer naar Rome? Of liever gezegd, hoe zou het afgeschilderd kunnen worden?'

Magnus dacht een paar ogenblikken na. 'Ah, ik begrijp het. U bent bezorgd dat bepaalde mensen in Rome uw inname van Leptis Magna met troepen uit gaan leggen als bewijs dat u de stad tot opstand hebt gedreven, zo kort nadat Nero hem tot municipium heeft gemaakt.'

'Ik denk dat Poppaea Sabina haar echtgenoot ervan zal overtuigen dat ik al het goede dat hij heeft gedaan weer ongedaan heb gemaakt en dat ik een onbetrouwbare gouverneur ben.'

'En daarmee komt er een einde aan alle hoop om in de nabije toekomst nog een andere provincie te krijgen?'

'Precies.'

'Maar hoe komen we binnen zonder te vechten?'

'Kijk, voor het eerst ben ik blij met het gezelschap van Decianus.' Hij draaide zich om naar de plek waar de voormalige procurator stond, zijn voeten verkoelend in het frisse water van de oase. 'Hij is een perfecte leugenaar en vooral erg overtuigend als hij met de dood bedreigd wordt. Hij kan een klein groepje van ons de stad in kletsen en dan halen we de rest vannacht naar binnen.'

'We waren bijna door al ons eten heen en er was nog maar weinig water,' schreeuwde Decianus naar de woordvoerder van de supheten, die op de zuidpoort van Leptis Magna stond. 'Gouverneur Titus Flavius Vespasianus probeerde de burgers die hij uit slavernij in het koninkrijk van de Garamanten had gered toe te spreken, maar ze keerden zich tegen hem. Helaas hebben ze hem vermoord, ondanks de dapperheid van zijn lictoren, die ook allemaal omkwamen, net als heel wat cavaleristen. Zoals u kunt zien zijn we nog maar met een stuk of tien van de tweehonderdvijftig die in november op pad gingen. Het was toen aan mij, Catus Decianus, uit de rangen van de *equites* en voormalig procurator van twee provincies, om het commando op me te nemen. We hebben de overlevende ondankbare burgers aan hun lot in de woestijn overgelaten en zijn nu op weg naar Hadrumetum, mijn thuisstad, om vandaar verder naar Carthago te gaan.'

'En wat deed u daar, in Garama? Ik kan me niet herinneren dat u bij Vespasianus was toen die hier vorige maand langskwam.'

Decianus wierp een nerveuze blik op Vespasianus, verborgen onder zijn breedgerande hoed en gewikkeld in een haveloze reismantel. Nu kwam het cruciale deel van de misleiding. 'Ook ik werd als slaaf in dat koninkrijk gehouden, nadat ik van Hadrumetum was gekomen om slaven tegen wilde dieren te verhandelen. Ze namen mijn voorraad en stopten mij erbij.'

De woordvoerder kon een blik van verbazing niet verbergen terwijl hij op Decianus neerkeek, die ondanks zijn tijd in de woestijn nog steeds gezet was. 'Een zeer goed behandelde slaaf.'

'Ik was de koning van nut. Hij waardeerde mijn boekhoudkundige vaardigheden.'

'Dus u zegt dat gouverneur Vespasianus dood is, net als zijn lictoren, en dat geen van de voormalige slaven levend uit de woestijn zal komen?'

'Dat klopt, en wij willen alleen maar voedsel kopen en enkele dagen in veiligheid uitrusten voordat we onze reis voortzetten.'

De woordvoerder draaide zich om en begon een gesprek met iemand buiten het zicht, achter de poort.

Vespasianus hield zijn adem in en keek vanonder de brede rand van zijn hoed naar de mannen van de burgermilitie, gewapend met speren en bogen, de wapens gericht op het groepje cavaleristen voor de poort. De andere Numidiërs verschuilden zich samen met de lictoren in de oase.

Na een korte discussie keek de woordvoerder weer neer op Decianus. 'Goed, jullie mogen naar binnen, jullie hebben toestemming om twee dagen in de stadskazerne te blijven.'

Vespasianus slaakte een zucht van opluchting toen de poort begon open te gaan.

Vespasianus stond bij de deur en loerde door een kier naar buiten, naar het exercitieterrein in het midden van de kazerne. Aan de overkant was de poort, bewaakt door twee man met elk een zwaard, helm en schild, maar verder niets wat aan een uniform deed denken, zodat ze waarschijnlijk bij de burgermilitie hoorden en geen professionele soldaten waren.

'Klaar, Magnus?'

'Zo klaar als ik op mijn leeftijd maar kan zijn,' antwoordde Magnus, knakkend met zijn knokkels.

'Mooi, je zei dat je nu elke dag de keus tussen vechten en neuken moet maken en ik geloof dat je dat laatste vandaag niet hebt gedaan, dus het moet in orde komen.'

'Wat een geluk, hè?'

'Laat twee man bij hem, Bolanus,' zei Vespasianus, wijzend op Decianus, waarna hij de deur helemaal opendeed. Hij stapte in de warme nachtlucht naar buiten, gevolgd door Magnus, en liep het exercitieterrein op alsof hij het volste recht had daar te zijn.

'Waar gaan jullie naartoe?' vroeg de langste van de twee wachters op strenge toon in het Grieks toen Vespasianus en Magnus de poort naderden, zijn hand ging naar het gevest van zijn zwaard.

'We zoeken een paar hoeren en een fatsoenlijke kruik wijn,' vertelde Magnus hem. 'Wil je mee?'

'Jullie mogen het kazerneterrein niet verlaten.'

'Wie zegt dat?'

'Orders.'

'Van wie?'

'De supheten.'

Vespasianus ging vlak bij de wachter staan. 'Zeg je nu dat de supheten ons gevangenhouden?'

'Ik zeg alleen dat we bevel hebben om niemand naar buiten te laten.'

Vespasianus nam zijn hoed af. 'Je hebt me misschien wel en misschien niet gezien toen ik hier in november was.'

111

De wachter keek naar zijn gezicht, half verlicht door de afnemende maan. 'Nee, maar wat heeft dat ermee te maken?'

'Omdat hij de gouverneur van Afrika is,' zei Magnus.

Vespasianus deed een stap naar achteren. 'En als gouverneur van Afrika, de vertegenwoordiger van de keizer hier, ben ik veel hoger in rang dan je supheten. Dus, jongen, je kunt óf proberen te verhinderen dat ik de kazerne verlaat, en in dat geval is de kans groot dat we je doden, óf je gehoorzaamt je gouverneur en opent de poort.'

'Doe hem open,' zei de tweede wachter. 'Hij zegt de waarheid, dat is gouverneur Vespasianus, ik herken hem van toen hij hier was.'

'Maar Vespasianus is dood, dat heeft de leider van de cavaleristen verteld toen hij vanochtend kwam.'

Vespasianus haalde zijn schouders op. 'Hij loog, hij doet niet anders. Open nu de poort en er zal je niets overkomen.'

Magnus knakte zijn knokkels weer en produceerde een glimlach die zijn ogen niet bereikte.

'Ik ben niet van plan voor de supheten te sterven,' zei de tweede wachter, die zich omdraaide en de sluitbalk van de deuren tilde.

De eerste wachter keek van Magnus naar Vespasianus en knikte toen, hij stak zijn hand in een nis in de muur naast zich en haalde een enorme sleutel, zo lang als zijn onderarm, tevoorschijn.

'Dat is een heel verstandige beslissing,' merkte Vespasianus op, die zich omdraaide en Bolanus en zijn mannen een teken gaf om te komen.

De sleutel knarste in het slot en met hun gecombineerde kracht trokken de twee wachters de ene poortdeur open.

Vespasianus haalde de sleutel uit het slot. 'Bolanus, bind deze mannen vast, maar niet zo dat ze pijn lijden, en laat ze achter bij de jongens die Decianus bewaken.'

Met de wachters veilig opgeborgen stapte Vespasianus de straat op, die donker en verlaten was. De donkere massa van het theater rees aan de overzijde op. Hij sloeg links af en leidde zijn groepje langs de zuilengang van de markt, waar nog geen activiteiten voor de nieuwe dag te zien waren, want het was nog vier uur tot de ochtend. Toen ze de Via Triumphalis naderden, de hoofdstraat, die van het forum bij de haven helemaal tot aan de zuidpoort liep, begon het drukker te worden. Nachtbrakers kwamen uit en verdwenen in de schaduwen, op weg van en naar bordelen en taveernes die nog open waren.

Bij de Boog van Tiberius sloeg Vespasianus rechts de Via Triumphalis in. 'Opsplitsen in kleine groepjes,' beval hij. 'We willen niet de aandacht van de lokale *vigiles* trekken, als ze tenminste zoiets hebben hier.'

Ze kwamen langs zwalkende dronkenlappen en lichamen die in de goot lagen en negeerden het aanbod voor diverse vormen van genot van goedkope hoeren die hun kostje op straat in plaats van in gerespecteerde bordelen bij elkaar scharrelden. Ze gingen in zuidelijke richting en kwamen in de grootste woonwijk van de stad. Hier heerste het lawaai van een arme buurt, waar de mensen bijna net zo dicht op elkaar in onhygiënische omstandigheden woonden als in Rome en waar men voortdurend met elkaar ruziede en slaags raakte in de eeuwige strijd om te overleven, met een geringe kans op succes.

Vespasianus probeerde op de verhoogde stoep te blijven om niet in iets walgelijks te trappen en bleef in zuidelijke richting lopen, met Magnus naast hem en Bolanus en zijn mannen in groepjes van twee en drie achter hen.

'Daar is het,' zei Vespasianus tegen Magnus toen de toortsen die aan weerszijden van de zuidpoort brandden in zicht kwamen; een groep wachters hing in het flakkerende licht rond, ze gaven een wijnzak door. 'We moeten naar het oosten.'

Ze sloegen links af de op één na laatste dwarsstraat voor de poort in. Vespasianus haastte zich door het donker, zijn voetstappen en die van de mannen die hem volgden galmden op het stenen plaveisel en echoden tegen de muren. Bij een kruising gekomen ging hij naar rechts, honderd passen voor zich kon hij de stadsmuren zien.

'Niet meer dan twee,' fluisterde hij tegen Magnus, terwijl hij naar de silhouetten keek van de mannen die heen en weer liepen over de weergang. Hij wendde zich tot Bolanus, die achter hem was genaderd. 'Reken met ze af, maar niet harder dan noodzakelijk.'

Bolanus knikte en liep door met drie van zijn mannen.

Ze drukten zich dicht tegen de muur en wachtten aan het einde van de straat tot de twee poortwachters langs de stenen trap waren gelopen die naar de weergang leidde. Toen gingen ze voorzichtig omhoog. Boven aangekomen slopen ze verder, oppassend dat ze geen enkel geluid maakten. Tien passen achter de wachters schoot Bolanus naar voren, zijn mannen in zijn kielzog. De twee wachters hoorden het plotselinge lawaai en draaiden zich om. Te laat zagen ze de vuisten die in hun gezicht vlogen. Hun hoofd sloeg naar achteren en ze verloren hun evenwicht, ze vielen op de steenharde grond met hun aanvallers boven op zich. Twee klappen extra voor elk en ze lagen stil, geen kik was uit hun keel gekomen.

'Kom,' zei Vespasianus en hij rende naar voren. Hij vloog met twee treden tegelijk omhoog naar de weergang en keek over de muur in het donker. De maan was al bijna onder, zijn licht zwak, maar toch zag hij beweging, niet meer dan een verschuivende schaduw. 'Ze zijn er, maak je klaar.' Hij stak zijn armen omhoog en kruiste zijn polsen, terwijl Bolanus en zijn mannen zich bij hem voegden. Uit de nacht kwam een groep mannen aangerend en ze staken snel het open terrein voor de muur over. Toen ze bij de voet van de muur waren gooiden ze touwen omhoog, vier in totaal. Bolanus ving er een en sloeg het om zijn lichaam en zette zich schrap; zijn mannen pakten de andere drie. Na een moment van krachtsinspanning verscheen Hormus op de muur, een leren tas over zijn schouder, en verderop klauterden Vespasianus' lictoren met een tas en hun fasces op de rug gebonden omhoog. Toen ze alle elf boven waren, werden de touwen op één na opgehaald.

'Zorg dat je er met zonsopgang bent, Bolanus,' zei Vespasianus, terwijl de decurio op de muur klom en het laatste touw vasthield.

'We zullen er zijn, gouverneur.' Bolanus daalde de twintig voet naar de grond af en verdween al snel in de nacht. In de verte hinnikte een paard.

'Ik heb alles waar u om gevraagd hebt, meester,' zei Hormus, die zijn tas neerzette en erin begon te rommelen. Hij haalde een paar rode, leren senatorenschoenen gevolgd door een witte tuniek met een brede purperen band aan de voorkant en ten slotte een gevouwen senatorentoga tevoorschijn.

'Goed gedaan, Hormus.' Vespasianus begon zijn sandalen los te maken, terwijl de lictoren hun toga uit hun tas haalden.

'Ik ga dan maar op weg met de jongens,' zei Magnus.

'En neem de wachters met je mee,' zei Vespasianus, wijzend naar de twee bewusteloze lichamen die op de grond lagen. 'Als ze voor zonsopgang bijkomen…'

'Geen zorgen, ze krijgen de kans niet om geluid te maken, ze zullen de rest van de nacht van een diepe slaap genieten, als u begrijpt wat ik bedoel.' Magnus grinnikte en daalde toen van de trap af, in gezelschap van Bolanus' mannen, terwijl Vespasianus en de lictoren achterbleven om zich te verkleden.

Toen de eerste stralen van de zon een hoog hangende gegolfde wolk raakten en die in dieprode en violette tinten schilderden, schudden de wachters bij de zuidpoort zichzelf wakker uit hun roes. In de stad waren de geluiden veranderd, het dronken geschreeuw en de ruzies hadden plaatsgemaakt voor het geroep van handelaren en marktkooplieden die hun kramen aan het opzetten waren, vooral in de Via Triumphalis, vlak bij de poort. Een man van wie Vespasianus dacht dat hij de commandant van de slecht gedisciplineerde wachters was, luidde een bel naast de poort en zijn mannen begonnen aan de deuren te trekken. Verdekt in een steegje opgesteld keek Vespasianus samen met zijn lictoren toe terwijl de deuren openzwaaiden en de eerste boerenkarren binnenrolden met verse waren om op de markten te verkopen, waarbij iedere boer een muntje aan de commandant van de wacht gaf om binnengelaten te worden.

Een tiental wagens was de poort gepasseerd toen de commandant naar buiten naar het zuiden keek en vervolgens nog een keer keek. 'Doe ze dicht! Snel!'

Terwijl hij schreeuwde doken Magnus en Bolanus' mannen uit de menigte op en overmeesterden de wachters binnen de kortste keren. De poort bleef open.

Vespasianus keek achterom naar de hoofdlictor. 'We gaan.'

De lictoren gingen naar voren, passeerden Vespasianus en sloegen rechts af de Via Triumphalis in, terwijl Bolanus en zijn cavalerie op een draf door de poort kwamen. Met zijn hoofdlictor gevolgd door de overige lictoren in twee rijen voor zich en de cavalerie in vier rijen achter zich schreed Vespasianus in gezelschap van zijn vrijgelatene door de Via Triumphalis met de waardigheid van een gouverneur van een imperiale provincie. De burgers van Leptis Magna stopten met hun bezigheden om naar hun gouverneur te kijken. Ze juichten hem toe om geen andere reden dan de bewondering die mensen die zoveel lager in de rangorde stonden automatisch voelden bij de aanblik van dit vertoon van Romeinse dignitas door een magistraat met een lijfwacht van bijna tweehonderd cavaleristen.

Onder de klimmende zon, die snel de koele ochtendlucht verwarmde, glimlachte Vespasianus inwendig om het tafereel dat hij in scène had gezet. 'De supheten kunnen zich nu niet meer ontdoen van een lastige gouverneur die moeilijke vragen stelt, Hormus,' zei hij met onbewogen gezicht, zijn neus in de lucht en recht vooruitkijkend. 'Niet nu de hele stad getuige is van mijn komst.'

Hormus hield zijn gezicht in een even waardige plooi. 'Ik weet zeker dat ze erg beleefd zullen zijn, meester.'

'Te laat.'

Tegen de tijd dat Vespasianus het forum bereikte werd de processie gevolgd door een enorme menigte die nieuwsgierig was naar wat de vertegenwoordiger van de keizer in hun provincie van hen en hun supheten wilde. Het nieuws verspreidde zich snel en talloze mensen liepen omhoog naar het forum vanuit de haven, waar de talrijke koopvaardijschepen die de stad zijn rijkdom hadden gebracht lagen te schuilen tot het veilig genoeg was om de oversteek naar Italia te wagen. Een klein schip, zo viel Vespasianus op, trotseerde het seizoen en voer door de havenmond de zee op. Hij vroeg zich af of hij zelf de kortere zeeroute vlak langs de kust naar Carthago zou wagen. De lictoren liepen verder en staken het forum over naar een gebouw aan de overkant. Het had een elegante zuilengang en was in heldere tinten rood en geel geschilderd; op de achtergrond glinsterde de blauwe zee in de winterzon. Hier zetelde de dertig leden tellende Senaat van Leptis Magna, van wie velen nu op de treden voor het gebouw stonden.

De lictoren, de fasces rechtop voor zich in beide handen, stelden zich in een rij aan de voet van de trap op, Vespasianus ging achter hen staan, terwijl de cavalerie daar weer achter positie innam.

Toen het gekletter van de vele hoeven eenmaal verstomd was en het enige geluid het nieuwsgierige geroezemoes van de honderden toeschouwers was, stak de hoofdlictor zijn met roeden omgeven bijl omhoog, het symbool van het recht van de magistraat om te commanderen en executeren. 'De gouverneur van de provincie Afrika eist dat de supheten, Agathon en Methodios, naar voren komen!'

De leden van de lokale Senaat begonnen onderling te mompelen tot een man, die Vespasianus herkende als de woordvoerder van de vorige dag, naar voren stapte. 'Wat wenst de gouverneur van de supheten?'

Vespasianus schraapte zijn keel. 'Dat zal bekend worden als ze gehoor geven aan mijn bevel. Als ze zich niet snel laten zien, heb ik geen andere keus dan mijn cavalerie de stad te laten doorzoeken tot ze zijn gevonden.'

Dat dreigement zette de lokale senatoren tot actie aan; voor hij de kans had om te antwoorden werd de woordvoerder terug in de rangen getrokken en vervolgens tegen de grond geschopt en geslagen. Een zestal van de jongere mannen rende de trap op en verdween in het gebouw. Tot zijn grote genoegen zag Vespasianus hen een ogenblik later weer tevoorschijn komen, twee oude, bebaarde mannen voortslepend, die protesteerden en zich zwak verzetten. 'Breng me een stoel,' zei hij toen de supheten de trap af waren gesleurd en voor hem stonden.

De hoofdlictor gaf vier van zijn collega's opdracht om de supheten vast te houden, hun stroom protesten en smeekbeden werd afgesneden door handen die voor hun mond werden geslagen, waarna er stilte heerste. Een slaaf verscheen met een curulische zetel uit het Senaatsgebouw. Vespasianus ging zitten, drapeerde zijn toga tot die naar zijn tevredenheid hing en liet zijn kin op zijn rechtervuist rusten, de elleboog op de armleuning, met het ene been gestrekt, het andere onder de stoel getrokken. Hij keek de twee mannen aan die geprobeerd hadden een einde aan zijn leven te maken.

Hij bestudeerde ze enkele minuten. Op het forum stierf het gemompel weg en er heerste doodse stilte, afgezien van een enkele schrapende hoef en het gehinnik van een van de paarden. Vespasianus gebaarde naar de lictoren dat ze de mannen los moesten laten.

'We zijn zo opgelucht om u veilig terug te zien, gouverneur,' zei Agathon, zijn hoge stem overvloeiend van gehuicheld enthousiasme.

'Onze gebeden waren met u,' beweerde Methodios al even onoprecht.

'Dagelijks.'

'Twee keer per dag.'

'Ochtend en avond.'

'Met rijke offers.'

'De witste lammeren.'

'Rijk in bloed.'

Vespasianus bleef ze bestuderen, de vingers van zijn linkerhand trommelden op de armleuning van zijn stoel, terwijl de uitingen van vroomheid zwakker werden en uiteindelijk in hun keel beleven steken en ze verder zwegen.

117

De supheten waren beiden begonnen te zweten onder de intensiteit van Vespasianus' blik, en hoewel ze een vooraanstaande positie in de stad innamen wrongen ze hun handen en schuifelden ze met hun voeten alsof ze falende leerlingen waren die straf kregen van hun *grammaticus*.

En Vespasianus bleef ze aankijken.

Methodios brak als eerste, hij viel op zijn knieën en spreidde smekend zijn armen. 'Vergeef ons, gouverneur, we deden het voor onze stad.'

Agathon knielde ook. 'We dachten dat we de komst van al die mensen niet aankonden. We zijn maar een kleine stad en er zou geen ruimte voor ze zijn geweest, en ook niet voldoende werk.'

'En we hadden ze nooit kunnen voeden met publieke middelen.'

'En dus belemmerden...'

Vespasianus hield de palm van zijn hand op om hen tot zwijgen te brengen. Hij bestudeerde ze nog eventjes. 'Belémmerden!' Het woord echode over het forum. 'Jullie weigering om ons voorraden te sturen had de dood kunnen betekenen van mij, mijn lictoren, ruim tweehonderd cavaleristen, en kan zelfs nu nog tot het einde leiden van bijna tweehonderdvijftig Romeinse burgers, die nog altijd door de woestijn ploeteren.'

'We zullen ze direct alles wat nodig is sturen.'

'Dat gaat niet gebeuren, ik vorder wat ze nodig hebben en laat mijn cavalerie het ze brengen zodra ik hier klaar ben. Jullie zullen in de toekomst niets meer doen – als jullie verstandig zijn.'

'Wat bedoelt u, gouverneur?' vroeg Agathon, na een verbaasde blik met zijn collega te hebben uitgewisseld.

'Alleen dit.' Vespasianus gaf een teken en twee ruiters achter hem stapten af. Ze liepen naar voren en bleven achter Vespasianus' stoel staan. Aan de blik in de ogen van de supheten kon Vespasianus zien dat ze hen herkenden. 'Wat hebben jullie over deze mannen te zeggen?'

De supheten zeiden niets, hun ogen neergeslagen.

Vespasianus wendde zich tot Urbicus. 'Zijn dit de mannen die jou en je kameraden hebben verkocht?'

'Dat zijn ze, gouverneur.'

Vespasianus wendde zich weer tot de supheten. 'Jullie hebben legionairs in dienst van de keizer als slaven verkocht! Durven jullie het te ontkennen?'

De supheten schudden langzaam het hoofd.

'De straf voor het verkopen van een burger in slavernij is zwaar, maar ik zal genadig zijn. Ik geef jullie een keus: aangezien de keizer jullie onlangs het burgerschap heeft geschonken kunnen jullie met me mee als ik naar Rome terugkeer, waar jullie door Nero berecht zullen worden, of jullie kunnen kiezen voor een snelle executie door onthoofding hier.'

De lokale senatoren, verzameld op de treden, haalden scherp adem en de supheten keken Vespasianus geschokt aan.

'Ik zou er goed over nadenken, want de keizer zou weleens heel wat minder genadig kunnen zijn dan ik.'

Agathon stond op. 'U hebt niet de macht om onze executie te bevelen.'

Vespasianus wees naar zijn lictoren. 'De fasces, Agathon, die staan voor de macht om te commanderen en executeren.'

De supheet slikte en keek omlaag naar Methodios, ze kwamen tot een gezamenlijke beslissing. 'We gaan bij de caesar in beroep.'

'Goed, maar ik waarschuw jullie, optio Urbicus en legionair Lupus gaan met ons mee als getuigen tegen jullie. We vertrekken zodra de burgers zijn aangekomen, over twee of drie dagen. Jullie worden tot dan opgesloten en ook tijdens de reis blijven jullie achter slot en grendel. Bolanus, neem ze mee naar de kazerne.' Vespasianus stond op en liep de trap van het Senaatsgebouw op. 'Nu zal ik de Senaat toespreken.'

'En dus zult u voordat ik vertrek twee man uit uw midden kiezen om uw in ongenade gevallen leiders te vervangen en dan zal ik proberen het municipium het onrecht te vergeven dat het mij persoonlijk heeft aangedaan.' Vespasianus ging weer zitten op een van de twee voor de supheten gereserveerde stoelen aan het einde van de zaal. De senatoren, die passend nederig keken na Vespasianus' scherpe aanval op het stadsbestuur van Leptis Magna, applaudisseerden.

De woordvoerder van de supheten stond op, zijn gezicht bont en blauw, zijn kleren gescheurd. Vespasianus gaf een teken dat hij mocht spreken, nieuwsgierig hoe een standvastig aanhanger van de supheten zou proberen om zich weer in de gunst te likken. 'Collega's, we hebben allemaal fout gehandeld in deze zaak, ik misschien meer dan anderen. Ik stel voor dat we de gouverneur danken voor zijn grootmoedigheid en bereidheid om te vergeven.' Dit idee werd met enthousiast gejuich begroet. 'Ik stel ook voor dat we de gouverneur een geschenk aanbieden, als dat aanvaardbaar voor hem is.' De senatoren betuigden hun instemming met dit voorstel. 'Wat zou u van ons wensen om uw vergevings-gezindheid te vergemakkelijken?'

Het beeld van het schip dat de haven uitvoer schoot onmiddellijk door Vespasianus' hoofd. 'Mijn vrijgelatene, Titus Flavius Hormus, zal hier een tijdje blijven om een onderneming op te zetten die zal bijdragen aan de rijkdom van de stad; hij zal een koopvaardijschip van flinke afmetingen nodig hebben.'

Er heerste even stilte terwijl de senatoren de aanzienlijke kosten van dit verzoek berekenden.

De woordvoerder schraapte zijn keel en keek naar zijn collega's, die hun toestemming mompelden. 'Ik denk dat we allemaal een bijdrage kunnen leveren om dat redelijke verzoek voor u te kopen, gouverneur.'

'Dat is een wijze beslissing, want ze garandeert mijn vergevingsgezind-heid. Ik zal tegenover de keizer benadrukken dat de supheten alleen hebben gehandeld, zodat er geen keizerlijke strafmaatregelen tegen Leptis Magna nodig zijn.' Die aankondiging leidde tot tal van uitroepen van opluchting en dankbaarheid. 'Verder heeft mijn vrijgelatene een bemanning nodig en mensen die aan land voor hem werken, want hij is van plan kamelen te importeren en fokken. Hij zal een aanzienlijk aantal van de burgers die nu op weg zijn werk kunnen geven, wat uw angsten over de instroom van vluchtelingen aanmerkelijk zal kunnen verminderen.'

De woordvoerder spreidde zijn armen en keek op naar het plafond van de zaal. 'De gouverneur laat zien dat hij oog heeft voor onze problemen. Ik stel voor om naast het geschenk van een schip ook een bronzen standbeeld te laten maken en dat uit publieke middelen te financieren. Ik roep op tot een stemming. Wie is voor?'

De senatoren waren unaniem.

Vespasianus stond op. 'Ik voel me vereerd. Nu moet ik de voorraden regelen die naar de burgers in de woestijn moeten worden gestuurd, en als dat eenmaal gebeurd is, zal ik audiëntie houden om verzoeken aan te horen en over beroepen te beslissen.'

Tevreden over het verloop van de ochtend verliet Vespasianus het Senaatsgebouw en stapte de zon in, waar Hormus en Magnus hem stonden op te wachten. 'Hebben jullie het allemaal gehoord?'

Hormus knikte. 'Zeker, meester, en als het uw wens is, blijf ik hier om de onderneming op te zetten.'

120

'Je zult er minder dan een jaar voor nodig hebben.'

'Inderdaad, meester. Maar misschien kunt u me vertellen waar het geld vandaan komt. Ik geloof niet dat u iets verdiend hebt aan de missie in Garama.'

'Ah, daar vergis je je in.' Vespasianus stak zijn hand in een plooi van zijn toga en haalde een zakje ter grootte van een flinke appel tevoorschijn, hij gooide het naar Hormus. 'Kijk daar maar eens in.'

Hormus' ogen werden groot toen hij het touwtje lostrok en in het zakje keek.

'Veertig, de grootste en zwartste parels van het hele stel, de parels die ik, laten we zeggen, als commissie heb aangenomen plus de twintig die Decianus voor zichzelf had gehouden. Het was de prijs die ik Decianus heb berekend om mee te mogen. Daarom moest ik wachten tot hij de slaven uit de stad had gehaald.'

'Wat een geluk dat hij ze al aan u gegeven had,' zei Magnus, een parel pakkend om hem te bewonderen.

'Waarom zeg je dat?'

'Hij is namelijk verdwenen, we hebben hem gezocht terwijl u met de Senaat sprak, maar we kunnen hem nergens vinden. De twee jongens die hem bewaakten zijn ook weg, dus hij heeft ze kennelijk een flinke som geboden.'

'Nou ja, hij kan niet ver zijn.'

'O nee? Bolanus heeft enkele van zijn mannen opdracht gegeven hem te gaan zoeken en hij schijnt het laatst in de haven te zijn gezien.'

Het beeld van het schip kwam voor Vespasianus' ogen. 'Kut!'

'Ik ben bang van wel. Het lijkt erop dat hij op dat schip zat dat enkele uren geleden is uitgevaren.'

Vespasianus wist dat het zo was en vervloekte zichzelf, hij had beter moeten opletten. Zijn opvolger als gouverneur zou pas over vier maanden in de provincie aankomen en dus kon hij op zijn vroegst over vijf maanden terug zijn in Rome. Vijf maanden die, zo vreesde Vespasianus, Decianus volledig zou benutten om zijn kant van het verhaal te vertellen over wat er in Britannia en hier in Afrika was gebeurd.

En Vespasianus besefte maar al te goed dat hij er in dat verhaal niet best van af zou komen.

DEEL II

ROME, JUNI 64 n.C.

HOOFDSTUK VII

'Het spijt me bijzonder, beste jongen,' baste Gaius Vespasius Pollo, 'maar Decianus heeft een bijzonder geloofwaardig verhaal opgedist bij zijn terugkeer.'

Vespasianus kreunde inwendig bij de mededeling van zijn oom, ook al verbaasde het nieuws hem niet echt nadat hij zes maanden had kunnen nadenken over de mogelijke strategie van Decianus. 'Heeft hij mij beschuldigd van het stelen van Boudicca's zilver en goud, waardoor de Iceni wel in opstand moesten komen en ik verantwoordelijk ben voor de dood van tachtigduizend Romeinse burgers?'

'Wat, beste jongen?' Gaius was even afgeleid door de komst van een buitengewoon aantrekkelijke jonge tiener die een schotel honingkoeken op tafel zette, die onder een luifel in de hoek van zijn binnentuin stond. De geur van de versgebakken koeken mengde zich met het aroma van lavendel dat in de bewegingsloze lucht hing.

Vespasianus nam een slokje van zijn koude wijn en genoot van de koelte van de drank in de brandende hitte van een ongebruikelijk warme juni. Hij herhaalde zijn bewering zodra de jongeling de tuin uit was en de aanblik van zijn nauwelijks verhulde billen niet langer alle aandacht van Gaius opslokte.

'Veel erger, ben ik bang, veel, veel erger.' Gaius pakte een koek en nam er een grote hap uit. 'Decianus beweert dat je het geld voor jezelf wilde houden en dat alleen zijn tussenkomst dat verhinderd heeft. Met groot gevaar voor eigen leven is hij erin geslaagd het veilig bij de gebroeders Cloelius te krijgen en naar Rome te laten sturen, waar hij het aan Seneca wilde overhandigen zodra hij terug was.'

'Maar dat is onzin.'

Gaius haalde zijn schouders op en stopte de andere helft van de koek in zijn mond, waarna hij naar de volgende reikte. 'Natuurlijk, en zowel Sabinus als de toenmalige gouverneur van Britannia, Gaius Suetonius Paulinus, heeft dat in de Senaat gezegd. Maar het doet er niet toe wat de Senaat gelooft – en over het algemeen staat die achter je – het gaat erom wat de keizer denkt, en dat ligt in toenemende mate in de handen van de keizerin, of een ander deel van haar anatomie, wat dat betreft.'

Vespasianus sloeg met vlakke hand op het stenen tafelblad. 'Wat heeft ze toch tegen me?'

'Tja, dat is het interessante.' Gaius zweeg weer even om nog een hap koek te nemen, zodat Vespasianus met stijgend ongeduld moest wachten. Hij was vanmiddag in Rome teruggekeerd en was in een niet al te best humeur. Zijn vertrek uit Carthago had een maand later plaatsgevonden dan gehoopt vanwege de koppige opvatting van zijn opvolger dat de overtocht over zee pas eind april veilig was, zodat die pas begin mei in Afrika was aangekomen. En toch, wist Vespasianus, had Decianus de oversteek veel eerder gemaakt, al begreep hij niet hoe de ex-procurator zich de hoge kosten van de huur van een schip in dat jaargetijde had kunnen veroorloven.

'Het gerucht wil,' ging Gaius verder zodra zijn mond leeg was, 'dat Nero Poppaea Sabina een gunst heeft toegezegd vlak voordat ze met hem trouwde, een gunst die hij maar al te graag wilde inwilligen.'

'Ga verder,' drong Vespasianus aan toen Gaius zijn mond weer vol honingkoek stopte. Opnieuw voelde hij zijn irritatie toenemen en moest hij zich dwingen stil te blijven zitten. Het was een ritueel dat hij elke keer moest doorstaan als hij na een lange afwezigheid in Rome terugkeerde: hij ging onmiddellijk bij zijn oom langs, die het laatste nieuws en alle roddels vertelde terwijl hij reusachtige hoeveelheden van zijn favoriete versnapering verslond. Vespasianus wist dat hij moest wachten tot Gaius' mond leeg genoeg was om te kunnen praten zonder al te veel kruimels over de tafel te sproeien.

'Nou, ze wilde dat Pallas óf geëxecuteerd óf tot zelfmoord gedwongen zou worden.'

'Was zij het die om Pallas' dood vroeg?' Vespasianus kon zijn verbazing niet verbergen. 'Waarom?' Hij veegde enkele net gelanceerde kruimels van zijn onderarm en terwijl Gaius zijn mond leeg kauwde dacht hij na over waarom Poppaea de dood van de voormalige keizerlijke secretaris van de schatkist had gewenst. 'Hij was dan misschien wel Agrippina's minnaar, maar toen Nero eenmaal zijn moeder had vermoord had hij nog maar weinig invloed. Wat voor bedreiging was hij voor haar?'

'Precies, beste jongen, wat voor bedreiging? Geen enkele. En dus moeten we naar het andere motief kijken om iemand dood te wensen.'

'Wraak?'

'Juist.'

'Maar wat kan Pallas Poppaea hebben aangedaan? Hij was nog voor Nero haar ontmoette gedwongen Rome te verlaten.'

'Wraak heeft een buitengewoon lang geheugen, beste jongen. Als ik je nu eens zou vertellen dat Poppaea ook Corbulo wilde laten terugroepen om hem voor verraad te berechten wegens het overnemen van het commando van Paetus' legioenen, wat zou je dan zeggen?'

'Ik, Corbulo en Pallas?'

'In je achterhoofd houdend dat de vrouwe Antonia, Claudius, Narcissus en de voormalige consul Asiaticus allemaal dood zijn.'

Het duurde slechts enkele ogenblikken voor Vespasianus het onaangename verband legde met een van de meest beschamende daden van zijn leven. 'De moord op Poppaeus Sabinus!'

'Dat is wat je broer en ik denken, jullie hebben allemaal een rol gespeeld in de dood van haar grootvader. Als ik het me goed herinner kwam zijn dochter, Poppaea's moeder en naamgenote, blazend van kwaadheid zoals alleen een vrouw dat kan Antonia's tuin binnengestormd kort nadat Poppaeus' lichaam in zijn bed was gevonden. Ze beschuldigde Antonia ervan opdracht te hebben gegeven voor de moord op haar vader.'

Vespasianus wilde niet graag herinnerd worden aan het incident dat georganiseerd was door zijn voormalige beschermvrouwe Antonia, moeder van Claudius, grootmoeder van Caligula, overgrootmoeder van Nero, en de machtigste vrouw van Rome in haar tijd. Het was een politieke zet geweest, noodzakelijk om de greep van haar familie op de keizerlijke macht veilig te stellen, en daarom moest de moord op een natuurlijke dood lijken. Daartoe hadden ze Poppaeus verdronken en al het water weer uit zijn lichaam geperst. Maar Claudius, die niet bekendstond om zijn subtiliteit, had Poppaeus bespot en een dwaas genoemd en hem vervolgens geslagen; dat had tot een gescheurde lip geleid en Poppaea had terecht geconcludeerd dat dit op strijd wees en dat haar vaders dood dus helemaal niet natuurlijk was. Ze had ook geraden wie er achter de daad zaten en had wraak gezworen op Antonia en haar trawanten die daar aanwezig waren in de tuin. 'Dus Poppaea Sabina heeft haar dochter opgevoed om wraak te nemen, maar waarom deed ze het niet zelf?'

'Hoe, beste jongen? Ze was getrouwd met iemand die niets voorstelde: Titus Ollius. Toen haar vader eenmaal dood was had ze nergens meer invloed. Als hij toen niet was gestorven, had Poppaea heel goed keizerin kunnen worden en dus had ze reden om verbitterd te zijn. En ja, ik denk dat ze haar dochter heeft opgevoed om wraak te nemen op de mensen van wie ze vindt dat ze haar die prijs hebben onthouden.'

'Dat is geen prettige gedachte: een keizerin die wraak wil voor de dood van haar grootvader. Ik ben altijd bang geweest dat die laaghartige daad me ooit nog eens zou achtervolgen.' Maar toen bedacht Vespasianus iets. 'U en Sabinus waren ook in de tuin toen Poppaea krijsend binnenkwam, waarom heeft ze niets tegen jullie ondernomen?'

'We waren er niet bij betrokken, beste jongen.'

'Hoe wist ze dat?'

'Ik heb geen idee, ik ben alleen blij dat ze het wist. De echte vraag is: wat moeten we doen om je buiten schot te houden? Seneca is uit de gunst en Epaphroditus is wrokkig omdat je hem hebt gechanteerd om je Afrika te bezorgen zonder er ook maar een sestertie voor terug te krijgen. En wat betreft de prefecten van de praetoriaanse garde...'

Vespasianus wuifde de woorden weg. 'Tigellinus heeft aan iedereen een hekel – het heeft geen zin om voor hem te kruipen, en Faenius Rufus is eerlijk en zou me steunen, maar hij heeft geen invloed bij de keizer.' Hij nam nog een slok wijn en dacht na. 'Maar het feit dat ik al die burgers uit Garama heb weten te krijgen moet toch enige invloed hebben op Nero?'

'Ah, dat is het andere.'

'Welk andere?'

'Het andere waar Decianus in is geslaagd: hij beweert dat hij het op zich had genomen om helemaal naar Garama te reizen om over de vrijlating van de Romeinse burgers daar te onderhandelen om zijn volledige loyaliteit aan Rome en Nero te bewijzen.'

'Wat?'

'En toen jij kwam had hij hun vrijlating al geregeld en stonden ze allemaal klaar om te vertrekken.'

Vespasianus keek zijn oom ontzet aan, zijn handen grepen de armleuningen vast terwijl hij naar voren leunde. 'Maar dat is zo ver bezijden de waarheid dat het totaal ongeloofwaardig is.'

'Niet als hij het maar vaak genoeg herhaalt.'

'Waarom zou hij een dergelijke reis maken? Hij zat in het uiterste noorden van het rijk en dan gaat hij tot ver voorbij de zuidelijke grens zonder Rome aan te doen om de financiële warboel waarin hij terecht lijkt te zijn gekomen op te lossen? Onzin!'

'Natuurlijk, maar Poppaea wil het graag geloven, of liever gezegd, ze doet alsof ze het gelooft. En Epaphroditus is ervan overtuigd dat het heel aannemelijk is dat Decianus op eigen houtje een dergelijke reis zou ondernemen uit de goedheid van zijn hart en dat het daarom waar moet zijn. Nero wil maar één ding weten.'

'En dat is?'

'Waar zijn parels zijn.'

'Zijn parels? Ik heb ze uiteraard aan koning Nayram gegeven.'

'Daar ben ik van overtuigd, maar volgens Decianus' versie van de gebeurtenissen…'

'Heb ik de koning nooit ontmoet en dus moet ik de parels gehouden hebben.' Vespasianus kreunde en masseerde zijn slapen met zijn duim en wijsvinger. 'De klootzak! Hoe kan ik bewijzen dat ik ze niet heb gehouden?'

'Het is jouw woord tegen het zijne.'

Vespasianus klaarde opeens op. 'En mijn lictoren! Zij waren er uiteraard bij toen ik op audiëntie was bij Nayram en hem de parels overhandigde. Zij kunnen het zweren, al heb ik ze overgedragen nu ik terug in Rome ben.'

'Laten we het hopen, beste jongen, want als Nero je vanavond ziet, zal hij een verklaring willen.'

'Waarom zou hij me vanavond zien? Ik ben van plan naar Caenis te gaan.'

'Ik ben bang dat dat niet mogelijk is. Tigellinus geeft bij Agrippa's bassin een banket voor Nero en de hele Senaat wordt geacht te verschijnen, en in de huidige situatie is het veel te gevaarlijk om Nero te beledigen door niet te komen, want hij zal het persoonlijk opvatten, vooral omdat het een feest is ter viering van zijn eerste publieke optreden in een theater.'

Vespasianus was geschokt. 'Optreden in een openbaar theater? Nee toch?'

'Helaas wel, enkele dagen geleden. Hij is alle waardigheid nu kwijt. Het enige positieve is dat hij Neapolis heeft gekozen voor zijn vertoon en niet Rome, maar het kan niet lang duren of zijn schaamteloosheid is ook hier te zien. En over schaamteloosheid gesproken, ik denk dat je je moet voorbereiden op Nero's gebruik van andermans vrouwen, want hij beschouwt alles in Rome als zijn persoonlijke bezit en de hele stad als zijn eigen huis. Zijn opvattingen lijken steeds meer op die van Caligula.'

'O, maar ik was niet van plan om Flavia vanavond mee te nemen.'

'Zelfs als je dat wel zou willen ging dat niet.'

Vespasianus keek zijn oom verward aan. 'Waarom niet?'

'Want ze is daar al, samen met de vrouwen van alle andere senatoren.'

Met onrust in zijn hart arriveerde Vespasianus samen met Gaius niet lang voor zonsondergang bij Agrippa's bassin op de Campus Martius. Het was gebouwd als waterreservoir voor de Thermen van Agrippa en werd inmiddels ook gebruikt voor de pas gebouwde Thermen van Nero; het bassin lag tussen de twee complexen. Gaius stuurde zijn escorte van vier onguur ogende mannen weg, leden van de Zuid-Quirinale Kruispuntbroederschap, waarvan de *patronus*, Tigran, een beschermeling van hem was. Ze hadden opdracht om op het derde uur van de nacht terug te komen om hen naar huis te escorteren. Na een cohort van de praetoriaanse garde en een centurie Germaanse lijfwachten te zijn gepasseerd, die op de aanwezigheid van de keizer wezen, kreeg Vespasianus een verrassend tafereel in het oog, want het banket was niet in de ruime zuilengang rond het bassin klaargezet, zoals hij verwacht had, maar op het water zelf. Er waren zes vlotten gebouwd en over het bassin verdeeld, dat honderdtwintig passen lang en zestig passen breed was. Ze waren bedekt met purperen doeken en er stonden eettafels op, elk met vele banken eromheen; drie vlotten waren al gevuld met aanliggende gasten. Aan elk vlot waren twee boten vastgemaakt, met in elk een dozijn roeiers, die de vlotten kalmpjes rond het bassin trokken. De gasten hadden zo zicht op de figuren die in de zuilengangen rondhingen en kwamen steeds langs de open noordkant van

130

de rechthoek, waar keukens waren opgebouwd. Daar was de lucht gevuld met geuren die overheerlijke gerechten beloofden. Een groep musici, allemaal meesters op hun instrument, completeerde de esthetische aanval op de zintuigen.

'Tigellinus is dagen bezig geweest om de roeiers bij elkaar te zoeken,' vertelde Gaius Vespasianus toen ze stonden te wachten om aan boord van een vlot te kunnen gaan. Rond hen waren tientallen senatoren met geforceerde levendigheid aan het babbelen, alsof dit een gebeurtenis was om van te genieten in plaats van iets wat naar hun verwachting, hun keizer kennende, niet al te aangenaam zou uitpakken.

'Hoezo?' antwoordde Vespasianus, afgeleid door de naakte hoeren die zich in allerlei suggestieve poses een weg baanden door de groep senatoren.

Gaius besteedde geen aandacht aan hen, hij keek liever naar de roeiers in de boot het dichtst bij hem, die allemaal zorgvuldig opgemaakt en gekapt waren. Ze hadden bloemen in hun haar gestoken en er hingen juwelen om hun hals en aan hun oren. Ze waren in de dunste stof gekleed. 'Het zijn de mooiste hoerenjongens van de stad, ze zijn allemaal ingedeeld naar leeftijd en expertise.' Zijn blik dwaalde over een groep heel jonge tieners die aan hun riemen trokken en hun vlot zachtjes lieten aanlanden. 'Ik vraag me af waar zij goed in zijn.'

'Ik wil het liever niet weten, in alles, zou ik denken.'

Bedeesdheid maakte geen deel uit van het repertoire van de hoerenjongens en ze concurreerden met de naakte hoeren om de aandacht van de senatoren door wellustige gebaren te maken waaruit expliciet bleek waar de boot in gespecialiseerd was.

Vespasianus grimaste in walging, Gaius huiverde.

Voorzichtig op het kalm dobberende vlot stappend, door een attente bediende bij de elleboog gesteund, ontdekte Vespasianus dat het opmerkelijk stabiel was, ook toen de constructie het volle gewicht van zijn oom te verwerken kreeg. Zonder moeite liep hij naar de tafel in de verste hoek. Daar besefte hij wat de functie van de naakte hoeren was, want een was hem gevolgd en begon hem van zijn toga te ontdoen, waarna ze voor hem knielde om zijn schoenen uit te trekken. De hitsige glans in haar ogen toen ze naar hem opkeek liet zien dat ze bereid was om nog wat langer in die houding te blijven mocht hij dat willen. Het aanbod beleefd weigerend trok Vespasianus de sloffen aan die ze onder de eetbank vandaan had gehaald en ging liggen, terwijl ze een servet voor hem uitspreidde en zijn handen afveegde met een warme, vochtige doek.

'Hier!' riep Gaius, naar de kant zwaaiend, blij zich aan de aandacht van het naakte vrouwspersoon dat met hem bezig was te kunnen onttrekken.

Vespasianus keek op en zag zijn broer zich een weg banen door de menigte, wat makkelijker gemaakt werd door zijn status als prefect van Rome, want velen weken uit eerbied opzij.

'O, je bent dus terug,' mompelde Sabinus toen hij dichter bij Vespasianus was. 'Jammer dat je niet wat langer bent weggebleven.'

'Ik vind het ook fijn om jou weer te zien, broer.'

Sabinus liet zich van zijn toga ontdoen. 'Nee, ik meen het, je had langer weg moeten blijven.'

Vespasianus fronste om de kille ontvangst door zijn broer. 'Flikker op, Sabinus.'

Sabinus keek Gaius aan terwijl zijn schoenen werden uitgetrokken. 'Je hebt het hem niet verteld?'

'Kom, beste jongen, het is niet aan mij om precies te weten wat hier aan de hand is. Laat staan te speculeren over wat er kan gebeuren.'

'Kan gebeuren? Ís aan het gebeuren.'

'Wat is er aan het gebeuren?' vroeg Vespasianus, terwijl Sabinus tussen hem en Gaius plaatsnam.

'Kijk om je heen, broer, wat zie je in de zuilengangen?'

Vespasianus had hier en daar in de schaduwrijke zuilengangen al een glimp opgevangen van kleine seksuele tableaus, maar omdat het begon te schemeren waren de details moeilijk te zien. Nu begonnen er echter slaven rond te lopen die toortsen aanstaken. De tableaus gloeiden op in zacht oranje licht en de details werden zichtbaar. 'Hoeren en hun klanten,' zei hij op nonchalante toon.

'Nee, broer. Ten eerste zijn de mannen geen klanten, want dat impliceert een of andere vorm van financiële transactie; ze doen wat ze ook maar verkiezen te doen zonder te betalen. Ten tweede zijn de vrouwen geen hoeren.'

Er werden steeds meer toortsen aangestoken en Vespasianus' ogen wenden aan het licht, waardoor hij de vrouwen beter kon zien. Opeens snakte hij naar adem. Ze droegen de fijnste stoffen – degenen die nog

132

kledingstukken aanhadden dan – en hun kapsels waren volgens de laatste mode en rijk opgemaakt. 'Alle goden beneden, het zijn…'

'Ja, broer, het zijn onze vrouwen en dochters en ze hebben bevel van de keizer gekregen om voor de duur van het banket geen man ook maar iets te weigeren, tot welke stand hij ook behoort.'

'Maar…' Vespasianus wilde zeggen dat Nero dat niet kon doen, maar zodra de woorden zich in zijn hoofd vormden wist hij dat ze onwaar waren: Nero kon doen waar hij maar zin in had. Het vlot waar ze op zaten werd inmiddels rond het bassin gesleept en zijn blik gleed langs de paartjes en groepjes, machteloos op zoek naar wat hij niet wilde zien.

En toen zag hij het natuurlijk: daar was ze, Flavia, zijn vrouw, knielend voor een zittende man die haar hoofd vasthield, zijn vuisten om dikke strengen haar geklemd. Hij liet zich door haar oraal bevredigen.

Vespasianus voelde zich misselijk worden, maar dat kwam niet zozeer door de aanblik van zijn vrouw die fellatio bij een andere man uitvoerde, en ook niet door de gedachte aan de andere handelingen die ze al had verricht of straks nog gedwongen was te verrichten; nee, dat was het niet: het was erger, want terwijl hij naar zijn vrouw staarde liet de man met een van zijn handen haar hoofd los om vrolijk naar hem te zwaaien. Vespasianus keek in de gehate ogen van Marcus Valerius Messalla Corvinus. 'Ik vermoord hem! Ik… Ik…' Vespasianus sprong woedend overeind, waardoor het vlot begon te wiebelen en enkele bokalen op tafel omvielen. Hij liep naar het water toe en stond op het punt om te springen toen hij naar achteren werd getrokken door een hand die hem bij zijn riem greep.

'Dat, broer, is precies het soort reactie waar men op hoopt. Dat zou de laatste daad van een verdoemd man zijn.'

Vespasianus keerde zich om en keek Sabinus in de ogen. 'Ik zal wraak nemen, ik vermoord die lul.'

'Ik geloof je direct, Vespasianus, maar niet hier en niet nu.'

'Maar kijk dan, hij… hij… Hoe? Hoe kon het… hoe kon het…' Vespasianus zweeg en voelde de onmacht van zijn situatie. Corvinus had ooit beloofd om zich zo te gedragen dat hij wat Vespasianus betrof dood was, als tegenprestatie voor het redden van zijn leven toen Corvinus' zuster, keizerin Messalina, werd geëxecuteerd op bevel van haar echtgenoot Claudius. Nu beging hij een schanddaad met de zegen van de keizer zelf. En hij, Vespasianus, kon er niets tegen doen. Sabinus had gelijk, hij kon niet in het bassin duiken, naar de kant zwemmen en Flavia bij Corvinus wegtrekken zonder opzichtig tegen de wil van Nero in te gaan, want Vespasianus wist dat in Nero's stad Nero's wil alles was; wie zich daartegen verzette wachtte de dood. Hij kon het Flavia niet kwalijk nemen wat ze deed, ze was slechts een van de honderden vrouwen die in het openbaar rond het bassin tot dezelfde vernedering werden gedwongen. Hij herkende veel van de vrouwen als de echtgenotes of dochters van vrienden en kennissen; allemaal waren ze verwikkeld in ontmoetingen van uiteenlopende aard en aantallen. Sommige leken er plezier in te hebben, lieten hun genot horen en draaiden met hun heupen, terwijl andere leeg voor zich uit keken en de aandacht ondergingen van vreemden uit alle sociale klassen of zelfs, zoals in Flavia's geval, van rivalen van hun echtgenoot, die van de gelegenheid gebruikmaakten om kleinzielig wraak te nemen.

Corvinus was niet de enige uit de rangen van de senatoren die zich aan de heerlijkheden van de voornaamste vrouwen van Rome tegoed deden en Vespasianus vervloekte ze allemaal voor hun aanmoediging van Nero's liederlijkheid. Maar toen hij zijn blik langs de gasten op de vlotten liet gaan, zag hij geen spoor van verontwaardiging of zelfs maar van het besef dat hun vrouwen werden misbruikt door eenieder die daar zin in had. Nee, alles wat hij zag waren mannen die met elkaar babbelden terwijl ze aten en dronken, ogenschijnlijk volkomen zorgeloos, want dat was de veiligste manier om deze avond te overleven. Ze waren zich allemaal maar al te goed bewust van de praetoriaanse garde die vlakbij klaarstond om elk ongenoegen de kop in te drukken dat zou kunnen ontstaan over het vermaak bij het banket dat de praetoriaanse prefect ter ere van de keizer had georganiseerd.

'Mijn dochter is daar ergens,' zei Sabinus, zijn stem strak van woede.

Vespasianus staarde zijn broer enkele ogenblikken aan en toen dacht hij met een schok aan zijn dochter. 'Domitilla?'

Sabinus knikte.

Vespasianus slikte een snik door, zijn hoofd viel in zijn handen. Hij kon niets zeggen en probeerde niet te denken aan de vernederingen die zijn dochter momenteel moest ondergaan.

'Mijn beste jongen,' zei Gaius, en hij legde een troostende hand op Vespasianus' arm, 'het spijt me, ik had je moeten waarschuwen, maar ik had geen idee dat het zo erg zou zijn.'

'Wat had u dan gedacht, oom?' siste Vespasianus, terwijl hij zijn woede probeerde te onderdrukken.

'Tja, ik geloof dat ik dacht dat ze… Tja, ik weet eigenlijk niet wat ik dacht, ik dacht in ieder geval niet dat ze gedwongen zouden worden om te… nou, om dit soort dingen te doen met het laagste van het laagste.'

'Of Corvinus!'

'Of Corvinus, zeker. We hebben dit soort schandelijke dingen niet meer gezien sinds Caligula.'

Vespasianus verfrommelde zijn servet en kneep erin tot zijn knokkels wit werden. 'Caligula dwong vrouwen van senatoren tot prostitutie, mensen moesten betalen. Hij werd gemotiveerd door zijn haat tegen de Senaat omdat die medeplichtig was aan het geleidelijk uitroeien van bijna zijn hele familie, en hij wilde ze laten zien dat de senatoren de ultieme uitdeler van gunsten niet iets durfden te weigeren. Dat was natuurlijk al erg genoeg, maar dit? Dit is erger, veel erger, niemand hoeft zelfs maar te betalen voor het genot om mijn vrouw en dochter te neuken, niet dat dat het ook maar in de verste verte aanvaardbaar zou maken. En wat is Nero's motivatie om dit te doen? Hij doet het alleen omdat hij het kan, omdat hij weet dat hij ermee wegkomt. Het is zelfs niet bij hem opgekomen dat hij er niet mee wegkomt.'

'Misschien moeten we er deze keer voor zorgen dat hij er niet mee wegkomt.'

Vespasianus herkende de stem niet meteen, hij keek in de richting waar hij vandaan kwam, hopend dat hij zijn gedachten niet zo luid had verwoord dat veel mensen hem gehoord hadden. Op de bank naast hem ging Gaius Calpurnius Piso liggen. 'Wat zei u?'

Piso leunde naar voren en liet zijn stem dalen toen hij tegen de Flavianen sprak. 'U hebt me wel degelijk verstaan, Vespasianus, net als u twee, Gaius en Sabinus, dus ik ga het niet herhalen. Alles wat ik zeg is dat mijn vrouw en dochter ook ergens in de zuilengang zijn, al heb ik het geluk dat ik ze niet gezien heb en ik ben niet van plan om de activiteiten daar eens goed te bestuderen, want ik ben bang dat ik ze dan zal zien. Ik raad u aan hetzelfde te doen. Ik ga vooral mijn uiterste best doen om voor te wenden dat dit een gewoon keizerlijk banket is. Maar denk na over wat ik gezegd heb.'

Vespasianus antwoordde niet, maar wierp een blik opzij op zijn oom en broer.

Gaius schudde zijn hoofd. 'Dat is niet een onderwerp dat ik besproken wil horen, ik wil zelfs niet weten dat het besproken wordt.'

Vespasianus kon niet vragen wat Sabinus dacht, want op dat moment bliezen hoornblazers enkele tonen vanaf de open oever van het bassin en maakten zo een einde aan alle conversaties, waardoor het moeilijker werd alle bronstige geluiden die van de andere drie zijden kwamen te negeren.

Vespasianus keek naar de vierde zijde; daar waren inmiddels tientallen palen voor de keukens opgericht en er werden zich hevig verzettende mensen van beide geslachten aan vastgebonden, twee per paal. Hun kreten van protest vermengden zich met het seksuele gezucht dat uit de zuilengangen klonk. Het verbaasde hem niets dat ze naakt waren, noch was hij verbaasd over de komst van de *gustatio*, de eerste gang, alsof dit een gewone maaltijd was en er niets vreemds gebeurde. Hij keek zonder trek te hebben naar een reeks fraai opgemaakte schotels die op aanwijzing van de hofmeester van het vlot door slaven op tafel werden gezet. Gaius deed zich onmiddellijk tegoed aan een worst, terwijl een andere slaaf rondging om hun bekers met wijn te vullen. Op de oever werden nog altijd mensen aan de palen gebonden en er werden meer toortsen aangestoken, zodat ze allemaal goed verlicht waren.

'We gaan toch niet terug naar Caligula's gewoonte om mensen bij het avondmaal te laten executeren, hoop ik?' mompelde Gaius en hij pakte een tweede worst. 'Het is zo slecht voor de spijsvertering.'

Vespasianus zei niets en keek naar een kar met een kooi erop die naar de palen werd gereden; ernaast liep de onmiskenbare figuur van Tigellinus. De praetoriaanse prefect liet zijn hondsdolle grijns zien en zwaaide naar de gasten op de vlotten. Toen de kar vlak langs een toorts rolde zag Vespasianus het silhouet van een dier van aanzienlijke grootte in de kooi en hij meende dat zijn oom weleens gelijk zou kunnen hebben. De aanblik van de kooi en de inhoud ervan leidden tot hernieuwd geschreeuw van de slachtoffers. De kar stopte en de laadklep ging naar beneden, uit de kooi klonk een diep gegrom.

Er heerste een geforceerde vrolijkheid onder de verzamelde gasten, alsof de verminking van vastgebonden gevangenen precies dat was waar iedereen naar verlangd had als begeleiding van de eerste gang.

Met verrassende nonchalance voor iemand die zo dicht bij een dodelijk wezen stond maakte Tigellinus het slot van de kooi los en opende de deur, waarmee wat er ook in schuilen mocht vrij was. Het gegil van de gevangenen bereikte een nieuw hoogtepunt en overstemde alle andere geluiden.

In de kooi bewoog een schaduw, Vespasianus hield zijn adem in. Of het dier brulde toen het met een sprong naar buiten kwam kon niemand horen vanwege het geschreeuw van de doodsbange slachtoffers die hun afwezige goden aanriepen. Het wezen landde op zijn vier poten, in het flikkerende licht had het een onduidelijke vorm, maar het was in ieder geval bedekt met een vacht in allerlei tinten. Enkele ogenblikken nam het zijn prooien op, schuddend, alsof het buitengewoon opgewonden was. Toen sprong het, de voorpoten uitgestrekt, recht op een geschrokken jongen af, nog maar net een tiener. Maar het dier sprong niet hoog, richting keel, zoals Vespasianus vele keren in het circus had gezien, maar bleef laag, zodat de poten op de genitaliën van de jongen kwamen. Die gilde huiveringwekkend toen het beest trok en scheurde, soms met zijn klauwen, dan weer met zijn tanden, tot er niets van het kruis overbleef dan een bloederige massa. Het beest ging vervolgens naar zijn volgende gillende slachtoffer, een vrouw dit keer. Het knaagde aan haar, alsof het uitgehongerd was, scheurde het zachte vlees van haar venusheuvel, dierlijk grauwend met speeksel en bloed rond de mondhoeken; ze keek omlaag naar wat er gebeurde, bevroren in angst en pijn.

Vespasianus keek verlamd toe, met open mond, terwijl hij het tafereel in al zijn gruwelijkheid in zich opnam. Ondanks de afstotelijkheid kon hij zijn ogen er niet van af houden, niet omdat hij de verschrikking waardeerde of van het lijden genoot, verre van, het was ergens anders om: er was iets vreemds aan. Eerst kon hij zijn vinger er niet op leggen, het voelde alleen alsof er iets niet klopte. En toen, toen het beest klaar was met zijn tweede slachtoffer, opengescheurd en bloederig, en op weg ging naar de volgende paal, viel hem iets aan de bewegingen op; en toen het zijn tanden in het scrotum van een jammerende grijsaard zette, begreep Vespasianus het. Ze keken niet naar een dier: het had gerend, voorover, maar zonder de voorpoten te gebruiken, alleen op de twee achterpoten. Hij keek beter en zag dat de vacht niets anders was dan huiden die inmiddels los begonnen te komen terwijl het ding zich overgaf aan gewelddadige genitale verminking. Zijn klauwen waren helemaal geen klauwen, het waren vingers, bleek en plomp, en toen het zijn hoofd achterover gooide met iets gruwelijks tussen de tanden werd zijn gezicht zichtbaar, omdat de vacht was weggeveegd. En het was een gezicht dat alle aanwezigen kenden, ondanks het gedempte licht, ondanks het bloed en de stukken vlees waarmee het bedekt was, en ondanks de onnatuurlijke mix van kenmerken waarmee het zich op de grens van mens en dier bevond; want wie kon het aangezicht niet herkennen van de man wiens onderdanen ze allemaal waren? Wie zou Nero niet herkennen?

Vespasianus kokhalsde en moest zijn braaksel doorslikken en kokhalsde opnieuw en wist het nu niet meer binnen te houden. De wijn die hij eerder met Gaius had gedronken spoot door zijn vingers over de tafel en bedierf een groot deel van de gustatio en leidde tot bezorgde blikken van zijn tafelgenoten.

'Beste jongen,' Gaius legde een arm over zijn schouders, 'heb je iets verkeerds gegeten?'

Vespasianus braakte opnieuw, niet in staat om te antwoorden, terwijl aan land nieuwe kreten aangaven dat een vers slachtoffer de tanden en nagels van de keizer voelde. En nu waren deze kreten nog het enige wat te horen was, want iedereen bij Agrippa's bassin, of het nu de gasten op het water of de mensen in de zuilengangen waren, had begrepen wat er aan de hand was en staarde vol ongeloof naar de man die het grootste rijk op aarde bestuurde. De roeiers hielden hun riemen in en alles op het bassin viel stil.

Slachtoffer na slachtoffer viel hij aan, steeds op dezelfde manier, waarna ze verminkt hyperventileerden en met de ogen rolden. En allen die getuige waren zaten bewegingsloos, geschokt door een barbaarsheid die zelfs Caligula en zijn oom Tiberius nooit hadden vertoond – in ieder geval niet in het openbaar. Ook Tigellinus keek toe, zijn tanden ontbloot in een grauw of een grijns, af en toe goedkeurend knikkend om zijn meesters daden.

Eindelijk, met nog drie of vier palen onaangeroerd, was Nero's honger naar genitaliën verzadigd; een tijdje lag hij op de grond, zwaar ademend. Hij likte zijn vingers af en keek naar de hemel. Het geroezemoes van conversaties begon luider te worden, heel geleidelijk, terwijl de gasten naar gespreksonderwerpen zochten, zoals de gustatio, heerlijk; het weer, ondraaglijk warm; de komende spelen, hopelijk overdadig; iets, wat dan ook. Elk onderwerp, zolang het maar niet de

gruwelen waren die ze hun keizer net hadden zien begaan of de vernedering van hun vrouwen en dochters rondom, die nu weer flink op gang
kwam.

Vespasianus kon zich er niet toe zetten iets te zeggen toen Gaius de
hofmeester opgeruimd opdracht gaf de tafel weg te halen en een nieuwe
te brengen met een volgende lading gustatio. Hij begreep niet waarom
hij zo ziek was geworden. In het circus had hij talloze keren mensen op
veel explicietere manieren uit elkaar gerukt zien worden en op het slagveld had hij wonden toegebracht die zelfs de grootste liefhebber van de
strijd tussen mens en wilde dieren zou doen verbleken. Hij bleef op de
bank liggen en staarde voor zich uit, zijn blik leeg, terwijl een groep
praetoriaanse gardisten langs de slachtoffers ging om hen uit hun lijden te verlossen en ze los te snijden. Degenen waar Nero geen zin meer
in had gehad werden eveneens zonder omhaal afgemaakt, ongetwijfeld tot hun eigen opluchting, bang dat de keizer zin zou krijgen in een
tweede ronde.

En toen begreep Vespasianus het: het was niet het geweld zelf dat zo
weerzinwekkend was, het was de combinatie van alles. Na een jaar weg
uit Rome te zijn geweest bleek de stad bij zijn terugkeer duisterder en
meer verloederd dan ooit. Nero had zijn adoptiebroer Britannicus tijdens een banket verkracht en vermoord en had vervolgens incest ge-
pleegd met zijn moeder en haar dood bevolen, waarna hij tot de executie van zijn vrouw was overgegaan om haar hoofd als huwelijksgeschenk
aan zijn nieuwe keizerin te presenteren. Maar dat alles leek mild in
vergelijking met wat Vespasianus bij zijn terugkeer aantrof. Nero beperkte zijn kwaadaardigheid inmiddels niet meer tot zijn familiekring
op de Palatijn; het was inmiddels anders. Nu moest de hele elite lijden
en al snel zou de wreedheid door alle rangen en standen van Rome omlaag sijpelen. Alle burgers van Rome zouden de hand voelen van de
man die geen beperkingen kende, een man die de noodzaak voor beper-
king niet erkende omdat hij alles en iedereen als zijn eigendom en in
zijn macht beschouwde. Vespasianus stond zichzelf een grimmig lachje
toe; de tijd die hij had voorspeld naderde nu echt.

'Wat is er, Vespasianus?' vroeg Sabinus, die zijn gezichtsuitdrukking
zag.

Vespasianus bette zijn lippen en leunde toen voorover zodat alleen
zijn oom en broer zijn woorden konden horen. 'Dit komt dicht bij de

grenzen van wat nog te verdragen is, zelfs in deze harde tijd. Caligula had het niet kunnen overtreffen.'

Gaius' wangen trilden van schrik. 'Wat bedoel je, beste jongen?'

'U weet heel goed wat ik bedoel, oom. Piso is al openlijk op zoek naar steun. Het idee dat de keizer uit de Julisch-Claudische bloedlijn moet komen begint zo langzamerhand te verdwijnen, want kijk hoe ze zich gedragen. We moeten de komende jaren oppassen, we moeten onze trots doorslikken en alle vernederingen die over ons worden uitgestort accepteren, want wat we ook doen, we mogen niet meedoen aan – of betrokken raken bij of zelfs in de verte geassocieerd worden met – welke samenzwering dan ook om Rome van Nero te ontdoen.'

Sabinus wierp een blik op Piso, die in een diep gesprek was verwikkeld met Seneca's neef, de dichter Marcus Annaeus Lucanus, en met senator Scaevinus, een van de praetores van dit jaar. 'En waarom niet, broer? We hebben een boegbeeld nodig en hij is niet slechter dan anderen.'

'Omdat, Sabinus, Nero nog een stevige greep op de praetoriaanse garde heeft, en dus is elke samenzwering op dit moment gedoemd te mislukken. We moeten wachten, maar ik kan je verzekeren dat de juiste tijd komt.' Hij keek naar de plek waar Nero weer in beweging begon te komen. 'Hij heeft nog altijd geen erfgenaam, we moeten gewoon een paar jaar overleven, misschien drie, en dan zullen we zien. Met jou als prefect van Rome zouden we ons weleens in een erg interessante positie kunnen bevinden.'

Nero ging overeind zitten, hij keek om zich heen alsof hij niet goed wist waar hij was en keek vervolgens verbaasd naar de huiden die nog aan hem vastzaten, alsof hij geen idee had hoe ze daar waren gekomen. Tigellinus naderde hem van achteren en hielp hem met verrassende zachtaardigheid op de been en fluisterde iets in zijn oor, terwijl een groep slaven vlak bij hem een tent opzette. Opeens kwam Nero tot leven, hij trok de resterende huiden los en liep doelbewust naar voren en sprong in het bassin. De keizer begon het bloed van zich af te wassen. Een praetoriaanse centurio ging vlak bij hem op de oever staan en schreeuwde naar de roeiers dat ze zich niet mochten bewegen. Toen Nero klaar was, trok de centurio hem uit het water en begeleidde de naakte keizer naar de tent. Alle aanwezigen deden alsof ze de naaktheid van de keizer niet zagen en al helemaal niemand leverde commentaar op de uitgezakte billen of de omvang van zijn buik; iedereen deed zijn best om te laten zien dat ze enorm van het banket genoten. Intussen begon de groep musici weer te spelen en de roeiers trokken de vlotten weer rond in het bassin.

Alsof hij voor het eerst zijn entree maakte kwam Nero niet veel later uit de tent tevoorschijn, gekleed in de staatsiegewaden die nu met de keizer werden geassocieerd: geheel purper met gouden biezen. Zonder enige ironie barstte het gezelschap in luid applaus los, hun keizer toejuichend, die met gespreide armen voor hen stond en zich koesterde in hun voorgewende bewondering.

Vespasianus deed mee met de rest, want er waren overal informanten en het gaf geen pas om gezien te worden terwijl je zuinig met lof voor de keizer was; en juist nu, meer dan ooit, nu de onvrede openlijker begon te worden, was het belangrijk om als een medestander van Nero gezien te worden. Dat bood veiligheid, terwijl geassocieerd worden met mensen als Calpurnius Piso een zekere route naar de dood betekende.

Hoe donker zijn wereld ook was geworden, Vespasianus wist zeker dat de dingen heel goed een andere wending konden nemen, als hij Nero maar kon overleven. En als de voorspelling die bij zijn geboorte was gedaan in de buurt kwam van wat hij dacht dat ze was, dan zou dat weleens een heel gunstige wending kunnen zijn. Toen de keizer om stilte vroeg stopte Vespasianus met die gedachten aan de toekomst met applaudisseren.

'Vrienden,' declameerde Nero in een pose met zijn linkerarm voor zijn borst en zijn rechter voor zijn gezicht, zijn hand gekromd, 'ik breng nieuws dat jullie allemaal verdriet zal doen.' Hij bleef even stil om ruimte te geven aan pleidooien uit het publiek om hun het leed te besparen, maar hij liet zich niet vermurwen door hun smeekbeden. 'Er valt niets aan te doen, vrienden, want ik heb andere taken die van mijn aandacht moeten profiteren. Ik doel op de mensen van de op één na grootste stad van het rijk: Alexandria. Ik ben van plan hun de glorie van mijn aanwezigheid en talent te schenken. Ween niet, vrienden, want ik zal niet lang wegblijven.' Er kwamen talrijke kreten waarmee men hem smeekte om te blijven, maar er was geen gast die niet vreugde en opluchting voelde: de angst die hen in zijn greep had zou in ieder geval voor korte tijd niet in Rome zijn. 'Omdat ik zoals jullie allemaal weten niet ongevoelig ben voor jullie emoties zal ik jullie een reden voor vreugde geven voor ik vertrek. Ik ben van plan nogmaals te trouwen.'

Er volgde een verbijsterd zwijgen, waarin alle aanwezigen over het lot van keizerin Poppaea Sabina nadachten.

Vespasianus voelde een golf van opluchting door zich heen spoelen omdat ze in ongenade moest zijn gevallen.

'Kom dus morgen, mijn vrienden, en help me mijn vreugde te vieren omdat ik een echtgenoot neem.'

Een nieuwe stilte volgde, waarin men probeerde te bedenken wat hetgeen ze net gehoord hadden betekende, zich afvragend of ze het goed hadden gehoord. Na enkele ogenblikken feliciteerde Tigellinus de keizer luidruchtig, waarna er een stortvloed aan gelukwensen kwam.

Vespasianus juichte mee met de rest en keek zijn broer en oom aan. 'Is er dan geen enkel taboe dat hij niet doorbreekt?'

HOOFDSTUK VIII

Rome was nog verstikkend warm, ook al naderde het vierde uur van de nacht toen Vespasianus en Gaius bij de Fontuspoort afscheid namen van Sabinus, die naar zijn huis op de Aventijn ging, voorgegaan door zijn lictoren.

Met de kruispuntbroeders om hen heen kuierden Vespasianus en Gaius de Quirinaal op. Karren en wagens kwamen ratelend voorbij, de wagenmenners schreeuwden, bezig met hun nachtelijke leveranties – sinds de tijd van Julius Caesar mochten ze overdag de stad niet meer in.

Gaius zweette overvloedig en hijgde bij elke ademhaling terwijl hij zijn omvangrijke lichaam de heuvel op naar zijn voordeur sleepte. 'Ga je naar je huis in de Granaatappelstraat, beste jongen?'

Vespasianus schudde zijn hoofd. 'Nee, ik ga naar Caenis' huis. Flavia wist niet dat ik vandaag terug zou komen, maar ik weet zeker dat Corvinus het haar verteld heeft toen hij... eh... Ik geef haar wat tijd om haar schaamte onder controle te krijgen. Ik denk dat er de komende dagen overal in de stad heel wat moeilijke gesprekken gevoerd zullen worden.'

'Daar zou je weleens gelijk in kunnen hebben, beste jongen, ik ben nu erg blij dat ik nooit een huwelijk ben aangegaan. Maar als Nero een nieuwe trend is begonnen, zou ik weleens in de verleiding kunnen komen.'

'Ik vraag me af wie de ongelukkige man is.'

'Doryphorus,' zei Caenis, terwijl ze haar hoofd op Vespasianus' schouder legde en zijn brede borst streelde. 'Nero is al een tijdje dol op hem, dat heeft Seneca me in ieder geval verteld. Hij is een keizerlijke vrijgelatene, waardoor het nog veel schandaliger is.'

143

Vespasianus fronste in het donker, zijn voorhoofd nog vochtig van het zweet van seks in een drukkende nacht. 'Ja, ik ken hem, hij was degene die Britannicus vasthield toen Nero hem verkrachtte. Maar wat heeft hij eraan om met hem te trouwen?'

'Kennelijk, en lach niet, heeft hij altijd al een bruid willen zijn. Seneca zegt dat hij een trouwjurk en een als bruidskapsel opgestoken pruik heeft laten maken. En om heiligschennis op klucht te stapelen laat hij de ceremonie in de tempel van Vesta houden, met als argument dat het heilige vuur sinds de tijd van Augustus als het haardvuur van de keizer geldt, en het is nu eenmaal gewoonte dat de bruid een toorts in haar vaders haardvuur aansteekt om daarmee de haard van haar nieuwe echtgenoot te laten branden.'

Vespasianus grinnikte om de absurditeit van dit alles. 'En waar woont Doryphorus?'

'Dat is makkelijk te raden.'

'In Nero's paleis op de Palatijn?'

'Precies.'

'En wij moeten deze aanfluiting bijwonen?'

'Inderdaad, mijn lief, en dan brengen we een dronk uit op het gelukkige paar en wachten daar terwijl het huwelijk wordt geconsummeerd.' Die gedachte werd Caenis te veel en ze begon onbedaarlijk te giechelen.

Ook Vespasianus had het niet meer. 'Ik vraag me af welke kleur de vlekken in het laken hebben als ze het laten zien om aan te tonen dat de bruid maagd was.'

Lachend in het donker met de vrouw van wie hij hield, na fijn en heftig de liefde te hebben bedreven, voelde Vespasianus een ontspanning die hij sinds de tocht naar het zuiden naar het koninkrijk van de Garamanten niet meer had gevoeld. Hier in het kleine slaapvertrek van Caenis' huis, niet ver van de residentie van zijn oom op de Quirinaal, voelde hij zich beschut tegen de waanzin en verdorvenheid die het leven van Romes elite zo donker maakte. Sinds de laatste jaren van Tiberius was de langzame afdaling in kwaadaardige waanzin kenmerkend geweest voor de Julisch-Claudische keizers, maar nog nooit was de angst die de stad in zijn greep hield zo hevig geweest als deze avond. Hier in Caenis' kamer voelde hij zich veilig. Hij hield haar dicht tegen zich aan en duwde zijn neus in haar haar, zich koesterend in de geur. 'Ik hou van je,' fluisterde hij. Hij voelde de emotie even sterk als toen die nieuw was, achtendertig jaar geleden.

'En ik hou ook van jou, mijn lief,' antwoordde Caenis, haar stem zacht en troostend.

Vespasianus glimlachte inwendig, sloot zijn ogen, bande de herinneringen aan de afschuwelijke avond uit en viel ontspannen in slaap.

Met het gevoel dat het een feestdag was stonden de inwoners van Rome tien tot twaalf rijen dik langs de route om hun keizer toe te juichen. Nero daalde uitgedost als een maagdelijke bruid van de Palatijn af naar de ronde tempel van Vesta aan de voet van de heuvel en de rand van het Forum Romanum. Het kegelvormig opgemaakte haar, de vlamkleurige schoenen en bijpassende palla waren allemaal zoals het hoorde, niets suggereerde dat hij iets anders was dan een bruid, behalve, misschien, de baard, die af en toe zichtbaar werd als de sluier heen en weer zwaaide door Nero's overdreven vrouwelijke pas. Maar de inwoners van Rome leken dat detail niet op te merken en juichten hun keizer toe tot ze schor waren. Als hij een man wil trouwen, laat hem dan, was de algemene mening bij de lagere klassen, want als dat hem plezier gaf, was hij eerder geneigd hen te overspoelen met gulheid. Nero was nooit zuinig geweest in zijn bereidheid om de liefde van het volk te kopen en dat was op zijn beurt meer dan bereid om zich te laten kopen en de mensen hielden daarom meer van hem dan ze ooit van enige keizer hadden gedaan. De bewijzen van Nero's bereidheid om zijn positie te versterken met de liefde van het volk waren die dag overal in de stad verschenen in de vorm van keukens en tafels als voorbereiding op het huwelijksfeest, waarvoor het gelukkige paar de hele stad had uitgenodigd. En dus hingen de geuren van geroosterd varken en gebakken brood in de lucht toen Vespasianus, met een buitengewoon zwijgzame Flavia aan zijn zijde, toekeek bij de aankomst van de keizer in het hart van Rome: de tempel waarin het vuur huisde dat eeuwig zou branden en zo de stad voor alle kwaad behoedde.

De oudste van de Vestaalse maagden, Domitia, kwam Nero onder de porticus tegemoet, gevolgd door haar vijf ondergeschikten in volgorde van anciënniteit, met als laatsten de mooie tiener Rubria en de zevenjarige nieuweling Cornelia. Hun sluiers, die de ogen vrij lieten, konden de walging die ze voelden over de heiligschennis niet volledig verhullen, maar als Nero hun gedachten zag, liet hij dat niet merken. Hij volgde de priesteressen naar binnen naar de aanwezigheid van de godin om daar op de komst van de aanstaande echtgenoot te wachten. Slechts enkele van de vrouwen van de senatoren, onder wie Flavia, gingen met de keizer mee de tempel in. Allemaal waren ze in een sombere stemming na de kwellingen van de vorige avond. De mannen bleven buiten in de oplopende temperatuur, want de hittegolf die de stad de afgelopen halve maand had getroffen versterkte zijn gloeiend hete greep alleen maar.

Ook nu heerste er een geforceerde stemming van jovialiteit onder de senatoren die op de komst van de bruidegom en zijn gezelschap stonden te wachten. De gebruikelijke schunnige opmerkingen bleven echter achterwege, want men was bang dat grappen de klucht zouden doorprikken, waarna het hele gezelschap weleens in onbedaarlijk lachen zou kunnen uitbarsten.

Vespasianus wist een vrolijke uitdrukking op zijn gezicht te plakken en hield zich, in tegenstelling tot Gaius, die graag wilde laten zien dat hij van de festiviteiten genoot, afzijdig van de groep senatoren. Hij popelde bepaald niet om op te vallen uit angst om de aandacht van de bruid te trekken, die dan misschien aan zijn parels zou denken.

'Een hoogst ongebruikelijke... Hoe moet ik het formuleren? Ah, ja, gebeurtenis; een vreugdevolle gebeurtenis, dat is de juiste uitdrukking: een ongebruikelijke, maar vreugdevolle gebeurtenis,' zei Seneca, die plechtig kijkend naast Vespasianus ging staan. 'Ik veronderstel dat dit de eerste keer is, ik heb in ieder geval niets vergelijkbaars gevonden in de annalen van de stad.'

Vespasianus keek naar Nero's voormalige leermeester en adviseur en vroeg zich af of hij serieus was. 'Een vreugdevolle gebeurtenis.' Vespasianus' toon was droog.

'Zoals iedereen hier zal bevestigen.' Seneca's varkensoogjes fonkelden boosaardig, maar zijn gezichtsuitdrukking bleef ernstig. 'Laten we hopen dat dit de laatste keer is dat we een dergelijke gebeurtenis meemaken.'

'Wat bedoelt u, Seneca?'

'U weet heel goed wat ik suggereer.'

'U ook?'

'Wat heb ik te verliezen? Het is een kwestie van tijd voor ik te horen krijg dat ik, eh... Hoe zal ik het zeggen? Ja, een afspraak moet maken met de veerman. Ja, ik zal gedwongen worden hem te begroeten nadat ik mijn fortuin, wat er nog van over is, heb nagelaten aan Nero. Wat heb ik te verliezen, Vespasianus?'

Een bescheiden gejuich klonk op omdat de bruidegom en zijn gezelschap arriveerden, waardoor ze het gesprek onderbraken. De vrijgelatene Doryphorus, lang, gespierd en met opvallend groene ogen en mannelijke, ruige trekken, paradeerde door de menigte, grijnzend met een zelfvoldaanheid die misselijk maakte. Zijn escorte bestond uit minderwaardige pluimstrijkers met een bedenkelijke moraal, die Nero alleen aanhield voor de seks, zo vertelde Seneca Vespasianus. Deze mensen speelden hun rol met verve en schreeuwden de benodigde dubbelzinnige opmerkingen op het moment dat Doryphorus in een van de heiligste gebouwen van Rome verdween.

'Dat geldt voor ons allemaal, zogezegd. Wat hebben we nog te verliezen?' ging Seneca verder toen Doryphorus naar binnen was om zijn bruid te claimen. 'Kijk naar de heiligschennis die mijn voormalige pupil pleegt, hier in het hart van Rome voor het heilige vuur. Hoe kan de stad een ramp vermijden als dit doorgaat? Het is onze enige hoop, onze plicht zelfs.' Seneca's stem was zacht, maar er klonk felheid in door. 'Vertel me dus, wat hebt u te verliezen?'

'Mijn toekomst.'

'Wij hebben geen van allen een toekomst.'

'Dat hebt u mis, Seneca: alleen de mensen die tegen Nero samenspannen hebben geen toekomst. Ik ben van plan erbuiten te blijven.'

Seneca keek Vespasianus aan, teleurgesteld. 'En hoe zit het met eer?'

'Eer? Die zijn we allemaal gisteravond kwijtgeraakt, toen we toekeken hoe onze vrouwen geneukt werden door de halve stad en we niets deden; mijn vrouw heeft sindsdien geen woord meer tegen me gezegd, ook niet vanochtend op weg hiernaartoe. Ze kan me niet eens meer in de ogen kijken. Praat me dus niet van eer, u die uw eigen grootmoeder nog geen geld zou lenen tegen minder dan vijfentwintig procent rente.'

'Laten we niet persoonlijk worden, Vespasianus; hoe ik geld verdien heeft niets met het onderwerp te maken, behalve dan, misschien, dat u mijn diensten zeer binnenkort weleens nodig zou kunnen hebben.'

'Hoezo?'

'Weet u hoeveel die parels die u mee naar Garama hebt genomen waard zijn?'

'Wat heeft dat ermee te maken?'

'Meer dan een miljoen sestertiën, al heb ik gehoord dat Nero de waarde heeft overdreven tot twee miljoen nu Decianus beweert dat u ze weer mee terug naar Rome hebt genomen.'

'U weet heel goed dat Decianus liegt, ik heb ze aan Nayram gegeven.'

'Decianus is een gladde slang, dat geef ik toe, maar hij kan erg overtuigend zijn. Vooral als hij iets zegt wat Nero wil horen. Sluit u bij ons aan en ik leen u het geld, renteloos, en u kunt zich uit dat specifieke probleem kopen.'

'Niet nodig, ik zal Nero precies uitleggen wat er met de parels is gebeurd.'

'En u denkt dat hij u zal willen geloven? U hebt het geld nodig en wij hebben u nodig.' Seneca keek hem met zijn varkensoogjes doordringend aan.

Vespasianus fronste, schudde zijn hoofd, zich afvragend of er meer achter zat dan Seneca liet merken. 'Waarom? Waarom ben ik zo belangrijk?'

'We hebben iemand nodig die uw broer kan overhalen om zich bij ons aan te sluiten en we geloven dat u daar de juiste man voor bent.'

Vespasianus begreep het eindelijk. 'Jullie hebben de prefect van Rome nodig, want als jullie hem hebben krijgen jullie de drie stadscohorten en de vigiles erbij, en bovendien de autoriteit over het functioneren van de stad.'

'Precies.'

'Vraag het hem dan zelf.'

'Heb ik al gedaan.'

'En hij gaf u kennelijk het verstandige antwoord.'

'Nee, hij gaf geen antwoord, hij zei dat hij met u wilde overleggen als u terug was. En nu bent u er.'

'Tja, mij heeft hij het niet gevraagd, maar ik heb mijn standpunt gisteravond heel duidelijke gemaakt. En bovendien,' Vespasianus gebaarde naar de schijnbaar eindeloze zee van adorerende gezichten van de gewone mensen, 'kijk naar ze, ze zijn dol op hem. Denkt u dat ze net zoveel van ons houden? Natuurlijk niet, wat geven wij ze in vergelijking met Nero? Ze scheuren iedereen die hem kwaad doet aan stukken, u maakt geen schijn van kans, Seneca. Niet tot de mensen zich tegen hem keren. Dat is mijn antwoord.'

Seneca gaf nadenkend een knikje, zijn dikke lippen samenknijpend. 'Goed, ik hoop dat u uw beslissing niet zult betreuren.' Hij draaide zich om en verdween, terwijl er uit de menigte kreten van 'Maagdenvlies, maagdenvlies!' klonken, omdat Doryphorus boven aan de tempeltrap was verschenen. Hij trok Nero aan zijn arm mee, terwijl Domitia, die de rol van de moeder van de bruid speelde, probeerde te voorkomen dat haar 'dochter' haar ontnomen werd. Tijdens dit ritueel, dat eeuwen terugging op de roof van de Sabijnse maagden in de beginjaren van Rome, gooide de menigte walnoten in de lucht, een symbool van vruchtbaarheid – al was daar weinig kans op in dit huwelijk, hoe hard de pasgetrouwden het ook probeerden, zo dacht Vespasianus, die in de menigte naar zijn broer speurde.

Nero gilde toen Domitia, met een gezicht als een donderwolk, de bruid losliet en die met kokette overdrevenheid in de sterke armen van haar nieuwe echtgenoot viel, waarna ze schaamteloos haar kruis als een loopse teef tegen zijn dij wreef. Doryphorus' metgezellen riepen schunnige opmerkingen, met onverhulde verbijstering gadegeslagen door de drie kleine jongetjes die de bruid escorteerden en die alledrie beide ouders nog hadden, zoals de huwelijksgebruiken voorschreven. Vervolgens werd de toorts die in Vesta's vuur was aangestoken naar buiten gebracht en er werden meer toortsen mee aangestoken, tot alle metgezellen van de bruidegom een nakomeling van het haardvuur van de bruid droegen. Geleid door Domitia en haar vijf collega's stelden de vrouwen die de ceremonie hadden bijgewoond zich achter het escorte van de bruidegom op. Nu kon het huwelijksgezelschap richting Palatijn lopen. Nero droeg trots de spindel en spinrok die zijn rol als wevende vrouw symboliseerden en die hij van zijn 'moeder' had gekregen. De gasten gooiden walnoten in de lucht en brulden *'Talassio!'*, de rituele gelukwens voor een bruid, waarvan de betekenis en oorsprong in de loop der tijd verloren waren gegaan.

De inwoners van Rome begroetten het pasgetrouwde stel met groot enthousiasme en de bruid bloosde, deed bescheiden en bedeesd en had zichzelf weer helemaal in de hand nadat ze zich eerder in de armen van haar echtgenoot had laten gaan; de hartstocht werd verder bewaard voor het huwelijksbed. Nero was nu in het openbaar het toonbeeld van de preutse Romeinse bruid die naar het huis van haar echtgenoot werd gebracht om het huwelijk te consummeren. Het geluk van de bruid was zo groot dat er tranen over zijn wangen rolden, die zijn baard vochtig maakten. Nero ving er enkele met zijn vinger op en liet ze zien aan degenen die het dichtst bij hem waren en iedereen verheugde zich over de vreugdevolle gebeurtenis.

Vespasianus bewoog zich door de menigte, op zoek naar zijn broer, maar vergeefs. De processie beklom de Palatijn, voortdurend toegejuicht door de massa's aan weerszijden van de route, klaar om te feesten op kosten van de keizer.

Bij aankomst bij het paleis smeerde Nero olie en vet op het deurkozijn en hing er gesponnen wol omheen om zijn aankomst aan te kondigen bij de huisgoden binnen; zijn eigen goden, aan wie hij die ochtend nog geofferd had. Dit alles deed hij zonder een spoortje ironie.

Oppassend dat hij niet struikelde stapte Nero over de drempel en pakte toen Doryphorus' hand. 'Waar jij bent, Gaius, ben ik, Gaia.' Hij sprak de rituele woorden met een zachte, hoge stem, die bijna voor die van een vrouw kon worden gehouden.

Doryphorus keek zijn bruid liefdevol aan en liefkoosde zachtjes zijn wang en streelde het met tranen doordrenkte gezichtshaar. 'Waar jij bent, Gaia, ben ik, Gaius.'

De huwelijksgasten stroomden het atrium in, dat hoog en elegant was, met grote marmeren zuilen en fraaie mozaïeken. Het was gebouwd door Augustus, met de bedoeling de bezoeker te imponeren met de grandeur van Rome. Maar de grandeur van Rome was alleen nog maar een lege huls nu de achterachterkleinzoon van de eerste princeps, de eerste man van Rome, naar de bruidskamer werd gebracht door de vrouw des huizes, die het toonbeeld van de trouwe echtgenote hoorde te zijn, dat wil zeggen dat ze pas na de dood van een echtgenoot mocht hertrouwen. In dit geval was het echter Poppaea Sabina, die na twee scheidingen al bezig was aan haar derde echtgenoot – de nieuwe bruid. In het bruidsvertrek moest ze met haar echtgenoot bidden en hem voorbereiden op de komst van zijn echtgenoot. Ze werd geassisteerd door een jongeling van grote schoonheid, die een opvallende gelijkenis met Poppaea vertoonde en die Vespasianus eerder had gezien maar niet kon plaatsen.

'Het lijkt steeds gecompliceerder te worden,' fluisterde Sabinus in

Vespasianus' oor. 'Dat is Sporus die de keizerin helpt de bruid klaar te maken.'

'Sporus? Het Griekse woord voor "zaad"?'

'Eerder "sperma". Hij was de plaatsvervanger van Poppaea tijdens het consummeren van haar huwelijk met Nero vanwege haar gevorderde staat van zwangerschap toen.'

Vespasianus herinnerde zich de jongen die zo opgemaakt en gekleed was geweest dat hij het evenbeeld van de keizerin leek. 'Natuurlijk, daar heb ik hem eerder gezien.'

'Naar verluidt is Poppaea even dol op hem als Nero is, dus ik denk dat hij het nogal druk heeft.'

Vespasianus wilde er liever niet aan denken. 'Waar was je? Ik heb je gezocht.'

'Ik heb geprobeerd mijn schoonzoon Paetus wat verstand bij te brengen, al vraag ik me af of hij míj niet wat verstand heeft bijgebracht. Ik moest hem ervan weerhouden,' Sabinus leunde naar Vespasianus toe zodat niemand hen zou kunnen horen, 'een dolk mee te nemen naar Nero's huwelijk na wat er met Flavia Tertulla is gebeurd gisteravond. Ze verliest nog steeds bloed.'

'Dat is vreselijk, komt het goed met haar?'

'Ik hoop het, maar de dokter weet het niet zeker. Je kunt je voorstellen hoe Paetus eraan toe is en ik denk dat er nog een heleboel zoals hij zijn.'

'En wat bedoelde je toen je zei dat hij jou misschien verstand heeft bijgebracht?'

Sabinus keek om zich heen om er zeker van te zijn dat er niemand in de buurt was. 'Hij wil dat Nero zo snel mogelijk uit de weg wordt geruimd en nadat ik mijn dochter in bed heb zien liggen, zwak van het bloedverlies, ben ik geneigd het met hem eens te zijn.'

'Nee, Sabinus, we doen een stap terug en laten anderen het doen.'

'Ik ben benaderd door Seneca.'

'Ik weet het, hij wilde dat ik jou zou overhalen om je bij zijn zaak aan te sluiten. Het is te gevaarlijk, zo'n samenzwering kan nooit geheim worden gehouden. Nero of Tigellinus zal er zeker achter komen. En bovendien zal het volk de moordenaars er niet mee laten wegkomen, wat kan hun de eer van onze vrouwen schelen zolang Nero ze voedt en vermaakt?'

Sabinus knarste met zijn tanden. 'Maar kijk nou toch, hoe kan het zo verdergaan? Je zei zelf gisteravond: "Is er dan geen enkel taboe dat hij niet doorbreekt?" Wat wordt het volgende?'

Een nieuwe uitbarsting van schunnigheden en grove humor gaf aan dat Poppaea Sabina de deur naar de bruidskamer had geopend. Ze gaf de bruidegom een teken dat binnen alles klaar was en dat zijn bruid op hem wachtte. Doryphorus grijnsde en haastte zich naar de kamer, die aan het atrium grensde, de gebalde vuisten in de lucht pompend, alsof hij zich opwarmde voor een inspannende oefening, een beeld dat Vespasianus direct weer uit zijn hoofd probeerde te bannen.

De gasten gingen zitten in afwachting van nieuws over een geslaagde paring. Slaven brachten ondertussen drankjes rond. 'Je moet het zo zien, Sabinus,' ging Vespasianus verder, 'ze zijn er nu al veel te openlijk over. Seneca heeft zowel jou als mij heel direct benaderd. Gisteravond maakte Piso er geen geheim van waar hij staat en voerde vervolgens een intens gesprek met die dichter, Lucanus, en wat weten we van hem?'

Sabinus haalde zijn schouders op. 'Behalve dat hij de neef van Seneca is? Alleen dat Nero hem uit jaloezie heeft verboden om nog gedichten te publiceren en dat hij daarmee een persoonlijke reden heeft om Nero te haten.'

'Dat wist ik niet. Maar wat ik eigenlijk bedoelde is: wat weet je van zijn karakter?'

'Dat hij een verschrikkelijke roddelaar is?'

'Precies, broer, wil jij je leven wagen voor een samenzwering waarbij iemand als Lucanus betrokken is?'

Daar hoefde Sabinus niet over na te denken. 'Goed, dus we blijven erbuiten. Maar wat doen we daarna? Hoe bevrijden we ons hiervan? Hoe kunnen we ervoor zorgen dat dingen als gisteravond nooit meer gebeuren?'

'Het moet van buiten de stad komen, van de legioenen, en het moet gebeuren als het volk zijn liefde voor Nero aan het verliezen is.'

'Maar de samenzwering tegen Caligula werd in de stad gesmeed.'

'Ja, maar die kwam grotendeels uit de praetoriaanse garde voort en ze vervingen de ene keizer uit het Julisch-Claudische huis voor een andere. Nu moeten we van die hele familie af zien te komen en dat zal de garde nooit willen, uit angst dat het ook hun einde betekent. Bovendien weet Tigellinus dat hij zonder Nero niets is en dus zal hij nooit aan een samenzwering deelnemen, en de andere prefect, Faenius Rufus, is te timide en eerlijk. Er is iemand nodig met legioenen achter zich, die naar Rome op kan marcheren en de praetoriaanse garde tot onderwerping kan dwingen. Het zijn paradesoldaten en die maken geen kans tegen ervaren legioenen.'

'Corbulo?'

'Hij is de voor de hand liggende man.'

'Maar hoe zit…' Sabinus stopte abrupt.

'Ik weet wat je denkt, Sabinus, en ik heb er ook aan gedacht. Maar zolang je me de precieze details van de profetie niet vertelt, hoe weet ik dan wat ik moet doen?'

'Je weet heel goed dat ik gezworen heb om er niets over te zeggen.'

'Volgens de voorwaarden van de eed die onze vader ons heeft laten zweren kun je dat wel.'

'Maar alleen als de tijd rijp is en je hulp nodig hebt om een besluit te nemen, en ik kan je vertellen dat de omstandigheden op dit moment nog niet juist zijn.'

'En zeg je het me als ze dat wel zijn?'

'Dat zal ik doen, Vespasianus, dat heb ik gezworen.'

'Dank je, Sabinus, meer hoef ik niet te weten. Hij zweeg even toen een hoge gil, ergens tussen genot en pijn, door het atrium sneed; de metgezellen van de bruidegom juichten. 'Intussen zal ik een brief aan Corbulo schrijven en een huwelijksalliantie tussen onze families voorstellen. Zijn oudste dochter, Domitia, is vorig jaar getrouwd, maar zijn jongste, Domitia Longina, wordt snel elf en is slechts twee jaar jonger dan mijn Domitianus. Ik zit er al een tijdje over na te denken.'

Sabinus keek twijfelend.

'Hij is mijn zoon, Sabinus, wat voor karakter hij ook heeft. Het is mijn plicht een goed huwelijk voor hem te sluiten, en wie is er een betere kandidaat dan de dochter van de generaal die vier legioenen in het oosten commandeert?'

Weer was er een gil te horen, nu langer en duidelijk van genot, hij ging omhoog in toon en eindigde in een reeks hoge kreetjes, sneller en sneller, die niets aan de verbeelding overlieten. De makkers van de bruidegom klapten in de maat mee, terwijl de serieuzere mannelijke leden van het gezelschap ontspannen trachtten te babbelen en de realiteit van de situatie probeerden te negeren. De vrouwen, van wie de meeste nog gebukt gingen onder de schande van de vorige avond, stonden in kleine groepjes en luisterden ongemakkelijk naar deze parodie op vrouwelijk genot. Het werd Domitia, de oudste Vestaalse maagd, te veel en zonder verdere omhaal draaide ze zich om en leidde haar vijf collega's naar buiten.

'Dat zal Nero ter ore komen,' merkte Sabinus op.

'Ik geloof niet dat hij op het moment iets kan horen,' grapte Vespasianus.

'Je vindt jezelf zeker grappig, boertje,' zei een onaangename stem lijzig.

Vespasianus draaide zich om en zag Corvinus schamperend naar hem kijken. 'Ik zou je nu moeten doden, Corvinus.'

'Je hebt het een keer geprobeerd, maar ik kwam terug, weet je nog?'

Vespasianus vloog Corvinus aan, die opzijstapte en zo een aanstormende vuist ontweek. Sabinus greep zijn broers schouders en trok hem naar achteren om hem in bedwang te houden.

'Wat een landelijke manieren, boertje,' zei Corvinus, die zijn toga schikte. 'Vechten bij een huwelijk, nou vraag ik je. Maar ja, wat kun je anders verwachten van iemand die tussen de muildieren is grootgebracht.'

Sabinus bleef Vespasianus stevig vasthouden. 'Dat is de laatste keer dat je mijn familie beledigt, Corvinus.'

'Werkelijk, Sabinus? Ik betwijfel het.' Corvinus draaide zich om om te vertrekken en keek toen over zijn schouder. 'O, bijna vergeten, boertje, Flavia zei – toen ze in staat was te praten natuurlijk – dat ze bereid was me vaker te zien tegen een financiële vergoeding; een tamelijk grote financiële vergoeding nog wel. Ze wist niet dat je terug was, zie je, niet tot ik het haar vertelde en je aanwees. Ze smeekte me om niets tegen je te zeggen, maar ja, je weet hoe ik ben. Hoe dan ook, ik dacht dat je wel wilde weten dat je vrouw bereid is zich voor mij te hoereren omdat ze geld nodig heeft. Ik vermoed dat ze nogal wat uitgegeven heeft toen je weg was. Ik betwijfel of je het je wel kan veroorloven om op deze heugelijke dag een huwelijksgeschenk voor de keizer te kopen.' Hij toonde een ontspannen, valse grijns en liep weg op het moment dat een lang gehuil van genot gecombineerd met een uiterst mannelijke brul van triomf uit de bruidskamer klonk.

'Hij liegt,' zei Sabinus, die Vespasianus nog steeds stevig vasthield; beiden negeerden de climax van de huwelijksvoltrekking. 'Flavia zou zoiets nooit doen.'

154

Vespasianus verzette zich nog enkele ogenblikken voor hij de futiliteit ervan besefte: hij kon Corvinus in dit gezelschap niets aandoen. 'Ik zal hem krijgen en dit keer krijg ik hem echt.'

'Waarom heb je hem niet gewoon laten executeren in de nasleep van Messalina's val?'

'Ik dacht dat het pijnlijker voor hem was als hij besefte dat hij in mijn ogen dood was en niets voor me betekende, maar dat werkt alleen bij een man van eer. De volgende keer speel ik geen domme spelletjes meer.'

Een luid gejuich kondigde de entree van de bruidegom aan, naakt en klaar met de arbeid; hij stompte herhaaldelijk met zijn vuist in de lucht en zijn metgezellen namen het ritme over en klapten in de maat. Achter hem gaf Poppaea Sabina leiding aan de vrouwen die het bloederige laken toonden, dat bewees dat het maagdenvlies van de bruid wonderbaarlijk genoeg intact was geweest. Dat was aanleiding voor meer blijdschap en het plengen van vreugdetranen op deze gezegende dag.

Overweldigd door de ontvangst en de viering van het nieuws dat het huwelijk geconsummeerd was, moest Doryphorus moeite doen om te bedaren voor de laatste aankondiging van het programma. 'De openbare feesten zullen de rest van de dag doorgaan, maar lieve gasten, mijn vrouw en ik nodigen jullie allemaal uit voor ons huwelijksbanket morgen, waar we met alle plezier jullie geschenken in ontvangst zullen nemen. Tot die tijd hebben we het druk.' Met een obsceen gebaar met zijn vuist draaide hij zich om en liep terug naar zijn vrouw, waarna de gasten begonnen te vertrekken.

Sabinus zuchtte, hij wreef over zijn achterhoofd en sloot zijn ogen. 'Huwelijksgeschenken? Ik hoorde iemand er al over praten, maar ik had niet gedacht dat we echt met iets moesten komen, want het is toch geen echt huwelijk?'

'Nero vindt van wel en dat is het enige wat telt. En bovendien, hij moet de kosten van deze uitspatting op de een of andere manier dekken, en wie kunnen er nu beter voor opdraaien dan alle aanwezigen hier?'

'Seneca en Piso worden steeds aantrekkelijker.'

'Daar moet je zelfs geen grappen over maken, Sabinus.'

'Wie zegt dat ik een grap maak? Ik zie je hier morgen met wat ik aan geld los kan krijgen bij de bank van de gebroeders Cloelius, ze zullen het wel druk krijgen vandaag.' Sabinus knikte kort en liep weg.

Met financiële zorgen aan zijn hoofd bleef Vespasianus wachten op zijn vrouw, die met neergeslagen ogen door de uitdunnende menigte naar hem toe liep.

'Dat heb ik niet gezegd, Vespasianus.' Flavia sprak nadrukkelijk.

'In ieder geval praat je weer tegen me.'

'Wat kan ik anders als ik me moet verdedigen tegen zulke laster-praat?' Ze keek hem nog steeds niet aan, ze hield haar blik gericht op het plaveisel van het Forum Romanum, dat ze overstaken. 'Wat gister-avond is gebeurd is al erg genoeg, de dingen die wij, de eerbaarste vrouwen van Rome, gedwongen werden te doen! Waar is onze waar-digheid nu? Om die vernedering in het openbaar te moeten doorma-ken, zodat mijn eigen echtgenoot de schande die ik ondervond kon zien, is al onverdraaglijk. Vandaag hoorde ik dat zeker een twaalftal dames zich van het leven heeft beroofd, en met Corvinus…' Ze spuugde op een weinig damesachtige manier op de grond. 'En als Corvinus loopt te liegen over wat ik tegen hem heb gezegd toen hij me misbruikte, krijg ik de neiging om de eer ook maar aan mezelf te houden.'

'Nee, Flavia, denk aan Domitianus.'

'Domitianus! Domitianus zou de eerste paar maanden niet eens mer-ken dat ik dood was. En daarna alleen maar omdat het hem opvalt dat er minder tegen hem geschreeuwd wordt.'

Vespasianus legde zijn hand op haar arm, maar Flavia schudde die meteen weg. 'Flavia, ik geef je de schuld niet van wat je gisteren gedwon-gen werd te doen, en ik wil niet dat het tussen ons in komt te staan.'

'Maar dat is het nou net, idioot! Het hóórt tussen ons in te staan, je hoort waanzinnig jaloers te zijn en allerlei vormen van wraak te zwe-ren. Je hoort mijn eer te verdedigen, en dan zeg je alleen maar dat het geen invloed op onze relatie zal hebben. Ik ben gisteren verkracht, Vespasianus, verkracht! Herhaaldelijk! Ik ben zelfs verkracht op een manier waarop ik nog nooit ben genomen, begrijp je? Op een manier die ik zelfs met mijn eigen echtgenoot nog nooit heb ervaren, en jij zegt dat het niet tussen ons zal komen? Hoe kun je? Ik ben de moeder van je kinderen, maar jij reageert alsof een van onze slaven de pech heeft gehad 's nachts te worden overvallen. En als dat zo was zou je waarschijnlijk compensatie eisen van de schuldige wegens beschadi-ging van je eigendom.'

'Flavia, alsjeblieft, niet in het openbaar.' Vespasianus probeerde haar te kalmeren terwijl ze steeds scheller begon te praten. Met zijn handen gaf hij aan dat ze het volume moest dempen. Ze waren inmiddels bij het Forum van Caesar aangekomen.

'In het openbaar! Nadat ik met half Rome tot seksuele relaties in het openbaar ben gedwongen maak jij je zorgen over wat lawaai in het openbaar? Ik eis dat je publiekelijk je boosheid laat zien, je jaloezie, je verontwaardiging, wat dan ook. Maar vertel me nooit dat mijn kwelling er niet toe doet en niet van invloed op ons is, want ik vertel je, echtgenoot, zoals ik me nu voel zal ik me nooit meer laten aanraken door een man, en hoe is dat dan van invloed op onze relatie, hè? Of ga je gewoon nog vaker naar Caenis, zoals je gisteravond deed terwijl ik urenlang lag te huilen en me maar bleef wassen?'

'Flavia, het spijt me echt heel erg wat er gebeurd is, echt waar. En natuurlijk voelde ik woede toen ik je met Corvinus zag; ik was woedend op Nero omdat hij het heeft bevolen en op Corvinus omdat hij er gebruik van heeft gemaakt en ik zweer dat ik wraak op hem zal nemen. Ik zal hem vermoorden.'

'Wie?'

'Corvinus natuurlijk.'

'En hoe zit het met...'

Vespasianus wist nog net zijn hand over Flavia's mond te leggen voordat ze de naam van de keizer kon zeggen. 'Stil, mens. Je vergeet jezelf.' Hij liet zijn stem tot een fluistering dalen. 'Wat wil je dat ik doe? Wat kan wie dan ook doen? We hebben allemaal hetzelfde probleem, maar wie kunnen we vertrouwen? Nou? Wie is er te vertrouwen? Ik wil Nero overleven en dat betekent voorzichtig zijn. Er is een samenzwering gaande, maar ik ga er absoluut niet aan meedoen, zelfs niet na wat jou is overkomen. Ik moet wachten en jij moet me vergeven dat ik dat doe.'

Voor het eerst keek Flavia haar echtgenoot direct aan. 'Hoe lang?'

'Tot de hele wereld hem kwijt wil en de legioenen tot actie overgaan.'

'Met andere woorden, nooit.'

'Nee, Flavia, het gaat snel gebeuren, maar nu nog niet.'

Flavia gaf een langzaam en bedroefd knikje van begrip en liep de Quirinaal op. 'Jullie zijn allemaal lafaards.'

Vespasianus volgde haar. 'Misschien wel, Flavia, ik kan er geen excuses voor aanvoeren.'

'Je bent niet beter dan Corvinus.'

'Ik vertel in ieder geval geen leugens over jou, zoals hij doet met zijn bewering dat je alles doet voor geld.'

'In dat opzicht heeft hij bijna gelijk, al heb ik nooit aangeboden om mezelf te prostitueren, niet aan hem en niet aan iemand anders. Maar ik ben wanhopig op zoek naar geld, al weet ik niet hoe Corvinus dat heeft ontdekt.'

'Wat bedoel je, Flavia? Waarom ben je zo dringend op zoek naar geld?'

Flavia bleef staan en wendde zich naar Vespasianus. 'Omdat we het nodig hebben.'

'Je hebt het uitgegeven, nietwaar?'

'Ik niet, echtgenoot, in ieder geval niet ik alleen. Als ik het gewoon had uitgegeven was het niet zo'n probleem geweest.'

'Wie dan?'

'Niet wie, maar waarom.'

'Waarom?'

'Chantage, Vespasianus, chantage. Ik laat het je thuis zien.'

'Hier.' Flavia zette in het tablinum een houten doosje op de schrijftafel voor Vespasianus neer. Het was niet groter dan de palm van zijn hand. 'Maak maar open.'

Vespasianus gehoorzaamde, zijn adem stokte. 'Decianus!' Hij haalde een zwarte parel uit het doosje. 'Wanneer heb je dit gekregen?'

'Iets meer dan een maand geleden. Er zat een briefje bij, maar dat was anoniem, maar jij schijnt te weten wie verantwoordelijk is.'

'Catus Decianus, neem ik aan, ik vertel je later over hem. Wat stond er in het briefje?'

'Er stond in dat je bij terugkeer uit Afrika onmiddellijk ernstige, levensbedreigende problemen met de keizer zult hebben. De enige mogelijkheid om jezelf uit die moeilijkheden te redden was door vierhonderdzestig zwarte parels van de schrijver te kopen, zodat je ze bij de twintig die je hebt gestolen en de twintig die je van de schrijver hebt afgeperst kunt voegen, waarna je alle vijfhonderd parels aan de keizer kunt teruggeven als hij ze opeist. Heb jij veertig parels gestolen of afgeperst, Vespasianus?'

Hij kon een bitter lachje niet inhouden. 'Veertig parels! Maar dat is niets, Decianus heeft er vierhonderdzestig gestolen en ik wist van niets. Zo heeft hij zijn bewakers natuurlijk omgekocht en een boot buiten het seizoen weten te huren, ik had het kunnen weten. Hoeveel wil hij voor die parels?'

'Twee miljoen sestertiën voor de resterende vierhonderdnegenenvijftig, we mogen deze houden als teken van goede wil.'

'Heel aardig van hem. Twee miljoen, dat is twee keer zoveel als ze waard zijn. Die klootzak denkt dat ik hem een premie van honderd procent ga betalen om ze terug te krijgen. Als ik dat deed zou hij niet alleen een hoop geld aan de transactie overhouden, maar is hij ook verlost van het probleem hoe hij ze moet verkopen zonder dat iemand uit de kring rond Nero het merkt.' Vespasianus gooide de parel op het bureau. 'Ik doe het niet.'

Flavia keek hem aan, haar ogen wijd open van verbazing. 'Maar je moet het doen.'

'Waarom?'

'Nou, om je eigen veiligheid natuurlijk.'

Vespasianus pakte de parel weer op en wreef er met zijn duim over, de glans bewonderend. 'Ik heb ze niet nodig, ik kan Nero ook direct twee miljoen betalen als hij me niet wil geloven als ik zweer dat ik ze allemaal aan Nayram heb gegeven.'

'Ik zegt dit, echtgenoot: dat kun je niet doen, we hebben het geld niet.'

'Omdat je het uitgegeven hebt?'

'Nee, Vespasianus, omdat ik de twee miljoen al betaald heb.'

'Wat? Hoe? Je hebt geen toegang tot zoveel geld.'

Flavia keek berouwvol, de handen wringend. 'Ik... ik heb een bankwissel op jouw naam vervalst, het is me gelukt met een oud zegel van je vader. Ik heb de gebroeders Cloelius verteld dat je me de wissel uit Afrika hebt gestuurd en dat hij daarom een beetje beschadigd was. Ze geloofden me en gaven het geld, en dat heb ik vervolgens overhandigd aan een vrijgelatene van de afperser. Ik was wanhopig, Vespasianus. Het feit dat de afperser me een parel had gestuurd die zoveel waard was overtuigde me ervan dat het wel waar moest zijn, en als je bij terugkomst de rest van de parels niet aan Nero zou kunnen geven had je heel goed geëxecuteerd kunnen worden. En dan zouden al je bezittingen in beslag worden genomen en wat zou er dan van mij worden? Ik zou berooid zijn, ik heb het heel wat vrouwen zien overkomen en het is niet iets wat fijn is om te aanschouwen, laat staan dat het jezelf overkomt.'

'Waarom heb je niet gewacht tot ik terug was?'

'Omdat de afperser, Decianus zei je, in het briefje schreef dat Nero je bij terugkeer direct bij zich zou roepen.'

'Maar gelukkig was hij druk bezig met het banket en zijn huwelijk.' Vespasianus slaakte een zucht van ergernis, zijn uitdrukking nog gespannener dan gewoonlijk. 'En waar zijn ze nu, Flavia? Je zei dat je betaald had.'

'Dat heb ik gedaan. Decianus schreef opnieuw, hij zei dat er een vrijgelatene langs zou komen met de parels en dat die ze voor het geld zou ruilen.'

Een blik op Flavia vertelde Vespasianus dat het nieuws niet goed zou zijn. 'En je overhandigde hem het geld, maar hij gaf je de parels niet.'

'Nee, hij gaf me de parels en vertrok met het geld, het was allemaal in orde. En toen heb ik ze hier verstopt, in je studeerkamer.'

Vespasianus keek naar de vloer aan de voet van de boekenkast, waar een geheim vak zat dat hij gebruikte om waardevolle zaken op te bergen. 'En wat is nou het probleem?'

'Het probleem is dat toen ik ze de volgende dag wilde pakken om ze bij de gebroeders Cloelius in bewaring te geven ze weg waren.'

HOOFDSTUK IX

'Daar zit hij volgens Tigrans jongens,' vertelde Magnus Vespasianus terwijl ze langs een groot huis liepen vlak bij de top van de Aventijn, niet ver van de woning van Sabinus en die van Vespasianus' dochter Domitilla en haar echtgenoot Cerialis. 'Het heeft even geduurd om hem op te sporen, want hij schijnt maar zelden buiten te komen. Marcus Urbicus, de optio uit Afrika, zag hem uiteindelijk een paar dagen geleden op de Campus Martius, toen hij uit de nieuwe Thermen van Nero kwam, maar hij raakte hem kwijt toen hij de Aventijn begon te beklimmen. De jongens hebben hem pas vanochtend weer gevonden.'

'Urbicus?'

'Ja, hoe hadden we hem anders kunnen vinden? Urbicus en zijn makker Lupus weten hoe Decianus eruitziet en dus heb ik ze aan Tigran voorgesteld. Zolang ze hier zijn om tegen de supheten te getuigen zijn ze lid van de broederschap.'

'Mooi, ik ben erg dankbaar,' zei Vespasianus, starend naar de deur van het vermeende huis van Decianus in Rome. 'Nu moeten we uitzoeken hoe we naar binnen komen en waar hij waardevolle spullen bewaart, aangenomen natuurlijk dat de parels inderdaad hier zijn.'

Magnus wees met een knikje een stel gevaarlijk ogende mannen aan die in de schaduw in een zijstraatje tegenover het huis rondhingen. 'Tigran is er al mee bezig, hij laat het huis dag en nacht observeren om de gewoonten van de bewoners te leren kennen. Als we die eenmaal weten, hoeven we alleen nog te kijken welk lid van het huishouden ons het meest waarschijnlijk de informatie wil geven die we nodig hebben, uit angst of uit financiële motieven.'

'Hoe lang duurt dat? We zijn al meer dan een halve maan verder.'

161

'Ze werken zo snel als ze kunnen.'

Vespasianus maakte zijn ongeduld met een grom kenbaar. Het was inderdaad meer dan een halve maan geleden dat Flavia hem over de parels had verteld en het was nu de idus van juli. Nero was momenteel financieel tevreden, nadat hij bij zijn huwelijksbanket een fortuin aan geschenken had ontvangen, en was bovendien naar zijn villa langs de kust bij Antium vertrokken om te ontsnappen aan de drukkende hitte van Rome. Hij was er vooral druk met zijn nieuwe echtgenoot, af en toe van rol wisselend om ook van de charmes van zijn vrouw te genieten. Maar Vespasianus voelde zich toch ongemakkelijk, want hij wist heel goed dat het geluk dat Nero's aandacht elders lag niet kon duren. Als het weer omsloeg of als hij verzadigd was van de aandacht van zijn diverse echtelieden zou Nero terugkeren en dan werd de zaak van de parels weer actueel. Voordat het zover was wilde Vespasianus de parels in zijn bezit hebben en moest, indien mogelijk, de huidige bezitter dood zijn. Hij was niet in de stemming voor compromissen, zelfs als hij had gedacht dat Decianus een redelijk man was, maar het voortdurende verraad van Decianus had hem ver voorbij dat punt gebracht. Zijn stemming was er ook niet beter op geworden toen hij zich gedwongen had gezien om zijn laatste geldreserves als huwelijksgeschenk aan Nero te overhandigen, zodat hij geruïneerd was als hij niet snel een geldbron kon aanboren.

Vespasianus en Magnus liepen verder de heuvel omhoog, richting het huis van Sabinus. De middaghitte was bijna ondraaglijk. Vespasianus keek omlaag naar het aquaduct van Appia, dat bij de Aventijn eindigde, en zag dat er nog maar een klein stroompje in liep. 'Als het zo doorgaat zal het watertekort snel nog groter worden en dat zal tot rellen leiden. Als dit gedoe achter de rug is ga ik de stad uit en blijf een tijdje op mijn landgoederen. Als je zin hebt moet je ook maar komen, Magnus. Je kunt Caitlín meenemen. Je zult wel nieuwsgierig zijn hoe het met Castor en Pollux gaat, want je hebt ze al een hele poos niet meer gezien. Ik heb Flavia en Domitianus alvast naar Aquae Cutillae gestuurd, ik denk dat ik daar eerst naartoe ga en dan later met Caenis een tijdje in Cosa ga zitten.'

'Ik zou de honden graag weer eens zien. Ja, daar heb ik wel zin in, ik heb nog nooit zo'n hitte in de stad meegemaakt.' Magnus veegde over zijn voorhoofd, alsof hij zijn woorden wilde benadrukken. Opeens bleef Vespasianus staan. 'Wat is er?'

Vespasianus wees naar een huis twee woningen voorbij dat van Decianus. 'Dat huis.'

'Wat is daarmee?'

'Dat is van Corvinus, hij woont vlak bij Sabinus op de Aventijn. Hij had ook de Aventijnse broederschappen ingehuurd om me te vermoorden toen ik Narcissus in je taveerne ontmoette.'

'De avond waarop mijn taveerne uitbrandde en ik mijn positie als patronus van de Zuid-Quirinaal moest opgeven, dat herinner ik me nog goed, of niet zo goed, als u begrijpt wat ik bedoel.'

Vespasianus liep weer verder. 'Dat kan verklaren hoe Corvinus wist dat Flavia geld nodig had. Hij en Decianus zijn buren en ik kan me voorstellen dat die twee af en toe een laaghartig onderonsje hebben. Ik vraag me af wat ze van plan zijn. Als Tigran het uitverkoren lid van Decianus' huishouden ondervraagt, moet hij ook proberen iets uit te vinden over diens relatie met Corvinus.'

'Ik zal het doorgeven en ik zal de jongens die op de uitkijk staan zeggen dat ze het me moeten laten weten als ze de twee bij elkaar zien, en dat ze ze moeten volgen om te kijken waar ze heen gaan.'

Vespasianus sloeg Magnus op de schouder en grijnsde naar zijn vriend. 'Dat is een goed idee, het doet me deugd dat je ondanks je flink gevorderde jaren nog steeds helder kunt nadenken.'

Magnus wendde een beledigd gezicht voor, wat niet helemaal slaagde, omdat zijn valse oog een eigen wil had. 'Nu houdt u me weer voor de gek. Zoals ik altijd zeg: er zit nog genoeg energie in me om te vechten en te neuken, alleen niet op dezelfde dag.'

'Ik weet zeker dat je gelijk hebt, beste vriend, laten we voor Caitlín hopen dat je eerder ophoudt met het eerste dan het tweede.'

'Nee, Vespasianus, ik doe het niet.' Sabinus was beslist.

'Sabinus, het is niet voor lang,' hield Vespasianus aan. 'Alleen tot ik de muilezels van dit jaar kan verkopen en misschien wat inkomsten krijg uit de import en fok van kamelen waarmee Hormus in Afrika bezig is.'

'Nee, Vespasianus.'

'Maar mijn rentmeester zei dat we dit jaar meer veulens hebben dan ooit en met de zich voortslepende operaties in Britannia en de noodzaak om alle dieren die je schoonzoon in Armenia heeft verloren aan te vullen is de prijs hoog. Aan het einde van het jaar heb ik ruim voldoende geld om je terug te betalen.'

'Nee, Vespasianus.'

'Maar waarom niet? Je verdient fortuinen als prefect van Rome.'

'Ik zal je vertellen waarom niet, gierige kleine rat. Vanwege al het gelul dat je over me hebt uitgestort toen ik een lening had gesloten bij je oude vriend Paetus, weet je nog? Je zei dat niemand ooit een lening moest nemen en je vroeg me hoe ik 's nachts nog kon slapen en daarna kon je er niet over ophouden toen je ontdekte dat ik niet had terug-betaald nadat Paetus gedood was. Al die afkeuring waar je de hele tijd maar mee bleef komen was behoorlijk vervelend en na dat allemaal te hebben doorstaan wil ik mijn kleine broertje tegen hetzelfde bescher-men. Dus voor je eigen bestwil, Vespasianus, ik ga je niet drie miljoen sestertiën lenen.'

'Draai nou niet alles om, Sabinus, je doet het alleen uit wrok.'

'Nee, ik doe het omdat je echt zelf gezegd hebt dat niemand ooit een lening zou moeten nemen en ik hou je daaraan.'

'Maar ik heb contanten nodig om de landerijen draaiende te houden tot de veulens verkocht zijn, je weet hoe duur dat is. De rentmeester heeft geschreven dat hij dringend geld nodig heeft, en bovendien, als ik de parels niet terugkrijg en Nero eist de twee miljoen op en ik kan ze niet direct op tafel leggen? Wat dan?'

'Dan zit je in een heel vervelende situatie.'

Vespasianus keek zijn broer aan, niet in staat te geloven wat hij hoorde. 'Na alles wat ik voor je heb gedaan – je leven redden toen je deelgenoot was van de moord op Caligula, je bevrijden toen je zo onvoorzichtig was om je door druïden gevangen te laten nemen – wil je me niet eens het geld geven waarmee ik mijn leven kan redden.'

'Dat heb ik nooit gezegd.'

Vespasianus was enkele ogenblikken sprakeloos, fronsend, zijn mond ging open en toen weer dicht. 'Wat zei je net?'

'Dat ik je niet het geld zal onthouden waarmee je je leven zou kunnen redden en dat ik je ook niet het geld zal onthouden dat je nodig hebt om de landerijen draaiende te houden tot de muilezels verkocht zijn.'

'Maar je hebt me net botweg een lening geweigerd.'

'Natuurlijk geef ik je geen lening, je haat leningen.'

Vespasianus liet zich in verwarring op een bank vallen. 'Wat dan?'

164

'We stellen een juridisch document op waarmee ik je een hypotheek verstrek op een van je landerijen – het kan me niet schelen welke – voor drie of zelfs vier miljoen, wat je wilt, en dan krijg je het geld.'

'Maar we zijn broers.'

'Daarom verleen ik je deze gunst. Maar het is niet een gratis lening, zoals je gehoopt had, na al die zelfgenoegzame onzin waarmee je me overlaadde. Akkoord?'

Vespasianus slikte zijn boosheid door, beseffend dat zijn broer zeer zeker een punt had: hij had zich bemoeid met de lening die Sabinus had genomen na een aanbod van Paetus, en hij had gedreigd de jongere Paetus, inmiddels Sabinus' schoonzoon, over de lening te vertellen toen hij begrepen had dat Sabinus hem niet had terugbetaald. 'Het spijt me, Sabinus. Terugkijkend besef ik hoe hypocriet ik was.'

'Dat was je zeker. Goed, stem je in met mijn voorwaarden?'

'Ja, broer, ik heb het geld nodig.'

'En op dat moment, Vespasianus, had ik het nodig.'

Vespasianus liep doelgericht achter zijn huismeester het atrium van zijn huis binnen, waar hij Magnus aantrof, in gezelschap van een man van in de zestig met een oosters uiterlijk met een blauwig getinte baard, een geborduurde broek en een tuniek met lange mouwen die tot over zijn knieën viel. Ze stonden bij het impluvium, waar de fontein zielig in druppelde. Het waterpeil stond laag vanwege de toenemende water-schaarste. Achter hen, wachtend in de vestibule, bevond zich een man van middelbare leeftijd, die op het eerste gezicht en van die afstand even betrouwbaar leek als een Griekse slavenhandelaar.

'Dat is Drakon,' zei Magnus met gedempte stem, terwijl hij op de man wees. 'Hij is een vrijgelatene van Decianus, maar helaas lijkt hij enkele grieven te hebben, althans, dat is wat hij Tigran verzekerd heeft.'

'Hij benadrukte dat punt voortdurend,' bevestigde de oosterling.

'Is dat zo, Tigran? Drakon, zei je?' vroeg Vespasianus om zeker te zijn dat hij het goed had gehoord. De naam van de man leek hem goed ge-kozen, want hij leek erg op een glibberig reptiel. 'Hoe hebben jullie hem gevonden?'

'Hij had opdracht van zijn meester de parels te verkopen als u niet op de chantage van Decianus zou ingaan, senator, zo zijn we in hem geïn-teresseerd geraakt.'

Vespasianus' belangstelling was gewekt. 'Ga verder.'

Tigran keek naar Magnus, die het verhaal overnam. 'Nou, het zit zo: ik dacht dat Decianus weleens bezig kon zijn om de parels aan een derde partij te verkopen voor het geval u zich niet zou laten afpersen, tenslotte vormen ze zijn enige kapitaal, want hij heeft verder niets uit Garama meegenomen.'

'Zover we weten.'

'Ja, nou, hij had alleen die stoffen tas bij zich die hij als zadeldek op zijn muildier gebruikte en waarin de parels moeten hebben gezeten, dus het is aannemelijk dat er niets anders van waarde in zat. Hij huurt dat huis, en zoals u weet is een huis bij de top van de Aventijn niet goedkoop en dan moet hij ook nog zijn huishouden onderhouden. Hij is al het geld dat hij in Britannia heeft gestolen kwijt en al had hij misschien nog iets in Rome, toch was het waarschijnlijk dat hij zo snel mogelijk de vierhonderdnegenenvijftig parels wilde verkopen als u zou weigeren om te betalen, want hij bezit niets anders. Dus mogelijk waren er al onderhandelingen bezig omdat hij snel geld nodig heeft.'

Vespasianus glimlachte om het snelle denkwerk van zijn vriend. 'En degene die namens Decianus onderhandelt moet wel weten waar de parels zijn.'

'Precies. En dus heb ik dat tegen Tigran gezegd.'

'Ik ken bijna iedereen in de stad die in een dergelijke aankoop geïnteresseerd zou kunnen zijn,' zei Tigran, 'en daarom heb ik de mannen die het huis observeerden opdracht gegeven de leden van het huishouden te volgen en me te waarschuwen als een van hen een handelaar benaderde, en zo kwamen we bij Drakon. We hoefden hem daarna alleen maar naar mij te laten komen, wat eenvoudig was, want het is geen geheim in de onderwereld dat de broederschappen altijd belangstelling hebben voor dat soort aankopen.'

'Het duurde vervolgens niet lang voor we zijn haat tegen zijn meester opmerkten,' bevestigde Magnus, 'en nu weet u de rest. We moeten hem alleen nog overhalen ons de juiste informatie te geven.'

Vespasianus was tevreden. 'Dat gaan we doen. Ik sta bij jullie in het krijt, uiteraard volgt er een flinke beloning voor jullie diensten als ik eenmaal uit dit wespennest ben. Laat hem komen.' Hij wendde zich tot zijn huismeester. 'Ik ontvang de heren in het tablinum, Cleon. Laat gekoelde wijn serveren.'

'Ja, meester,' zei Cleon en hij boog zijn hoofd, terwijl Vespasianus zich omdraaide.

'Hij heeft me vaak promotie beloofd, maar is dat nooit nagekomen,' zei Drakon in antwoord op Vespasianus' vraag. 'Hij heeft financiële steun beloofd zodat ik een bordeel kon opzetten, en bovendien zou hij me aanbevelen bij de lokale magistraten van de Aventijn zodat ik een vergunning zou krijgen en de zaak soepel afgehandeld kan worden, maar het waren loze beloften. In plaats daarvan moet ik voortdurend achter hem aan lopen en huishoudelijke klusjes uitvoeren waar alleen hij van profiteert en waardoor ik een man zonder waarde lijk.'

'Tja, dat is vreselijk,' zei Vespasianus, die zijn wijnbeker tussen zijn handen liet rollen en meende dat er niet veel voor nodig was om Drakon een waardeloze figuur te laten lijken. 'En hoe lang heb je hem gediend?'

'Ik was vanaf jonge leeftijd zijn slaaf, ik moet rond de acht jaar zijn geweest toen ik in zijn huishouden kwam. Hij heeft me zeven jaar geleden vrijgelaten, nadat ik vijfentwintig jaar zijn slaaf was geweest. Zeven jaar geleden!' Drakons zure gezicht kreeg een verontwaardigde uitdrukking over het onrecht dat hem was aangedaan. Zijn ogen, die Vespasianus niet recht durfden aan te kijken, verraadden de hardheid van iemand die weinig in het leven heeft gekregen en vastbesloten is dat het moet veranderen. 'Zeven jaar lang ben ik niet veel beter dan een slaaf behandeld. Zeven jaar!'

'Zeven jaar? Dat is erg,' fleemde Vespasianus met sympathiserende stem, terwijl hij zijn hoofd schudde en grote ogen van ongeloof opzette. 'Hoe ondankbaar kan een meester voor zijn vrijgelatene en beschermeling zijn? Heb je ooit zoiets gehoord, Magnus?'

'Niet dat ik weet, heer. Ik ben sprakeloos, absoluut sprakeloos. Sprakeloos! Alleen al de gedachte aan zulk onrecht maakt me woedend op een man die zo weinig respect heeft voor degenen die hem dienen. Zoals u merkt ben ik sprakeloos, ik weet niet wat ik moet zeggen. De wreedheid ervan.'

Licht fronsend om de melodramatische reactie van Magnus onderbrak Vespasianus hem. 'Goed, Drakon, je bent dus naar Tigran gekomen voor advies?'

Drakons ogen schoten door de kamer terwijl hij over de vraag nadacht en die onderzocht op valkuilen, maar hij vond niets. 'Hij nodigde me uit om te komen praten over een andere zaak, onlangs ben ik bezig geweest met de verkoop van bepaalde eigendommen van mijn meester en Tigran had daarover gehoord en suggereerde dat we misschien samen zaken zouden kunnen doen.'

Tigran knikte het hoofd instemmend. 'Drakons ontevredenheid kwam in de loop van onze onderhandelingen toevallig naar voren en dus stelde ik voor dat hij zijn grieven aan u zou vertellen, senator.'

'Toen ik dat hoorde ben ik maar al te graag gekomen, zeker ook omdat uw broer stadsprefect is en u een proconsul met aanzienlijke invloed bent.' Drakon leunde naar voren en sprak op vertrouwelijke toon. 'De zaken waar ik het over had zijn parels, zwarte parels; de parels die uw vrouw van Decianus heeft gekocht en die vervolgens uit uw studeerkamer zijn gestolen.'

'Door jou?' vroeg Vespasianus, die zijn neiging om de man te wurgen onderdrukte.

'Door kennissen van mij op bevel van Decianus. Ik had geen keus en ik heb er grote spijt van.'

'En hoe wisten deze "kennissen" waar ze moesten kijken?'

'Daarmee zou ik iemands vertrouwen schenden.'

Vespasianus wist zich er net van te weerhouden om Drakon te vragen of hij altijd zo gevoelig was als het ging om het verraden van vertrouwen. 'Ik begrijp het, er is dus een verrader in mijn huishouden.'

Drakon bevestigde noch ontkende het.

Tigran verbrak het zwijgen. 'Ik zag onmiddellijk dat er hier een wederzijds belang is, senator. Het lijkt perfect, want ik ken u als een man met een groot gevoel voor rechtvaardigheid en we zijn het er denk ik allemaal over eens dat een man met een dergelijk gevoel voor rechtvaardigheid precies is wat er in deze situatie nodig is.'

'Zeker, Tigran,' stemde Vespasianus ernstig in en hij zette zijn beker op het bureau. 'In deze situatie is gevoel voor rechtvaardigheid nodig en het zou me groot genoegen doen als ik op de een of andere manier iets kan doen om dit onrecht dat je is aangedaan recht te zetten en tegelijkertijd mezelf te wreken.'

'Als u dat zou willen doen, senator,' zei Drakon, die geen ironie in de stem van Vespasianus had gehoord, omdat die volledig afwezig was geweest, 'dan zal ik u trouw dienen als uw beschermeling.'

Tot iemand je betaalt om me te verraden, jij slang, dacht Vespasianus, terwijl hij glimlachte. 'Het is me een eer. Wat zou je willen dat ik doe om te helpen?'

Drakon had geen gebrek aan ideeën.

'We kunnen hem uiteraard niet vertrouwen,' zei Vespasianus nadat Cleon Drakon had uitgelaten, 'maar kunnen we geloven wat hij net verteld heeft?'

'Dat hij ons vertelt waar Decianus de parels in zijn huis heeft verborgen als u Sabinus overhaalt hem de juiste vergunning te geven om een bordeel te beginnen? Dat betwijfel ik zeer,' zei Tigran, die zijn beker bijschonk.

'Dat denk ik ook.'

'Hij weet natuurlijk heel goed dat als wij inbreken en de parels stelen, Decianus wel snapt waar de informatie vandaan kwam als hij en Decianus de enigen zijn die de bergplaats van de parels kennen. En dus kan Drakon ze net zo goed zelf stelen, want Decianus komt hoe dan ook achter hem aan om hem te vermoorden.'

'Er moeten toch ook slaven in het huishouden zijn die gezien hebben dat Decianus of Drakon de parels pakte?'

'Dat is heel goed mogelijk, maar het hoeft niet zo te zijn. Ik geloof niet dat Drakon dom is en dus zal hij er niet op gokken dat iemand anders de verstopplek kent en dus zal hij ons de echte niet verklappen.'

Vespasianus kon er geen speld tussen krijgen. 'Ja, het ging ook te makkelijk, hij heeft alleen nog maar de onderhandelingen met ons geopend. Maar goed, hij heeft in ieder geval bevestigd dat ze in het huis zijn, ergens; als ze bij een van de banken in bewaring waren gegeven had hij dat gezegd, want het is beter om de waarheid te vertellen als je je positie daarmee niet verzwakt. Blijven de vragen: hoe zetten we Drakon onder druk om de juiste informatie te geven? En wanneer halen jullie de parels terug? Lukt het voor Nero naar de stad terugkeert voor de drie dagen van wagenrennen waarmee de Spelen voor de Zegevierende Caesar aan het einde van de maand worden afgesloten?'

Magnus twijfelde niet. 'Zo snel mogelijk, we gaan vannacht naar binnen.'

'Vannacht?'

'Ja, Sabinus' huis is vlakbij, we gebruiken het als uitvalsbasis.'

'Maar waarom vannacht? Ik weet dat het snel moet gebeuren, maar zo snel?'

'Dat is logisch, toch? Vandaag is het drie dagen na de idus van juli, het is een zwarte dag.'

'En?' Vespasianus wist heel goed dat het de verjaardag was van Romes nederlaag tegen de Galliërs, zo'n vierhonderdvijftig jaar eerder.

'Kijk, vandaag gebeurt er niets, want dat zou maar ongeluk brengen.'

'En brengt het dan geen ongeluk om in Decianus' huis in te breken en de parels te stelen op zo'n dag?'

'Dat is wat iedereen aanneemt natuurlijk. Maar in werkelijkheid is het een van de beste dagen om zoiets te doen, omdat iedereen zo denkt. De mensen kunnen niet wachten tot de dag voorbij is en wat doen ze dus? Wat doet iedereen op een zwarte dag?'

Vespasianus haalde zijn schouders op. 'Vroeg naar bed gaan?'

'Precies, en in deze tijd van het jaar, als de nachturen half zo lang zijn als de daguren, valt het de mensen niet moeilijk om naar bed te gaan zodra het donker wordt. Niemand geeft late etentjes of dat soort dingen, ze liggen allemaal in bed met hun favoriete slaaf of misschien zelfs wel met hun vrouw.'

Vespasianus zag de logica. 'Je bedoelt dat het heel onwaarschijnlijk is dat er niemand aanwezig is?'

'Nee, dat bedoel ik niet, ik zeg dat we een grotere kans hebben om ongezien naar binnen te gaan, de parels te stelen en er weer vandoor te gaan. En bovendien komt de Hondsster vanavond een paar uur voor zonsopgang op, en voor mij is dat altijd een geluksnacht.'

'Allemaal goed en wel, maar we weten nog niet waar de parels zijn.'

'Daar zou ik me maar geen zorgen over maken, die informatie hebben we binnen een uur. Drakon zal de Aventijn niet bereiken, in feite denk ik dat Sextus hem precies op dit moment heel beleefd naar Tigrans taveerne begeleidt.'

'Jullie hadden hem daar meteen naartoe moeten brengen.'

Tigran schudde zijn vinger. 'Nee, nee, we hadden gehoopt dat hij wat meegaander zou zijn als hij eerst hier kwam, want wat als hij de waarheid niet verteld heeft voor zijn dood?'

'Dood?'

'Natuurlijk, dan denkt Decianus dat zijn vrijgelatene er met de parels vandoor is en zal hij niet beseffen dat u ze terug hebt.'

Vespasianus wreef in zijn handen en klapte er een keer mee, grijnzend. 'Dat is een schitterend idee. Maar vraag hem wie de verrader in mijn huishouden is voordat jullie de slang afmaken.'

Er was nog steeds geen teken dat de hittegolf op zijn einde liep toen Vespasianus en Magnus terugliepen naar de Aventijn. Ze staken het Forum Romanum over, gingen rond de Palatijn en langs de tempel van Vesta, waar activiteit heerste.

'Wat doen ze op een dag als deze?' vroeg Magnus zich af toen hij de zes priesteressen naar buiten zag komen. Domitia droeg een lantaarn, aangestoken met Romes heilige vuur. De vlam was tegen de wind afgeschermd met dunne stroken hoorn die warm in het licht opgloeiden.

'Belangrijker nog, wat doet hij daar? Hij was met Nero mee naar Antium,' zei Vespasianus toen Domitia de lantaarn overhandigde aan Nero's vrijgelatene Epaphroditus.

'Misschien wil hij Nero's haardvuur aansteken voor zijn aanstaande terugkeer.'

'Dat zou hij een slaaf opdragen, hij vindt zichzelf veel te belangrijk om zoiets zelf te doen.'

Magnus spuwde en omklemde zijn duim met zijn andere vingers om het boze oog af te weren. 'Het lijkt hoe dan ook vreemd om dat op een zwarte dag te doen, een haardvuur weer aansteken, daar kan niets goeds uit voortkomen, Hondsster of niet.'

Vespasianus vond troost in die gedachte, als Epaphroditus dat tenminste echt aan het doen was, maar hij betwijfelde het. Hij verdrong de gedachte en ze liepen verder langs de in de zon bakkende massa van het Circus Maximus. De grote houten poorten aan de lange zijde waren vanwege de zwartheid van de dag dicht, net als de meeste winkels in de buurt. Toen ze verder liepen langs de lange zijde, waar nog altijd drukte heerste, met mensen die door elkaar krioelden, werd het duidelijk dat sommige winkeliers meer oog voor winst dan voor bijgeloof hadden en van het gebrek aan concurrentie gebruikmaakten om hun winsten op te schroeven. De geur van vers brood die uit een bakkerij aan het einde van het enorme bouwwerk kwam, bleek onweerstaanbaar voor Magnus.

'In deze was ik nog nooit geweest,' zei Magnus toen hij met zijn aankoop naar buiten kwam. Hij brak het brood doormidden en scheurde een van de voorgevormde segmenten af. 'Hij is kennelijk nieuw, gisteren pas geopend, en daarom wilden ze vandaag niet dicht blijven, dat vertelde de slaaf die me bediende.' Hij nam een hap van het brood, kauwde even en fronste toen, terwijl ze om het ronde, zuidelijke uiteinde van het Circus liepen. De straat was hier smal vanwege de vele dicht op elkaar gebouwde huurkazernes en ze moesten zich een weg banen door een groep jongetjes die gladiatortje speelden, terwijl hun zusjes en nichtjes gillend tikkertje deden. 'Oei, degene die verantwoordelijk is voor die bakkerij heeft nog een hoop te leren, dat is behoorlijk taai vanbinnen.'

Maar het was niet de kwaliteitsstandaard van de lokale bakkers waar Vespasianus aan dacht toen ze de Aventijn beklommen met de zon voor hen, zakkend naar de westelijke horizon. 'Zorg dat geen van je jongens Sabinus laat weten wat jullie vannacht gaan doen. Jullie zijn hier alleen om me naar huis te escorteren als Sabinus dit contract heeft gelezen, goed?' Hij haalde het hypotheekcontract uit zijn toga tevoorschijn om zijn woorden te onderstrepen. 'Hij gaat het uiteraard niet vandaag tekenen, maar morgen, als hij ermee akkoord is.'

'Maak u geen zorgen, de jongens weten wanneer ze hun mond moeten houden. Met wat geluk zijn ze hier kort na het vallen van de avond. Ik kan me niet voorstellen dat Tigran veel tijd nodig heeft om wat hij wil weten uit Drakon te krijgen, hij kan mensen heel goed tot een babbeltje verleiden, als u begrijpt wat ik bedoel.'

Vespasianus hoorde de opmerking maar half, zijn gedachten waren bezig met de eerloze daden waartoe hij zich schijnbaar voortdurend gedwongen zag. Ze liepen tussen de sombere massa huurkazernes en onder het aquaduct van Appia door, dat de grens vormde tussen de overbevolkte ellende van de benedenhelling van de Aventijn en de weelderige villa's rond de top. Eenmaal in de minder dichtbevolkte wijk op de heuvel gekomen hield Vespasianus halt en draaide zich om. Hij keek uit over Rome en de keizerlijke paleizen op de Palatijn aan de andere kant van het Circus Maximus, met de prachtige marmeren zuilen van de tempel van Apollo daarachter en de nieuwe tempel van Claudia Augusta ernaast. Zijn blik dwaalde verder naar de Esquilijn verderop, bebouwd met villa's en de vredige Tuinen van Maecenas helemaal bovenop. Daar rees in het midden de drie verdiepingen tellende toren op die Caligula had gebouwd zodat hij over zijn stad kon uitkijken als hij in de tuinen verbleef, die aan Augustus waren geschonken door zijn vriend en sluwe adviseur Maecenas. Het rumoer van mensen in de huurhuizen beneden vormde een groot contrast met die keizerlijke oase van rust.

Vespasianus liet zijn ogen vervolgens naar het noordoosten gaan, naar de Capitolijn, locatie van de tempel van Jupiter, het hart van Rome, die gloeide in de laatste zonnestralen. Erachter lagen de thermen, theaters, tempels en andere publieke gebouwen van de Campus Martius, met naar het oosten de Tuinen van Lucullus en die van Salustius en in het westen en noorden het lint van de Tiber. En in de verte zag hij het kegelvormige dak van het mausoleum van Augustus, de man die beweerde een stad van baksteen te hebben aangetroffen en er een van marmer te hebben nagelaten.

Vespasianus herinnerde zich de eerste keer dat hij naar de meesteres van de wereld had gekeken, achtendertig jaar terug, een leven geleden. Hij was toen aan de andere kant van de stad, op de Via Salaria, en kwam voor het eerst naar Rome, samen met zijn ouders en broer. De schaal was overdonderend geweest, de stad strekte zich uit over de zeven heuvels, met erboven een deken van bruine rook afkomstig van de tienduizenden vuren die de bewoners verwarmden en voedden. Op dat moment legde hij de gelofte af dat hij Rome zijn hele leven zou dienen.

Vespasianus moest glimlachen om zijn jeugdige naïviteit. Toen had hij Rome als een nobele zaak beschouwd, maar inmiddels had hij genoeg gezien om te weten dat er niets nobels zat in de ambitie die mannen dreef om Rome te dienen. Nee, de motieven waren niet het pure ideaal van het dienen van de staat voor het algemeen belang, zoals hij toen gedacht had, toen hij over de stad uitkeek met zijn vader naast hem. Het ging om heel andere motieven: macht en positie, en die waren afhankelijk van de gunst van één man, de keizer. En nu gedroeg die keizer, Nero, zich op een manier die een Romein van hoge geboorte niet betaamde: hij zong in het openbaar en was zelf geen enkele keer met zijn legioenen op campagne geweest – zelfs zijn oom Caligula had enige ervaring op het slagveld, een ervaring waarop ook zijn kreupele voorganger Claudius zich kon beroemen, in beperkte mate. Op dit moment was Nero waarschijnlijk óf bezig zich vol te stoppen met eten en drank óf zich te vullen met zijn nieuwe echtgenoot. Zou hij, Vespasianus, ooit in publieke dienst van Rome zijn getreden als hij had geweten hoe diep de stad zou zinken?

Het was een vraag die hij zichzelf vele keren had gesteld en hij had altijd het alternatief voor ogen als hij erover nadacht: zou hij tevreden zijn geweest als hij op zijn landgoederen was gebleven, waar – zoals zijn broer het ooit geformuleerd had – je alleen onderscheid tussen de jaren kon maken door naar de kwaliteit van de jaargangen wijn te kijken? Hij wist dat een dergelijk leven niets voor hem was, ook al was een rustig leven als herenboer alles wat hij had verlangd voor hij Rome voor zich had zien liggen. Maar nu niet meer, hij kon zich niet voorstellen dat hij die saaiheid aankon, bovendien kon hij zich elk moment terugtrekken op het land als hij dat wilde. En dus ging hij verder op de ingeslagen weg: hij zou toestemming geven voor een inbraak om de spullen terug te halen die van hem waren gestolen, met behulp van informatie van een net vermoorde man. En waarom deed hij dit, zich wentelen in oneer? Om meer kans te hebben om het bewind van Nero te overleven. Niet voor een beter Rome, maar alleen voor zichzelf. En het verbaasde hem niet, hij was in het verleden tenslotte dieper gezonken: de moord op Poppaeus, die hem altijd maar leek te achtervolgen, zijn betrokkenheid bij de moedermoord door Nero en vele andere daden waar hij bepaald niet trots op was. Maar ze hadden hem steeds geholpen zijn leven veilig te stellen en ervoor gezorgd dat hij zich omhoog kon werken in de beerput die het Rome van de caesars was. Tot dusverre dan, hield Vespasianus zich voor, nu nog wel.

Kon het leven van de elite beter worden onder een nieuw bewind? Erger dan het nu was kon in ieder geval nauwelijks, dat was wel zeker. En dus, terwijl de zon in het westen zakte en het grootste deel van de stad in schaduwen werd ondergedompeld, vroeg Vespasianus zich af wat er nodig was om Rome te zuiveren van de ellende die de stad plaagde. Terwijl hij zo stond te peinzen viel zijn oog op de praetoriaanse kazerne aan de andere kant van de stad, pal voor de Porta Viminalis. Daar lag de sleutel tot alles, daar lag de macht die de minst krijgshaftige en meest verwijfde van alle mannen op de troon hield. De man die een groot artistiek talent voorwendde en deed alsof dat even belangrijk was als militaire kundigheid of verlicht leiderschap en die zelfs niet voldeed aan de standaard die hij zichzelf had gesteld, zo beperkt waren zijn vermogens.

174

De schaduwen werden steeds langer, kaarsen en lampen werden aangestoken. De stad veranderde met een zee van lichtpuntjes in een miniversie van de kosmos. Zo lag Rome erbij op de avond van de derde dag na de idus van juli, een van de zwartste dagen op de kalender, kurkdroog na bijna twee maanden zonder regen, waardoor er in het aquaduct van Appia beneden nog maar een miezerig stroompje sijpelde.

'Is het geen prachtige stad?' mompelde Vespasianus bij de aanblik. 'De grootste stad op aarde, maar in de greep van de grootste middelmatigheid die de wereld ooit heeft gezien.'

'Bestaat er een grootste middelmatigheid?' vroeg Magnus oprecht geïnteresseerd.

Vespasianus lachte. 'Ik denk het niet, maar je begrijpt wat ik bedoel.' Hij draaide zich om en liep verder de heuvel op terwijl de zon onderging in de stad waarvan hij hield.

Toen Vespasianus en Magnus Sabinus' huis naderden, kwam het nieuws waarop ze gewacht hadden in de vorm van Sextus, die in gezelschap van Marcus Urbicus en Lupus met een stel ladders kwam aanlopen.

'En, Sextus?' vroeg Magnus.

Sextus kneep zijn ogen dicht, worstelend om het zich te herinneren; het duurde even, maar toen kwam het. 'Onder de lelies in de vijver in het midden van de binnentuin, Magnus.'

'Goed gedaan, Sextus, zei hij nog waar precies?'

'Ja, Magnus.' Weer was hij even stil om na te denken. 'De hoek het dichtste bij het Forum Boarium.'

Magnus sloeg de beer van een kerel op de schouder. 'Geweldig, Sextus, ga nu met de jongens naar het huis en hou het in de gaten, en zorg dat jullie niet gezien worden, want we willen niet dat iemand vraagt waar die ladders voor zijn, nietwaar?'

'Ja, Magnus.'

'Sextus,' zei Vespasianus toen de broeder zich omdraaide om te gaan, 'heeft Tigran nog antwoord gegeven op de vraag die hij van me aan Drakon moest stellen?'

'O, het spijt me, senator, dat was ik vergeten met alles wat ik moest onthouden. Hier.' Hij trok een wastablet uit zijn riem en gaf het Vespasianus.

Vespasianus keek ernaar maar kon in het schemerlicht niets lezen, hij stak het in een plooi van zijn toga. 'Ik kijk er wel naar als we bij Sabinus zijn.'

'Hoe haal je het in je hoofd om het contract op een zwarte dag te brengen, Vespasianus?' zei Sabinus nadat Vespasianus het excuus voor zijn bezoek had verteld.

'En ik vind het ook fijn om jou te zien, Sabinus. Natuurlijk verwacht ik niet dat je het vandaag tekent, maar ik dacht dat je er alvast naar kunt kijken, zodat je het morgen kunt tekenen, want ik zit dringend om het geld verlegen.'

Sabinus bromde met tegenzin een instemming. 'Ik stond op het punt om naar bed te gaan, maar als je wilt zal ik er bij een kan wijn naar kijken. Magnus?'

'Eh… nee, dank u, Sabinus, ik heb nog een zaakje af te handelen nu ik toch in de buurt ben. Ik kom met een paar van de jongens terug als ik klaar ben om Vespasianus naar huis te escorteren.'

'Wat kom je hier echt doen, Vespasianus?' vroeg Sabinus terwijl hij het contract op zijn schrijftafel in het tablinum legde. 'Het is gewoon een standaardcontract waar niets aan toegevoegd hoeft te worden voordat het getekend wordt en dat weet je heel goed.'

'Hmmm?' Vespasianus scheurde zijn ogen los van de naam die in de was stond geschreven en waar hij met een knoop in zijn maag naar had gestaard.

Sabinus herhaalde zijn vraag.

'Het is zoals ik gezegd heb.' Vespasianus' keel was droog en hij kon nauwelijks praten, zo groot was de schok van het verraad.

'Onzin, broer. Je komt hier met een smoesje aanwaaien en Magnus heeft toevallig iets te doen in de buurt? Denk je dat ik dom ben? En je zit naar dat wastablet te staren alsof het je doodsvonnis is, dus dat heb je overduidelijk net gekregen en dus moet je iemand op weg hiernaartoe ontmoet hebben, mensen van Magnus naar ik vermoed.'

Vespasianus keek weer naar de naam op het wastablet. 'Ik wil er niet over praten, Sabinus.'

'Zoals je wilt.' Sabinus schonk hun beiden een beker wijn in en schoof er een naar Vespasianus toe. Hij bekeek zijn broer een moment aandachtig voor hij van onderwerp veranderde. 'Ik wil je wel vertellen dat

176

ik sinds Nero's laatste huwelijk een aantal erg vreemde vragen heb gekregen.'

'Wat voor soort vragen?'

'Tja, je weet wel, geniet ik van mijn positie als prefect van Rome? Halve suggesties over verdere promoties, toespelingen op betere tijden in de toekomst als ik dat zou willen, dat soort dingen.'

'Laat je niet in met Piso en Seneca, dat heb ik je al gezegd.'

'Ze komen niet van Piso of Seneca, en ook niet van Lucanus wat dat betreft; het zijn anderen: Scaevinus, een van de praetores van dit jaar, de graanhandelaar Antonius Natalis en senator Afranius Quintianus, om er een paar te noemen, en allemaal staan ze in verbinding met Piso. Scaevinus bijvoorbeeld deelde een bank met hem bij het banket op het bassin. Het probleem is dat alles op dit moment vaag is, maar als het zo doorgaat dwingen ze me in een situatie waarin het lijkt alsof ik ze steun als ik ze niet bij Nero aangeef, en als iemand anders ze bij de keizer aangeeft en hij ontdekt dat ze met mij hebben gepraat, dan is mijn leven even weinig waard als het hunne.'

'Zorg dat je nooit alleen met deze mensen bent en zorg er zeker voor dat je niet weet wat hun uiteindelijke bedoeling is.'

'Van Nero af komen natuurlijk.'

'Natuurlijk, maar wat ik bedoel is dat je moet zorgen dat je niet weet door wie ze hem willen vervangen.'

'Dat is nou juist het punt, ik vermoed dat ze me polsen of ik dat wil zijn. Misschien denken ze dat Piso niet geschikt is, maar ik krijg de indruk dat ze bereid zijn mij de troon aan te bieden.'

'Aan jou!'

'Als prefect van Rome ben ik kennelijk een van de voor de hand liggende keuzes, en Piso is niet meer dan een senator uit een erg goede familie.'

Vespasianus zag de logica ervan, en ook het grote gevaar. 'Laat je niet verleiden, Sabinus.'

'Ik heb geen troepen die mijn positie kunnen beschermen en ook niet het geld om ze te kopen, dus kom ik uiteraard niet in de verleiding.'

'Mooi.'

'Waarom? Omdat je de hoofdprijs voor jezelf wilt?'

'Doe niet zo dom.'

'Kom op, Vespasianus, we weten allebei waar ik het over heb.'

'Is dat zo? Je hebt me de aard van de voorspelling nooit verteld.'

'Maar ik heb er een paar keer op gezinspeeld en je weet dat…' Sabinus zweeg en snuffelde. 'Patroculus!'

De slaaf die buiten het vertrek wachtte kwam binnen.

'Rookt het haardvuur?'

Patroculus ging snel kijken en kwam terug. 'Nee, meester.'

'Maar er brandt iets, ik ruik het. Ga overal in huis kijken.'

Met een buiging vertrok de slaaf. Op dat moment brak er rumoer los in het atrium.

Sabinus stond geschrokken op en tegelijkertijd kwam Magnus de kamer binnengestormd.

'Wat is er aan de hand, Magnus?' vroeg Vespasianus, die ook opstond. 'Waren er problemen?'

'Dat kunt u wel zeggen, de jongens waren binnen en toen was het alsof iemand met een stok in een mierennest had gepeurd. Ze wisten net op tijd te ontsnappen, maar helaas met lege handen.'

'Waarom?'

'U kunt maar beter komen kijken. Ik vermoed dat u een drukke nacht voor u hebt, Sabinus. Het Circus Maximus staat in brand.'

178

HOOFDSTUK X

'Het hele zuideinde staat in brand,' riep Sabinus met ongeloof in zijn stem.

'En het lijkt al te zijn overgeslagen naar twee huurkazernes ernaast,' zei Vespasianus, denkend aan de kinderen die juist op die plek hadden gespeeld toen hij er iets meer dan een uur geleden langs was gekomen. Hij hoopte dat ze veilig waren.

'Het verspreidt zich razendsnel,' vertelde Magnus, 'het was nog maar half zo groot toen we het voor het eerst vanuit Decianus' huis zagen.'

Sabinus keek vragend naar Magnus, maar hij was te veel met zijn plicht bezig om erop in te gaan. 'Ik kan er maar beter naartoe gaan om de leiding te nemen.'

Vespasianus volgde zijn broer zo snel mogelijk de heuvel af. Hoe verder ze kwamen, hoe voller de straten waren met angstige mensen op de vlucht voor de vuurzee, die met uitslaande vlammen en opstijgende rook inmiddels de hele wijk in zijn greep had. Troepen kijklustigen uit omringende buurten belemmerden eveneens hun voortgang. Hun huizen werden nog niet bedreigd en ze hadden geen idee van het naderende gevaar.

'Ga naar huis!' schreeuwde Sabinus naar de toeschouwers, terwijl Magnus, Sextus en de twee andere broeders van de Zuid-Quirinaal een pad door de menigte vrij maakten bij gebrek aan lictoren, die Sabinus eerder die dag vrij had gegeven. 'Ga weg, de vigiles moeten erdoor kunnen om te voorkomen dat het vuur zich verder verspreidt. Jullie huis kan het volgende zijn.' De gezaghebbende stem van de stadsprefect, herkenbaar aan zijn toga met purperen biezen, bracht menigeen terug tot de werkelijkheid: hun bezit was in gevaar. De nieuwsgierigen be-

179

gonnen zich met toenemende haast te verspreiden, met stijgende angst op hun gezicht bij de gedachte alles kwijt te kunnen raken.

Vespasianus en Sabinus worstelden zich voorwaarts, met Magnus en de jongens die hun best deden om ruimte voor hen te maken in de vloedgolf van mensen in paniek. De bewoners droegen of sleepten hun bezittingen, hadden zuigelingen op hun arm en kinderen aan de hand, ze haastten zich om weg te komen van de hitte afkomstig van wat ooit hun huizen waren. Vespasianus keek omhoog en zag in de huurkazerne naast de twee die al in brand stonden plotseling de vlammen uitslaan, van raam naar raam springend, alsof iemand ze aanstak. De bewoners renden naar buiten, ze hadden zich tot het laatste moment vastgeklampt aan de hoop dat hun uitgewoonde krot wonderbaarlijk gespaard zou blijven, maar dat gebeurde niet. Het gebouw stond zo snel in lichterlaaie dat Vespasianus zich even afvroeg of er geen sprake was van brandstichting, maar dergelijke gedachten verdwenen weer even snel, want tegenover de schaal van de brand stond een opvallend gebrek aan inspanning om die te blussen. De hele ronde korte zijde van het Circus werd door vlammen verslonden, die uit de stenen zelf leken te komen in plaats van uit de dikke houten balken waarop het stadion was gebouwd. Tegenover het vuur stonden twee armzalige handpompen waarvan de stralen onregelmatig waren en niet hoger dan zeven passen kwamen. Daarnaast waren er nog vier ketens van een twintigtal vigiles die emmers doorgaven met water uit een nabijgelegen cisterne.

'Waar is de rest van je mannen?' schreeuwde Sabinus naar de centurio van de vigiles, die toezicht hield op de povere pogingen om de vlammen te doven.

'Onderweg, prefect, hoop ik,' antwoordde de man, die Sabinus direct herkend had.

'Hoop je? Waarom duurt het zo lang?'

'Verwarring, prefect, orders en tegenorders toen we de kazerne verlieten. Sommigen kregen te horen dat ze terug moesten om als reserve te wachten.'

'Reserve? Reserve waarvoor? Reserve voor als de hele stad in de brand staat omdat we eerst halfhartig hebben geprobeerd de brand te blussen?'

'Ik weet het niet, ik weet alleen dat het me dom leek en daarom ben ik toch met mijn centurie gekomen.'

'Je bedoelt dat je hier bent omdat je orders hebt genegeerd?'

De man gaf een nerveus knikje. 'Ja, prefect.'

'En wiens orders heb je genegeerd?'

'Nymphidius Sabinus, prefect.'

'De prefect van de vigiles zelf heeft je bevolen om de brand niet te blussen?'

'Eh… ja, prefect, dat is het zo'n beetje.'

'Er moet een vergissing zijn gemaakt.'

'Dat dacht ik ook en daarom ben ik toch gegaan.'

Sabinus deinsde terug toen een volgend deel van het Circus vlam vatte en er enorme vuurtongen oplaaiden, waardoor de vigiles hun menselijke ketens opgaven, omdat de temperaturen ondraaglijk werden, letterlijk verschroeiend.

'Het is te laat om de brand nog te bestrijden,' zei Vespasianus, die naar achteren stapte en een arm ophief, alsof hij zo de hitte kon afweren. 'Ook als alle vigiles van de plaatselijke cohort en van de omringende er waren, was het nog onmogelijk.'

'Je hebt gelijk, alles is kurkdroog door de hittegolf,' stemde Sabinus in. 'We moeten het vuur beperken.' Hij keek weer naar de centurio. 'Weten we waar de brand begonnen is?'

'In de bakkerij net om de hoek.'

Vespasianus wist meteen welke bedoeld werd. 'Die net gisteren is opengegaan?'

'Dat is 'm, hoe wist u dat?'

'Doet er niet toe.'

Ook Sabinus was niet geïnteresseerd in dat detail. 'Laat je mannen brandgangen maken, centurio, breek alle gebouwen op het pad van de brand af, te beginnen met dat daar.' Hij wees naar een huurkazerne van vier verdiepingen die naast een andere stond waar net rook uit begon te komen. 'Breek daarna het huis ernaast af en werk verder, ik wil niet dat het vuur zich over de Aventijn verspreidt.' Hij verzweeg dat zijn villa vlak bij de top lag en dat dat zijn belangrijkste reden voor het bevel was. 'Begin meteen, ik zorg dat er zo snel mogelijk zo veel mogelijk cohorten vigiles komen, en alle drie de stadscohorten.'

De centurio salueerde, duidelijk blij dat hij orders had die hij kon opvolgen. 'Ja, prefect.'

'En als er meer mannen komen, laat dan een deel het Circus nat houden om te voorkomen dat de brand zich daar verspreidt.'

'Dat zal moeilijk worden, prefect.'

'Moeilijk! Natuurlijk is het moeilijk, man, maar doe het toch.'

'Ja, prefect, maar het wordt erg moeilijk zonder water.'

'Hij heeft gelijk,' zei Vespasianus. 'Op weg hiernaartoe viel het me al op dat er nauwelijks water door het aquaduct stroomt.'

Sabinus sloeg met zijn vuist in zijn hand. 'Kloteweer! Hoe zit het met de cisternen en watervaten, centurio?'

'Allemaal bijna leeg, we hebben het laatste beetje gebruikt.'

'Dan moeten we het uit de Tiber halen. Ik zal alle publieke slaven aan het werk zetten en mensen dringend vragen om hun persoonlijke slaven uit te lenen, dit moet tegengehouden worden.' Hij keek omhoog naar de keizerlijke paleizen op de top van de Palatijn, ze verspreidden een gouden glans in het licht van het vuur. 'We moeten met alle macht zien te voorkomen dat het zich naar de Palatijn verspreidt, want als de paleizen in brand vliegen is mijn leven niets meer waard en kan ik net zo goed meteen in de vlammen springen. Aan de slag, centurio.' Hij wendde zich tot Vespasianus. 'Kom op, broer, we hebben werk te doen, te beginnen met een beleefd verzoek aan Nymphidius Sabinus om uit te leggen waar hij verdomme mee bezig is.'

'Hoe lang is hij al prefect van de vigiles?' vroeg Vespasianus aan Sabinus toen ze zich naar het Forum Romanum haastten. Ze voelden de warmte van de vuurzee nog in hun rug, ook al waren ze er inmiddels zeker driehonderd passen vandaan.

'Hmmm? O, hij is eind vorig jaar aangesteld, toen jij in Afrika zat, het behoeft geen betoog dat hij een vriend van Tigellinus is.'

'En hij is geen vriend van ons.'

'Wat bedoel je?'

'Herken je de naam niet? Hij was prefect van de ala hulpcavalerie die Decianus begeleidde naar Boudicca's nederzetting. Het kon hem niets schelen dat wij aan haar genade werden overgeleverd.'

'Was hij dat? Weet je het zeker?'

'Behoorlijk zeker, als ik hem zie weet ik het.'

'We hebben nu geen tijd voor persoonlijke vetes.'

'Je hebt gelijk, Sabinus, maar het is altijd goed om te weten waar je je oude vrienden kunt vinden.'

'Heel juist, broer. Als we eenmaal de brand hebben bestreden moeten we de zak maar eens het vuur aan de schenen leggen. Ik zit in een uitstekende positie om Rome een buitengewoon gevaarlijke plek te maken voor de prefect van de vigiles.'

Vespasianus keek over zijn schouder naar waar het vuur zienderogen groeide. 'Als er dan nog een Rome over is.'

'Wat bedoelt u dat hij niet voor de Senaat wil verschijnen?' brulde Sabinus. 'Ik wil hem hier hebben om uit te leggen waarom hij zijn vigiles opdracht heeft gegeven om vrijwel niets aan de brand te doen.'

'Hij zegt dat hij het te druk heeft met het bestrijden van de brand om hier te komen om erover te praten,' zei de eerste consul, Gaius Licinius Mucianus. 'Ik heb hem een boodschap gestuurd dat hij zich bij de Senaat moet melden terwijl ik me hierheen haastte, en dat was zijn antwoord.'

Er klonk een verontwaardigd gemompel op in het schemerdonker van het Senaatsgebouw, er waren zeker tweehonderd senatoren aanwezig en er kwamen er voortdurend meer door de deuren gelopen. De zuidelijke helft van het Circus was inmiddels vrijwel helemaal uitgebrand. Publieke slaven liepen rond om lampen en kaarsen aan te steken om deze onvoorziene en hoogst ongebruikelijke nachtelijke vergadering te verlichten, maar de situatie was zo dringend dat alle conventies opzij waren gezet, want alle aanwezigen wilden dat de brand werd geblust voordat het vuur hun bezittingen bereikte. Zelfs de gebruikelijke gebeden en offers waren overgeslagen.

'Hoe dan ook,' ging Mucianus verder, 'ik vind dat we de keizer moeten vragen om naar Rome te komen om persoonlijk leiding te geven aan de bestrijding van de brand.'

Er volgde een unaniem gemompel van instemming. Vespasianus deed mee, inwendig glimlachend. Hij kende Mucianus nog goed uit de tijd dat de man zijn militair tribuun was geweest in de Tweede Augusta in Germania Superior en vervolgens bij de eerste fase van de invasie in Britannia. Hij was een buitengewoon capabel militair en intelligent politicus gebleken, zoals hij nu ook liet zien: door de keizer uit te nodigen om naar Rome terug te komen en de leiding op zich te nemen zorgde hij dat Nero Mucianus niet de schuld van de ramp kon geven.

Sabinus besefte dat ook hij zo een bepaalde immuniteit kreeg. 'Ik sluit me erbij aan. Ik denk dat een gezamenlijke oproep van de eerste consul en de stadsprefect de keizer kan overtuigen van de ernst van de situatie en de noodzaak van zijn raad.' Sabinus keek naar de senatoren op de langzaam volstromende banken en vervolgde: 'Vooral omdat de prefect van de vigiles tegenstrijdige orders aan zijn mannen lijkt te geven.'

Opnieuw was er unanieme instemming want men was kennelijk al begonnen schuldigen te zoeken, ook al nam de ramp voorlopig alleen nog maar in omvang toe.

'Heel goed,' zei Mucianus, die zijn ogen over de vergadering liet gaan, 'degene die de delegatie naar de keizer leidt kan dat laten doorschemeren op een manier waardoor de keizer het begrijpt zonder dat we iemand rechtstreeks beschuldigen.' Zijn blik bleef op Vespasianus rusten. 'De leider van de delegatie moet de rang van proconsul hebben. Ik nomineer mijn voormalige commandant in de Tweede Augusta, een man met de overwinningsornamenten, een gouverneur die onlangs uit Afrika is teruggekeerd, de held van de invasie van Britannia, die ook nog eens een cruciale rol speelde in het neerslaan van de opstand in die provincie enkele jaren geleden: Titus Flavius Vespasianus. Met hem hebben we een man die de waardigheid van de Senaat in volle glorie vertegenwoordigt, waarmee we de keizer tonen hoezeer we hem eren. Wie sluit zich bij mijn voorstel aan?'

Terwijl de senatoren zich verdrongen om hun steun aan het voorstel uit te spreken, wendde Vespasianus zich geschrokken tot zijn broer. 'Nero zien is wel het laatste wat ik wil, kun je me helpen eronderuit te komen?'

Sabinus schudde zijn hoofd. 'Je kunt zo'n eervolle opdracht van de eerste consul niet weigeren, Vespasianus. Mucianus denkt je een grote dienst te bewijzen. Hij weet niets van het probleem met de parels.'

Vespasianus begreep het en had geen andere keus dan te buigen voor de wil van de Senaat, die de motie nadat die in stemming was gebracht zonder veel tegenstand aannam. 'Ik dank de Senaat voor de eer die me bewezen wordt en zal er alles aan doen om de keizer te doordringen van de ernst van de situatie, in de hoop dat hij ons te hulp komt snellen. Ik stel voor dat de delegatie verder bestaat uit mannen met de rang van *propraetor* en proconsul, een twaalftal van elk. Ik zie graag mijn oom Gaius Vespasius Pollo als lid, de rest laat ik aan u over, *patres conscripti.*

Om tijd te winnen kunnen we het beste over zee naar Antium gaan. We zullen ons bij zonsopgang bij de Campus Martius inschepen en naar Ostia varen, waar we een trireem zullen nemen.'

Er was een bries opgestoken die met toenemende kracht in zuidelijke richting begon te waaien toen Vespasianus en zijn delegatie bij de kade van de Campus Martius, naast de Brug van Agrippa, aan boord gingen van een kleine vloot rivierschepen. Het hoorde de schemering voor zonsopgang te zijn, maar de hemel gloeide met de intensiteit van vele zonsopgangen, waardoor de opkomst van de Hondsster na een afwezigheid van zeventig dagen aan de nachthemel onzichtbaar was. De vlammen laaiden hoog op en werden door de aanwakkerende wind naar het zuiden gedreven, weg van het centrum van de stad. De scheepjes voeren de Tiber op en de combinatie van de stroming, de spieren van de roeiers en de toenemende wind zorgde voor een flinke vaart. Groepen vluchtelingen dromden samen op de weinige open plekken langs beide oevers, ze zagen hun weinige aardse bezittingen in rook opgaan.

'Dit gaat heel duur worden, beste jongen,' merkte Gaius op, die zich met zijn omvangrijke lichaam schrap zette tegen de schommelingen van het vaartuig. 'Al die mensen moeten een nieuw huis krijgen als we de rust willen bewaren, want als het gepeupel wrokkig wordt, vliegen ze ons binnen de kortste keren naar de keel, zeker nu er geen plek meer is om spelen te organiseren.' Hij keek naar de brandende massa van het Circus Maximus terwijl ze langs het Tibereiland voeren en onder de Brug van Fabricius door kwamen. Achter het Circus leken de keizerlijke paleizen op de Palatijn voorlopig veilig te zijn omdat de wind de vlammen de andere kant op joeg, maar alle huurkazernes die elkaar verdrongen tussen het Circus en de Servische Muur stonden nu in lichterlaaie. De brandgangen hadden niets uitgehaald. De vlammen sloegen inmiddels over de stadsmuren heen en hielden huis in de kurkdroge sloppenwijk daarachter. Elke keer als Vespasianus keek leek het vuurfront breder te zijn geworden. De top van de Aventijn lag er nog ongeschonden bij, maar de brand vrat zich een weg rond de heuvel terwijl de wind tussen zuid en zuidwest heen en weer draaide. In de tijd die het hun kostte om de Brug van Aemilius te bereiken waren er brandende fragmenten door de wind over de Porta Lavernalis geblazen, ten zuidwesten van de Aventijn, en het gebied daarachter was inmiddels bezaaid met beginnende brandhaarden, die zich samen begonnen te voegen, ondanks de inspanningen van talloze figuurtjes die zich heen en weer haastten met emmers.

'De graanschuren zijn als volgende aan de beurt, oom,' zei Vespasianus. De zon kwam inmiddels op boven een stad die geen behoefte had aan meer licht.

Gaius veegde zijn voorhoofd af, zijn zakdoek zat vol zwarte roetvegen. 'En ze zijn nog wel vol, de Egyptische graanvloot liep vlak voor jouw terugkomst binnen. Dat is een erg kostbare zaak.'

'Belangrijker nog, als zij in brand vliegen nemen ze alles in de omgeving mee, alle pakhuizen, alles. Mensen zullen fortuinen verliezen en dat betekent… tja, chaos.'

'En chaos betekent dat Nero op zoek gaat naar nog meer geld om de problemen op te lossen, we zullen hier allemaal voor moeten betalen. Nero zal nu zeker je niet-bestaande parels willen, beste jongen.'

'Ze zijn niet niet-bestaand, oom, Decianus blijkt ze al die tijd te hebben gehad.'

'Dat is dan een geluk, beste jongen,' zei Gaius nadat Vespasianus hem het hele verhaal had verteld. 'Wat ga je eraan doen?'

'Magnus en Tigrans jongens werken aan het probleem, we weten waar ze verstopt zijn, het is enkel een kwestie van inbreken in Decianus' huis. Daar waren ze net mee bezig toen de brand uitbrak, waardoor ze snel weg moesten, zonder de parels. Magnus en de jongens zijn weer teruggegaan om het opnieuw te proberen of om ze te pakken als Decianus het huis ontvlucht als de brand de top van de Aventijn bereikt.'

'Wat zeker gaat gebeuren. Kijk.' Gaius wees naar de heuvel, net binnen de Servische Muur, die baadde in een menglicht van opkomende zon en brandende stad. De ongeschonden kroon van de Aventijn was duidelijk kleiner geworden.

'Het vuur moet heel dicht bij Decianus' huis zijn. Het huis van Sabinus is daarna snel aan de beurt, net als dat van Domitilla en Cerialis. Ik heb ze vanochtend een boodschapper gestuurd om te vertellen dat ze hun waardevolle zaken naar onze huizen moeten overbrengen, Sabinus doet hetzelfde.'

'De goden zij dank dat wij aan de andere kant van de stad wonen.'

'Waarom denkt u dat we veilig zijn op de Quirinaal?'

'De brand zal toch niet helemaal daar kunnen komen?'

'En hoe zouden we hem tegen kunnen houden? Met mannen met emmers en een paar pompen? Het ligt in de handen van de goden, oom. Als de wind naar het zuiden blijft waaien zitten we goed en krijgt alleen de Aventijn en misschien de Caelius de volle laag, maar als hij naar het oosten of zelfs het noordoosten tot het noorden draait, wat dan? Woesj.'

Gaius' wangen trilden van afschuw bij het beeld. 'Ik zie wat je bedoelt, beste jongen. Zodra we terug zijn zal ik mijn jongens voorbereidingen voor een evacuatie laten treffen.'

'Laten we hopen dat Decianus daar op dit moment mee bezig is,' zei Vespasianus, kijkend naar de brandende Aventijn. Op de voorgrond vloog de eerste graanschuur in brand en de geur van rook trok in hun kleren toen ze de stad achter zich lieten.

'De keizer kan niemand ontvangen tot hij klaar is met zijn concert,' informeerde Epaphroditus Vespasianus bij de poort van Antiums theater. Het stond naast Nero's pas gebouwde villa die zich over een breedte van achthonderd passen langs zee uitstrekte.

Vespasianus haalde diep adem in een heroïsche poging om kalm te blijven. 'Epaphroditus, Rome staat in vuur en vlam, de branden zijn niet meer in de hand te houden.'

De vrijgelatene haalde zijn schouders op. 'Ik kan er niets aan doen, hij heeft nadrukkelijke instructies gegeven dat hij niet gestoord mag worden tot hij heeft deelgenomen aan deze wedstrijd. Hij is vastbesloten hem te winnen.'

'Natuurlijk gaat hij hem winnen, de juryleden zouden niet durven om op iemand anders te stemmen. Ik moet hem nu spreken.' Hij draaide zich om en wees naar de groep senatoren, vierentwintig man sterk. 'Kijk naar de samenstelling van de delegatie: allemaal proconsuls en propraetores, zo belangrijk acht de Senaat deze zaak. De keizer moet onmiddellijk op de hoogte worden gesteld.'

'Onmogelijk, ben ik bang,' zei Epaphroditus, terwijl er vanuit het theater applaus opklonk. 'Dat was de aankondiging van de keizer, hij gaat nu beginnen. Als jullie snel zijn kunnen jullie nog naar binnen voordat hij begint. Het geeft geen pas om hier te zijn zonder zijn optreden bij te wonen, Nero zal daar niet blij mee zijn.'

'We hebben kennelijk geen keus, beste jongen,' mompelde Gaius.

'Maar hoe we de Senaat straks moeten uitleggen dat we gedwongen werden een optreden van de keizer uit te zitten terwijl Rome in brand staat, daarvan heb ik geen idee.'

'Zitten?' vroeg Epaphroditus. 'Zeker niet, we hebben geen tijd om zitplaatsen voor jullie te regelen, die zijn allemaal bezet en ik kan nu geen mensen gaan wegsturen, dat zou de keizer uit zijn concentratie halen. Ik ben bang dat jullie achteraan moeten gaan staan.' Hij wees naar de bovenste rang van het theater naar een groep mannen met hoofdtooi en een zwart-witte mantel over hun tuniek. 'Jullie kunnen je achter de joodse delegatie uit Jeruzalem persen, en nu kunnen jullie beter opschieten.'

Vespasianus kon zich niet langer inhouden. 'Zo kan de waardigheid van de Senaat niet geschonden worden, vrijgelatene! Ik sta erop dat er zitplaatsen voor ons komen, we laten ons niet achter een stel joden persen.'

'En ik sta erop dat de keizer niet wordt afgeleid. Het is voor jullie eigen bestwil, want als hij de wedstrijd niet wint is hij zeker niet in de stemming om jullie verzoek in te willigen.'

'Natuurlijk wint hij, idioot.'

'Is dat zo? Met zijn stem vermoed ik van wel, maar hij moet zich volledig concentreren en daarom moeten jullie staan.'

'Ik heb gedaan wat ik kon,' zei Nero tegen de zes juryleden die in het midden van de voorste rij zaten. 'Nu ligt het in de handen van Fortuna. Aangezien jullie mannen met oordeelsvermogen en ervaring zijn, weten jullie hoe jullie de factor toeval moeten elimineren.'

Vespasianus en zijn delegatie keken vanaf de hoogste ring van het theater met afschuw neer op het podium, waar de keizer in een tuniek zonder riem stond, zijn *lyra* gereedhoudend. En toen gebeurde het: hij speelde een akkoord – bijna welluidend – om vervolgens met een dunne, schelle stem die Vespasianus' oren nauwelijks haalde uit te barsten in een epos over de val van Troje. Een keizer die in het openbaar optrad! En hij ging maar door. Het publiek deed alsof het in vervoering was en moest middelmatig vers na middelmatig vers verdragen, zonder dat het beter werd. Achter hem glinsterde de Tyrreense Zee, met hier en daar vissersboten en koopmansschepen. De zon bereikte zijn hoogste punt en een warme bries met zoute ondertonen voerde het kalme ge-

188

luid van golven die op de kust sloegen met zich mee. De schoonheid van de omgeving stond in scherp contrast met de chaos die Vespasianus in Rome had achtergelaten. Hij vond het moeilijk om te geloven dat er echt een ramp van enorme omvang in de stad plaatsvond, tot hij in de richting van Rome keek: daar aan de horizon, vijftig mijl ver, rees rook op die over de werkelijkheid van de brand vertelde. Een werkelijkheid waarvan de keizer nog niets wist terwijl hij zich door de val van Troje worstelde; de tranen rolden over zijn wangen toen hij over de brandende torens zong. Vespasianus balde en ontspande afwisselend zijn vuisten en kookte van woede over de ironie, maar hij was net als de rest van de wereld machteloos om iets te doen tegen de jonge heerser van Rome, wiens waardigheid verschrompelde tijdens een optreden dat, o schande, in het openbaar plaatsvond, en ook nog eens zo dicht bij de zetel van zijn macht.

Niemand kon Nero iets onthouden.

De juryleden waren duidelijk dezelfde mening toegedaan en kenden de keizer de overwinningskroon toe zodra het applaus was weggestorven, dat bijna net zo lang duurde als de ode zelf. Met een nadrukkelijke houding van nederigheid en overdreven gebaren van opluchting feliciteerde en troostte Nero de andere deelnemers, waarna hij naar de delegatie van senatoren liep, die inmiddels in het orkest op hem wachtte.

'Mijn vrienden,' raspte Nero, zijn zwakke stem uitgeput van het lange optreden, 'wat een eer bewijzen jullie me door helemaal hiernaartoe te komen om mijn triomf te aanschouwen. Jullie moeten blijven, er is meer dan genoeg ruimte nu mijn villa voltooid is. Er zijn nog twee dagen met wedstrijden en ik ben van plan aan beide mee te doen. Ik zou het fijn vinden als jullie me helpen de zenuwen te verminderen die een artiest nu eenmaal voor een optreden heeft.'

'Princeps,' antwoordde Vespasianus, 'dat zouden we maar al te graag willen. Ik weet zeker dat ik voor iedereen hier spreek als ik zeg dat niets ons meer plezier zou doen nadat we net op tijd waren aangekomen om uw optreden bij te wonen, niemand van ons heeft ooit zoiets meegemaakt.'

Nero deed nadrukkelijk bescheiden. 'Jullie vleien me, ik sta erop dat jullie blijven.'

'Natuurlijk blijven we als u erop staat, princeps. Maar voordat we daarover beslissen moet ik u vertellen dat we een delegatie zijn die gestuurd is door de eerste consul en de stadsprefect om u te vragen on-middellijk naar de stad terug te keren, want uw aanwezigheid is dringend gewenst. Ik moet u helaas vertellen, princeps, dat het Circus Maximus, de Aventijn, delen van de Caelius en de graanschuren en de pakhuizen allemaal in brand staan.'

Nero keek verward. 'Wat heb ik daarmee te maken? Dat is toch de verantwoordelijkheid van de stadsprefect en de prefect van de vigiles? Bovendien kan ik nu niet komen. Ik moet aan nog meer wedstrijden meedoen.'

'Ik begrijp het, princeps, maar we hebben uw raad en leiderschap nodig om de brand te bestrijden, die verspreidt zich ongecontroleerd. En de orders die de prefect van de vigiles heeft gegeven zijn onduidelijk.'

Nero was onbekommerd. 'Mijn raad is dat jullie moeten voorkomen dat het vuur zich naar mijn bezittingen op de Palatijn en Esquilijn verspreidt, en over de rivier naar de Vaticaanse heuvel, dat is de beste raad die ik kan geven. Als dat eenmaal is gebeurd zou ik jullie willen aanraden ervoor te zorgen dat jullie eigen bezittingen niet al te veel schade oplopen. Stuur orders met die inhoud naar Rome. Epaphroditus!'

'Ja, meester,' zei de vrijgelatene met zalvende stem terwijl hij naar voren kwam en het hoofd boog.

'Maak kamers klaar voor de senatoren, ze blijven enkele dagen om mijn optredens bij te wonen.'

'Ja, meester. En wat moet ik tegen de joodse delegatie zeggen, die op een audiëntie wacht?'

Nero wuifde het idee weg. 'Zeg dat ze moeten wachten tot ik tijd heb om naar hun geklaag te luisteren. Procurator Florus had goede redenen om die twaalf priesters voor wie ze komen pleiten op te sluiten, want ze weigerden om religieuze redenen een nieuwe belasting te betalen. Ze hadden nog geluk dat hij ze niet heeft laten executeren.' Nero wendde zich weer tot Vespasianus. 'Jullie kunnen na de wedstrijden terug naar Rome, tegen die tijd is de brand vast al vanzelf uitgegaan.'

'Maar princeps,' begon Vespasianus, maar hij zweeg toen Nero zijn hand opstak.

'Ik heb besloten, senator, er is geen haast. Mijn kunst komt op de eerste plaats, ik mag de mensen van mijn geboorteplaats de kans niet onthouden om van mijn talent te genieten. Rome kan wachten tot mijn lied is gezongen.'

Het eten was voortreffelijk, de muziek zacht en subliem, de wijn delicaat en verfijnd, gekoeld met sneeuw die uit het noorden was gebracht en in de ijskelders onder de villa lag opgeslagen.

Vespasianus en de rest van de delegatie lieten nadrukkelijk zien dat ze overdadig aten en dronken, terwijl ze om Nero's grappen lachten en het feit probeerden te negeren dat hij vrouwenkleding droeg en vaker wel dan niet zijn achterwerk tegen het kruis van zijn nieuwe echtgenoot wreef, die achter hem op de bank lag. Van Poppaea Sabina was geen spoor te bekennen, maar Sporus, eveneens gekleed in stola en palla en met een extravagante pruik op, leek opmerkelijk veel op de keizerin terwijl hij Nero bediende.

'Het is bizar tot in het extreme, vind je niet, beste jongen?' fluisterde Gaius in Vespasianus' oor toen de jongen zich vooroverboog om Nero wijn bij te schenken.

'Wat, feesten terwijl Rome brandt?'

'Nee, nee, al geef ik toe dat dat op een opmerkelijk gebrek aan betrokkenheid van de keizer wijst. Nee, ik had het over de gelijkenis van die jongen met de keizerin. Verrukkelijk.'

'Ik had niet gedacht dat de keizerin uw smaak was, oom.'

'Dat spreekt vanzelf, beste jongen, maar die knaap daarentegen is volledig naar mijn smaak. Het gaat om wat er in de lendendoek zit.' Gaius scheurde met moeite zijn ogen los van de verleidelijke maar gevaarlijke schoonheid en richtte zijn aandacht op een schotel zeebanket, geserveerd met een dikke komijnsaus.

'Heb je belangstelling voor mijn slaaf, senator Pollo?' vroeg Nero.

Gaius hoestte een half opgegeten garnaal uit op het servet dat voor hem op de bank lag uitgespreid. 'Zeker niet, princeps, in ieder geval geen persoonlijke. Ik bewonderde alleen maar zijn... eh, zijn aangezicht.'

'Noem je dat zo? Ik noem het zijn kont.' Nero gaf een klap op het besproken lichaamsdeel, waardoor Sporus een gil gaf, en brak in een hese lach uit. Al snel volgden alle aanwezigen zijn voorbeeld, zelfs Gaius, die maar al te blij was dat de aandacht van zijn beschaamdheid werd afgeleid.

'Maar over begeren wat niet van jezelf is gesproken,' zei Nero, die zijn lachen eindelijk onder controle wist te krijgen. Zijn ogen gingen naar Vespasianus. 'Ik meen dat je nog steeds die parels hebt die ik je had gegeven om de burgers vrij te kopen die in het koninkrijk van de Garamanten in slavernij zaten. Is dat zo, Vespasianus?'

'Dat is zo, princeps, en ik zal ze u bij de eerste gelegenheid teruggeven. Ik ben zoals u weet nog maar net terug uit Afrika en u was zo druk met het vieren van uw vreugdevolle huwelijk en het verzamelen van roem op het podium.'

'Jaja, ik begrijp het. Breng ze me als ik terug in Rome ben.'

'Ik zal ook de twee voormalige supheten van Leptis Magna die legionairs in slavernij verkochten aan u voorgeleiden.'

'Heb je bewijs?'

'Ja, princeps, twee van de legionairs in kwestie hebben het overleefd en zijn bereid tegen hen te getuigen.'

'Waarom wil je de supheten bij mij brengen? Ze hadden al dood moeten zijn.'

'Het zijn burgers, princeps, ze beroepen zich op hun recht om door de caesar berecht te worden.'

'Adviseer ze liever beroep te doen op hun burgerrecht op zelfmoord, tenzij ze liever hebben dat ik ze tot de wilde dieren veroordeel, zoals bij een dergelijke misdaad hoort. En wat de twee legionairs betreft die slaven zijn geweest, ze zijn uit dienst ontslagen, want we kunnen niet de smet van slavernij in de rangen hebben. Breng me alleen de parels.'

'Het zal me een genoegen zijn, princeps.'

Daar leek Nero tevreden mee te zijn en hij richtte zijn aandacht weer op zijn wijn en enig energiek gewrijf tegen zijn echtgenoot.

'Was dat een wijze belofte om te maken, beste jongen?' vroeg Gaius fluisterend.

'Wat kon ik anders doen, oom?'

'Waarschijnlijk niets, je moet maar tot je beschermgod bidden dat Magnus succes heeft.'

'Ik bid tot ze allemaal.'

'Dat zal ik ook doen, beste jongen, ik zal het ook doen.'

Vespasianus' zorgen over zijn netelige situatie werden naar de achtergrond gedrongen door Epaphroditus, die binnen kwam stormen met vlak achter zich een praetoriaanse tribuun, nog stoffig van het reizen.

'Meester,' zei de vrijgelatene, 'tribuun Subrius is uit Rome gekomen met de laatste berichten, hij verzoekt om u alleen te mogen spreken.'

'Alleen? Onzin. Tribuun, zeg wat je te zeggen hebt voor alle aanwezigen. Er is niets te verbergen, we zijn er zeker van dat alles geregeld wordt.'

Subrius bracht een strakke groet. 'Ja, caesar. Ik ben gestuurd door de prefecten van de praetoriaanse garde, de eerste consul en de stadsprefect. De situatie is ernstig verslechterd sinds de delegatie vanochtend bij zonsopgang is vertrokken. De wind is naar het noordoosten gedraaid en de brand woedt nu in het hele Circus Maximus, waarvan delen aan het instorten zijn. De hele Aventijn en Caelius branden, net als het lagere deel van de Esquilijn.'

'De Palatijn?' Nero schreeuwde de vraag bijna uit.

De tribuun schraapte zijn keel. 'Nog steeds veilig, caesar, toen ik vertrok, maar...'

'Maar wat?'

'Maar van prefect Sabinus moest ik u zeggen dat de Palatijn ondanks al hun inspanningen zal branden tegen de tijd dat ik hier zou zijn. Het vuur bedreigt nu het hart van Rome, caesar, dat was zijn boodschap.'

Nero sprong overeind, zijn gezicht een studie in afschuw. 'Maar dat is onmogelijk, de Palatijn moest gespaard blijven. Ik heb bevel gegeven dat hij ten koste van alles beschermd moest worden.'

'Het is de wind, caesar, hij wakkert de vlammen aan.'

Nero keek om zich heen, zijn borst ging op en neer met nauwelijks beheerste snikken, tranen welden op. 'Mijn prachtige spullen: mijn kleren, mijn juwelen! Iedereen naar buiten! We vertrekken morgen bij het eerste licht. Ik moet mijn spullen redden.'

HOOFDSTUK XI

Het was niet zozeer de woede van de vlammen of de kracht van de wind die de vuurzee op de Aventijn aanwakkerde waardoor Vespasianus en alle anderen die de keizer begeleidden geschokt waren, maar de intensiteit van de hitte. De rivierschepen bleven dicht bij de westoever van de Tiber, maar desondanks deinsden de senatoren terug voor de felle warmte die hun gezicht schroeide. Ze waren gedwongen hun ogen dicht te knijpen en hun mond te sluiten toen ze langs de graanschuren en pakhuizen voeren, die inmiddels grotendeels verslonden waren door de vuurstorm.

Nero jammerde en verschool zich achter zijn echtgenoot, ook al was hij nu als een man gekleed. Toen de boten voorbij de Aventijn waren en het Forum Boarium naderden, keek Nero vanachter Doryphorus toe. Hij schermde zijn gezicht met een hand af en tuurde voorbij het inmiddels onherkenbare Circus Maximus naar de Palatijn, maar er was niets solides te zien. Vlam ging over in vlam, de keizerlijke paleizen waren gehuld in een heuvel van vuur die de grootste constructie van Rome verslond. De Aventijn en Palatijn brandden, en achter dit verschrikkelijke spektakel stond ook de Caelius in vuur en vlam.

De vuurstorm die over de drie zuidelijke heuvels van de stad raasde was angstaanjagend, maar tegelijk hypnotiserend en schitterend. Vespasianus staarde ernaar en kon zijn brandende ogen er niet van losscheuren. De schepen kwamen tot opluchting van iedereen bij de twee bruggen die bij het Forum Boarium de Tiber overspanden, want onder de bruggen was de hitte minder intens en kregen de ogen rust. Maar weer in de openlucht werden ze zich weer bewust van de omvang van de tragedie. Niemand sprak een woord terwijl de vloot van twintig rivierscheepjes tegen de stroom in over de Tiber roeide, iedereen keek in afschuw toe.

Maar niet alleen de aanblik wekte afgrijzen, hetzelfde gold voor de geluiden: boven het geloei van de wind, het gerommel van instortende gebouwen, het knetteren, sissen en kraken van duizenden tonnen hout die verslonden werden, was er nog een geluid, een geluid dat Vespasianus eerst niet opviel, maar al snel tot zijn bewustzijn doordrong: het gejammer van een miljoen mensen. Toen hij zich er eenmaal bewust van was, kon Vespasianus het jammeren niet meer negeren, want het leek boven alles uit te komen, zo rauw en wanhopig klonk het. En de mensen van wie het afkomstig was waren overal waar geen vuur was, op de vlucht voor de vlammen. Ze zwermden over de bruggen, ze renden over open terrein, ze persten zich door smalle stegen, ze drongen door de stadspoorten en vertrapten de zwakken, zieken en jongsten. En al die tijd schreeuwde elke man, vrouw en kind in wanhoop, want het vuur was snel, sprong van het ene gebouw naar het volgende en had het zuidelijke einde van het Forum Romanum inmiddels in zijn greep en daar, aan de voet van de Palatijn, stond de tempel van Vesta nu in lichterlaaie.

Iedereen die het zag of erover hoorde wist nu dat Rome verloren was, want als het heilige vuur doofde zou de stad zeker vallen, en waar was het vuur nu? Verslonden door de vlammen, ermee versmolten zodat zijn kracht was toegevoegd aan de vuurzee die de stad verteerde die het juist had moeten beschermen? Wie kon een vuur bestrijden dat versterkt was met de kracht van Vesta? Wat viel er nog anders te doen dan vluchten?

De hele stad huilde in wanhoop, de hele stad, met uitzondering van de keizer en de senatoren die hem begeleidden, ze konden niets anders doen dan zwijgend toekijken. En zwijgend kwamen ze bij de kade van de Campus Martius aan, waar ze de vorige ochtend waren vertrokken. Daar stond Sabinus hen op te wachten, grimmig en bedekt met as; alle tekenen van rang waren verdwenen, want hij droeg niets dan een paar sandalen en een verschroeide tuniek. De linkerkant van zijn haar was weggebrand en zijn armen en benen waren bedekt met blaren. Mucianus stond naast hem, zijn uiterlijk eveneens aangetast, beiden zagen er uitgeput uit. Ze vingen de touwen op die de bemanningen gooiden en de schepen werden tegen de kade getrokken en vastgemaakt.

'Heil, caesar,' zei Sabinus krakend, zijn stem schor van de rook en het geven van bevelen. 'Uw aanwezigheid komt als geroepen. We hebben alle vigiles, de stadscohorten en bijna de hele praetoriaanse garde aan het werk, ze breken brandgangen door en houden belangrijke gebouwen op het pad van de brand nat in de hoop dat ze geen vlam zullen vatten. Wat zijn uw bevelen, princeps?' Hij stak zijn hand uit om de keizer aan land te helpen.

Nero keek om zich heen, er flikkerde paniek in zijn ogen en hij zei niets toen hij op de kade stapte. Vespasianus volgde en hielp zijn oom om zijn massa uit het schip te hijsen, terwijl ook de andere senatoren aan land gingen. Hoewel er op de Campus Martius nog geen brand was hing er rook in de lucht. Rond de Capitolijn, rechts, hing een nevel, zodat de nog ongeschonden tempels van Jupiter en Juno slechts vaag te zien waren, ze staken schimmig af tegen de gloed van de vlammen erachter. De hele hemel boven de stad gloeide rood als Vulcanus' smidse.

'Uw bevelen, princeps?' herhaalde Sabinus.

Nero opende en sloot zijn mond enkele keren, duidelijk niet in staat iets praktisch te bedenken wat gedaan kon worden en nog niet gedaan werd. 'Ik moet persoonlijk de omvang van de brand zien, we gaan rond de stad naar mijn tuinen op de Esquilijn. Daar zal ik vanaf de toren kijken.'

Door de stromen vluchtelingen moest Nero het stuk over de Campus Martius zonder keizerlijke waardigheid afleggen. Er was geen keizerlijke draagstoel en geen tijd om er een te halen, en dus liep Nero in gezelschap van de senatoren en het twaalftal Germaanse lijfwachten dat met hem meegekomen was vanuit Antium langs zijn onderdanen, die hun handen smekend uitstaken, want ze hadden niets, geen eten, geen onderdak en geen hoop.

Nero huilde demonstratief terwijl hij liep, zodat iedereen zijn tranen kon zien. 'Jullie keizer is nu onder jullie, hij deelt jullie verdriet en ontbering. Mijn huis op de Palatijn is net als jullie huizen verwoest. Ik begrijp jullie ellende.'

'Wat gaan we met al deze mensen doen, beste jongen?' vroeg Gaius, die verbijsterd om zich heen keek naar de overweldigende aantallen, want overal waren mensen, in elke open ruimte, op elke tempeltrede, bij het theater van Pompeius, het Circus Flaminius, de baden. Er was geen plek zonder een groep verslagen mensen. De gelukkigen klampten zich aan enkele bezittingen vast, maar de meesten hadden niets, en niets bezitten in een stad die volledig uitbrandde was een ellendig vooruitzicht.

'Ik heb geen idee, oom.' Vespasianus was al even onthutst door de vluchtelingenstromen. 'Ik dacht dat er een hoop mensen in het Circus Maximus konden, maar dit zijn er veel meer.'

Sabinus wreef in zijn ogen en probeerde de bijtende rook weg te knipperen. 'Het vuur bereikte vanochtend de Subura en met alle zuidelijke wijken in brand konden de mensen alleen nog deze kant op. Ik denk dat we ons nu voor het eerst bewust worden van hoeveel mensen er wel niet in de Subura opgepropt zaten, nu we ze bij elkaar zien.'

'Ik kan niet geloven dat er zoveel mensen waren, waar wonen ze allemaal?'

'Vier of vijf mensen per kamer in huizenblokken van vier of vijf verdiepingen hoog, dat tikt flink aan,' legde Sabinus uit.

'Prefect Sabinus,' zei Nero, die stopte en zich omdraaide. 'Ik moet iets voor de mensen doen.'

'Zeker, princeps,' zei Sabinus, die zijn verrassing niet wist te verbergen.

'Ik zal mijn tuinen op de Vaticaanse heuvel openstellen, net als het circus ernaast. Laat een proclamatie met die inhoud zo snel mogelijk voorlezen.'

'Ja, princeps.'

'Dat is een ongewoon staaltje medeleven van een man die alleen voor zichzelf leeft,' mompelde Vespasianus tegen Gaius.

'Hebben we dat niet allemaal gedaan, beste jongen, hebben we dat niet allemaal gedaan, in ieder geval voor onszelf en onze familie?'

'Er is een verschil, wij moorden onze familie niet uit.'

Nero liep weer verder. 'Ik zal er een cohort praetorianen stationeren om de orde te handhaven en om te zorgen dat er geen schade wordt aangericht en dat iedereen die dat wel doet wordt verwijderd.'

Gaius grinnikte. 'Ah, zo kennen we hem weer.'

Het duurde twee uur om door de vluchtelingenstromen te komen. Ze liepen buitenom langs de Servische Muur en bereikten het punt waar de Via Nomentana zich van de Via Salaria afsplitste, de plek waar Vespasianus op de dag van zijn aankomst in Rome voor het eerst Caenis had gezien. Vanaf daar ging het makkelijker en ze liepen al snel langs het vrijwel verlaten kamp van de praetorianen en langs de Porta Viminalis, om vervolgens, na de stallen van de praetoriaanse cavalerie te zijn gepasseerd, de Porta Esquilina te bereiken. De rook van de branden op het lagere deel van de Esquilijn werd dikker en bemoeilijkte de ademhaling. Maar dat was niets vergeleken met de golf van hitte die in hun gezicht sloeg toen ze door de poort gingen en niet langer beschermd werden door de stadsmuur. Bij Vespasianus kwam hij als een klap aan en hij wankelde bijna. Nero gilde toen hij de volle laag kreeg en klemde zich aan de arm van zijn echtgenoot vast. Het gezelschap sloeg snel rechts af en liep tussen twee grote villa's door, waar de eigenaren bezig waren hun bezittingen op een groot aantal wagens te laden. Toen waren ze bij de tuinen.

De praetoriaanse centurio van dienst opende de poort toen hij de keizer zag aankomen. Ze liepen omhoog door het in terrassen aangelegde park, langs het auditorium van Maecenas en de bibliotheek naar de toren op het hoogste punt van de tuinen. Met raspende adem beklommen ze de houten trap, Nero voorop, allemaal te veel met hun gedachten bij wat ze straks te zien zouden krijgen om iets te zeggen. Toen ze eenmaal op het uitzichtplatform op een van de hoogste punten van Rome stonden benam het tafereel Vespasianus de toch al moeizame adem. Onder hen strekte zich een zee van vuur uit, veel groter dan Vespasianus gedacht had toen hij de Aventijn, Palatijn en Caelius vanaf de rivier in vlammen had gezien. Daar had het een hoog oprijzende berg van vuur geleken, indrukwekkend door de hoogte, maar zonder dat de echte omvang zichtbaar was. Hier konden ze de werkelijke schaal zien, van de graanschuren en pakhuizen langs de Tiber helemaal tot aan de benedenhelling van de Esquilijn, waar honderden figuurtjes in de rondwervelende rook aan het werk waren, bezig gebouwen te slopen om een brandgang te maken. Maar ze zagen ook hoe de vlammen, aangewakkerd door de harde wind in het inferno, over het puin schoten en zich op een bouwvallige huurkazerne stortten, waar het droge houtwerk ze verwelkomde en zich aan hun kracht overgaf. Dat was de omvang van west naar oost; en van noord naar zuid was het al niet anders. Het vuur brandde van de wijken buiten de stadsmuur tot bijna aan de Capitolijn. De Subura brandde, net als de benedenhelling van de Viminaal, terwijl het verder naar boven al smeulde.

'Alleen de Capitolijn en de Quirinaal zijn veilig,' zei Gaius met opluchting in zijn stem. 'Dat is een groot geluk voor ons, en voor Caenis.'

Vespasianus scheurde zich los van de morbide fascinatie die hem in haar greep hield op de manier waarop vlammen in de haard een mens op een winteravond kunnen fascineren, maar dan honderd keer versterkt en dan nog eens. 'Zodra we van de keizer weg kunnen moeten we zo snel mogelijk naar huis. Flavia zal zich vreselijk zorgen maken, ik had gezegd dat we gisteren terug zouden komen.' Hij keek weer uit over de stad en schudde zijn hoofd vanwege de hitte die zijn gezicht verschroeide. 'Ik had nooit kunnen denken dat een brand in het zuideinde van het Circus Maximus uiteindelijk ook de Quirinaal kon bedreigen, het lijkt bijna of het vuur een handje is geholpen.'

Gaius dacht enkele ogenblikken na. 'Wat bedoelde Nero eigenlijk toen hij zei dat de Palatijn veilig had moeten zijn en dat hij bevel had gegeven om hem ten koste van alles te beschermen?'

'Precies dat. Als leider van de delegatie moest ik bevel naar Rome sturen om alles te doen om zijn bezittingen te beschermen.'

'En heb je dat gedaan?'

'Uiteraard.'

Gaius pakte Sabinus bij de arm en trok hem naar zich toe. 'Wanneer kreeg je de boodschap van je broer dat je de Palatijn ten koste van alles moest beschermen?'

'Gisteren, tijdens wat voor de schemering moest doorgaan.'

Gaius keek weer naar Vespasianus. 'Zie je het?'

Vespasianus begreep het onmiddellijk. 'Natuurlijk, toen tribuun Subrius naar Antium vertrok met het nieuws dat de Palatijn in brand zou vliegen kon mijn boodschap nog niet in Rome zijn aangekomen en Nero wist dat.' Vespasianus wierp een geschokte blik op de keizer. 'Hij moet het dus over een eerder bevel hebben gehad, een dat hij had gegeven voordat we kwamen, voordat ik hem over de brand vertelde. En dat betekent...' Vespasianus kon zich er niet toe brengen om de implicaties hiervan uit te spreken.

'Daar lijkt het wel op.'

Vespasianus kon het niet geloven. 'Dat zou hij toch niet doen?'

'Waarom niet? Hij heeft zo'n beetje alles al gedaan.'

'Ik bedoel, waarom zou hij?'

Gaius haalde zijn schouders op. 'Dat weten alleen de goden.'

Sabinus keek heen en weer tussen zijn oom en broer. 'Beschuldigen jullie Nero er nou van dat hij dit heeft aangestoken?'

'Niet dat hij het heeft aangestoken,' antwoordde Vespasianus, nog altijd geschokt door de ernst van de misdaad die was begaan. 'Hij kon de brand niet zelf aansteken, want hij zat in Antium.'

'Maar hij kan opdracht hebben gegeven.'

'Ja, Sabinus, en we weten dat hij er heel goed toe in staat is als het hem uitkomt.' Hij sloeg met de palm van zijn hand tegen zijn voorhoofd toen hem een gedachte binnenschoot. 'Toen we op de avond van de brand op weg naar jou waren kwamen we langs Epaphroditus die van de Vestaalse maagden een vlam van het heilige vuur ontving. Toen dacht ik er verder niet over na.'

'Maar Epaphroditus was in Antium toen we de volgende middag kwamen,' zei Gaius.

'Om zijn meester te rapporteren dat de brand was aangestoken in een nieuwe bakkerij die voor dat specifieke doel was geopend, en daarom was hij ook zo kalm toen hij ons verbood Nero het nieuws te vertellen voordat die had opgetreden: hij wist dat Nero al op de hoogte van de brand was en niet van plan was er iets aan te doen, dus waarom zouden we hem storen?'

'Nymphidius was er ook bij betrokken,' zei Sabinus. 'Daarom gaf hij tegenstrijdige bevelen aan de vigiles. Jullie hebben gelijk, dit was brandstichting op grote schaal, alleen ging het mis toen ook de Palatijn in de brand vloog. Toen ik erheen ging nadat jullie gisterochtend met de delegatie waren vertrokken, trof ik daar bijna de helft van de vigiles aan, die zo veel mogelijk water over de gebouwen goten. Nymphidius was er ook, schreeuwend en schoppen uitdelend, ik wist geen verstandig woord uit hem te krijgen. Ik kon hem al helemaal niet overhalen om zijn mannen brandgangen te laten maken. En nu ik erover nadenk, Tigellinus gaf de praetoriaanse garde pas opdracht om te helpen toen de Palatijn werd bedreigd en niet eerder. Hij heeft mijn huis platgebrand en waarvoor?' Sabinus leunde naar Gaius en Vespasianus toe. 'Wat vinden jullie nu van Piso en de rest?'

Maar Nero kwam tot een besluit, zodat ze geen antwoord konden geven. 'Prefect Sabinus, verwijder iedereen uit de stad met een rang lager dan eques die niet lid is van het huishouden van een senator of eques, of lid is van de praetoriaanse garde, de stadscohorten of de vigiles. We moeten plunderingen voorkomen. Niemand mag zelfs maar de resten van zijn eigen huis doorzoeken op straffe van de dood.'

'En de brand, princeps?'

Nero wees op de figuurtjes die in de rook zwoegden. 'Laat dat over aan Nymphidius en Tigellinus, zij weten wat ze doen. Ik vestig hier mijn hoofdkwartier, zend alle verslagen hiernaartoe. Ik wil de omvang van de verwoesting weten, want we moeten plannen maken voor een nieuwe stad, een die zal verrijzen uit de as van het oude Rome; een stad die mijn grootheid waardig is, waar ik met ruimte en overal schoonheid om me heen kan leven en niet opgesloten hoef te zitten op een heuvel. De stad die ik ga bouwen zal het wonder van de wereld zijn en hij zal Neropolis heten.' Hij gooide zijn armen in de lucht alsof hij een staande ovatie verwachtte, maar de mensen om hem heen keken hem alleen maar aan, sprakeloos door het monsterlijke van de gedachte: het was ondenkbaar om de heilige naam van Rome te veranderen en dat was precies wat de keizer net had voorgesteld.

Nero keek naar de geschokte gezichten die hem aanstaarden en koos ervoor hun uitdrukking verkeerd te interpreteren. 'Ik verbluf jullie met mijn visie, ik zie het, vrienden. Laat me nu alleen zodat ik mijn plannen voor de geboorte van Neropolis kan ontwikkelen.'

'Ik dacht dat je dood was, levend verbrand!' Flavia wierp zich in Vespasianus' armen toen hij door de vestibule van zijn huis liep en het atrium betrad. 'Waar ben je geweest? Waarom heb je geen boodschap gestuurd? Ik weet niet wat ik moet doen, de brand komt steeds dichterbij en de stad is vol moordenaars en plunderaars.'

Vespasianus hield zijn vrouw vast terwijl ze tegen zijn borst snikte. Hij was opgelucht dat ze niet voor de agressieve reactie had gekozen die hij verwacht had toen hij door de deur stapte. 'Als de brand de Quirinaal bedreigt nemen we mee wat we kunnen en gaan naar Aquae Cutillae. Ik zal Cleon opdracht geven om de paard-en-wagens op het erf achter klaar te maken.'

'Dat heb ik al gedaan,' zei Flavia, haar stem gedempt door zijn toga. 'En ik heb al onze kostbaarheden ingeladen, net als je bibliotheek.'

'Mijn bibliotheek?' Vespasianus voelde een ongewone genegenheid voor zijn vrouw. 'Dat was erg lief van je, mijn schat. Dank je.'

'Domitilla en Cerialis zijn al naar hun landgoed vertrokken, ze zijn hier maar één nacht gebleven. We zijn klaar om te vertrekken, ik overwoog om al eerder te gaan omdat ik niet wist wat er met jou was gebeurd, maar er is een probleem.'

'Wat?'

'Domitianus is weer eens weg. Hij verdween kort nadat de brand uitbrak.'

Vespasianus zuchtte, het gedrag van zijn jongste zoon was altijd problematisch. 'Ik neem aan dat hij van de chaos geniet. De Quirinaal wordt nog lang niet bedreigd, we gaan voorlopig niet weg. Hij heeft voldoende tijd om weer op te duiken, al zal hij er spijt van hebben als hij dat doet.'

Flavia keek op naar Vespasianus. 'Waarom? Wat heeft hij nou weer gedaan?'

Vespasianus zweeg, onwillig om haar te vertellen wat hij wist, maar hij besloot dat ze het recht had om het te weten. 'Tigran heeft Decianus' vrijgelatene ondervraagd, degene die de transactie met de parels deed en die ook de inbraak organiseerde. Voordat hij stierf bekende hij dat degene in ons huis die hem had verteld waar ze verstopt waren onze eigen zoon was, Domitianus.'

'Waarom zou hij zoiets doen?' vroeg Flavia voor zeker de tiende keer, in haar ogen wrijvend, evenzeer vanwege de rook als om de tranen te stelpen. 'Hij is twaalf, hij weet toch wel dat loyaliteit aan de familie het belangrijkste in het leven is?'

'Liefje, blijf er nou niet over doorgaan,' zei Vespasianus scherper dan hij het bedoelde, terwijl hij in het tablinum door juridische documenten bladerde om te kijken welke hij moest redden en welke maar beter verloren konden gaan als het ergste gebeurde. 'Het feit is dat hij het gedaan heeft en ik vind het net zo vervelend als jij, maar op het ogenblik zijn er veel ergere dingen om ons zorgen over te maken dan het afschuwelijke verraad door onze jongste zoon. Hebben Domitilla en Cerialis veel weten te redden?'

'Alleen wat zij en hun huishouden konden dragen, en dat waren ze in de chaos ook nog bijna kwijtgeraakt aan rovers. De stad schijnt vol te zijn met bendes die gebruikmaken van het feit dat mensen met hun waardevolle spullen op de vlucht zijn. Cerialis heeft samen met een paar van zijn vrijgelatenen en enkele vrienden van Magnus die hen hielpen het tuig verjaagd en er een stel gedood. Wat dat betreft hadden ze geluk, maar ze moesten al hun meubilair achterlaten, dus dat is verdwenen. Domitilla was in tranen, want ze had het huis onlangs nog opnieuw ingericht en sommige meubels waren erg kostbaar, en ze had bovendien voor veel geld nieuwe fresco's in het triclinium laten schilderen.'

'Nou ja, ze zijn in ieder geval op tijd gevlucht, het meubilair is maar een kleine uitgave vergeleken met de herbouw van het huis.'

Flavia wrong haar handen en keek op naar Vespasianus. 'Hoe kunnen wij het betalen als het vuur ons bereikt?'

Vespasianus legde het document dat hij aan het doorkijken was neer. 'Het lukt ons op de een of andere manier wel. Ik moet maar nog meer uit de landerijen persen en met wat geluk levert de onderneming waar Hormus in Afrika mee bezig is het nodige op. Vlak voor ik vertrok schreef hij me dat hij honderd vrouwtjeskamelen en een tiental mannetjes in Egypte had gekocht om mee te fokken. Die moeten er nu zijn. Als de lokale bevolking ziet dat deze dieren veel geschikter zijn voor de omstandigheden in Afrika dan paarden, dan moet de zaak gaan lopen.'

'Maar dat kan nog jaren duren.'

'Wat wil je dat ik zeg, Flavia? De stad staat in brand, mensen verliezen alles. Wij hebben in ieder geval nog twee landgoederen en een zaak met toekomst in Afrika.'

Er klonk een discrete kuch bij de deur. Vespasianus keek op. 'Wat is er, Cleon?'

'Magnus is er, meester.'

'Laat hem binnen.'

Cleon boog en een moment later verscheen een bijna geheel zwarte Magnus; het dichte haar op zijn armen was weg geschroeid en zijn glazen oog was besmeurd met as. 'Ik heb goed nieuws, senator.'

Vespasianus voelde zijn hart opspringen. 'Heb je de parels?'

'Nee, nog niet, maar ik weet waar ze zijn. Decianus heeft gisteren zijn huis verlaten toen de brand zich over de hele Aventijn begon uit te breiden, maar hij zal de parels niet hebben meegenomen, want ze zijn veiliger in de vijver dan ergens anders en hij kan ze halen zodra de brand is uitgewoed.'

'Hoe weet je dat?'

'Omdat het voor de hand ligt om dat te doen, zeker met de wetteloosheid die momenteel heerst. Hier is het niet al te erg, maar op de Aventijn en de Caelius werd iedereen die er rijk uitzag en zijn bezittingen probeerde te redden aangevallen. Er waren enorme bendes actief die alles pakten wat ze wilden, niemand kon tegen ze op. Decianus is net als alle anderen beroofd. Ik zag het en hij gaf zonder met zijn ogen te knipperen een geldkist af, wat betekent dat er niet veel in zat. Dus ik denk dat we weleens meer dan alleen parels op de bodem van zijn vijver zullen vinden.'

'Je hebt gelijk, Magnus, we moeten er gewoon als eerste zijn.'

'Precies. Maar ik ben bang dat we het met zijn tweeën moeten doen, Tigran heeft al zijn jongens nodig, want de vlammen beginnen erg dicht bij allerlei bezittingen van de Zuid-Quirinale Kruispuntbroederschap te komen.'

'Waar is Decianus nu?'

'Dat weet ik niet precies, maar hij heeft in ieder geval de stad verlaten.'

'In dat geval blijf ik, wat er ook gebeurt. We wachten tot het vuur uit is en dan zorgen we dat we eerder op de Aventijn zijn dan hij.'

Er hing rook in de lucht, die sinds de intensiteit van de vlammen was verminderd bewegingsloos leek. Of de vlammen minder werden omdat de wind was gaan liggen of omgekeerd was onduidelijk en het kon ook niemand iets schelen, het was een feit dat op de avond van de derde dag de brand onder controle leek. De verwoesting was beperkt tot een gebied niet veel groter dan de vlammenzee die Vespasianus twee dagen eerder vanuit de Tuinen van Maecenas had gezien. Twee dagen waarin hij de voortgang van de brand afwisselend vanuit zijn eigen huis en dat van Caenis had geobserveerd, toekijkend hoe het vuur de Quirinaal naderde en zich van de Subura een weg omhoog vrat langs de Vicus Longus. Gelukkig wisten de vlammen niet naar de noordzijde van de Alta Semita over te slaan, waar de Granaatappelstraat lag. De gecombineerde inspanningen van de garde, de stadscohorten en de vigiles, samen ruim twintigduizend man sterk, bleken voldoende om het tij te keren. Ze hadden honderden gebouwen afgebroken zodat de brand geen voeding meer vond. Er waren weliswaar nog steeds verspreide branden, maar die waren klein en beheersbaar. Vespasianus en Magnus passeerden heel wat menselijke ketens die emmers doorgaven. In de verwoeste stad heerste intussen een valse schemering.

Vespasianus kon zich alleen maar verbazen over hoe compleet de verwoesting in sommige wijken was: de grond lag bezaaid met geblakerd, smeulend metselwerk, alsof er een zware aardbeving had plaatsgevonden. Van het Circus Maximus was niets over, want alle balken die de enorme massa hadden gedragen waren verteerd door de vlammen en het gebouw bestond nu enkel nog uit puin dat de vorm van een stadion volgde.

De brand had het Forum Romanum niet weten over te steken. Het Senaatsgebouw en de Basilica Aemilia ernaast waren beide veilig, net als het Tabularium en alle gebouwen erachter op de Capitolijn, plus de hele Quirinaal. Vespasianus had tot zijn grote opluchting gezien dat het gevaar voor zijn huis was geweken.

De Aventijn was een woestenij van grillige vormen, verkoold en gehuld in een deken van rook en stoom. Hopen gloeiende as straalden nog veel hitte uit en droegen bij aan de dampen, terwijl de verkoolde lijken van degenen die oud, zwak of gewoon ongelukkig waren geweest de geuren van dood en ontbinding begonnen te verspreiden. Menselijke vormen schoten hier en daar door het schemerige licht, soms in groepjes, soms alleen of met zijn tweeën. Niemand kwam op Vespasianus of Magnus af toen die zich een weg door het puin zochten, want ze droegen openlijk zwaarden, ook al was dat in de stad bij wet verboden voor iedereen behalve de praetoriaanse garde en de stadscohorten.

'Het bevel van de keizer dat iedereen op de elite en hun huishoudens na de stad moet verlaten wordt niet echt nageleefd,' merkte Vespasianus op toen een groepje woest ogende jongeren met zakken over hun schouder uit de nevel opdook en na één blik op de getrokken zwaarden weer verdween.

'Iedereen is te druk bezig met het bestrijden van de brand om in de straten te patrouilleren.' Magnus keek naar het puin om hem heen en onder zijn voeten. 'Niet dat er straten zijn in de ware betekenis van het woord, als u begrijpt wat ik bedoel.'

Vespasianus begreep het, maar al te goed. 'Om dit alles te herbouwen moet je helemaal bij het begin beginnen, je hoeft je niet aan de oorspronkelijke plattegrond te houden.' De roekeloosheid en meedogenloosheid van wat er was gebeurd schokten en verbijsterden hem. 'Over-

205

al rond de Palatijn kun je nu bouwen wat je wilt. Nero's wens wordt vervuld.'

'En wat wenst hij?'

'Neropolis.'

'Neropolis? Bedoelt u dat hij dit gedaan heeft om zijn eigen stad op het puin te kunnen bouwen?'

'Daar lijkt het op, behalve dan dat de Palatijn een eiland in de vlammen had moeten zijn, maar hoe Nero dat voor zich zag weten alleen de goden.'

'Tja, dat verklaart wel de vreemde dingen die ik en de jongens de afgelopen dagen hebben gezien. Nadat we u en Sabinus bij de Senaat hadden achtergelaten kwamen we hier om Decianus in de gaten te houden en om uw dochter en haar man naar de Quirinaal te helpen, en er waren bijna net zoveel lieden die het bestrijden van de brand hinderden als er mensen waren die hem probeerden te blussen.'

'Dat verbaast me niets,' mompelde Vespasianus, terwijl ze bij de resten van het aquaduct van Appia kwamen. Ze klauterden over het nog hete puin. Het kanaal was na een leven van bijna vierhonderd jaar door de enorme hitte omlaaggekomen en verpulverd.

'Die lui beweerden overal dat heel hooggeplaatste individuen te kennen hadden gegeven dat de brand zich in bepaalde richtingen mocht verspreiden. Ik zag zelfs een groep een stel vigiles tegenhouden die enkele gebouwen wilden afbreken om een brandgang te maken. Het waren allemaal mannen van militaire leeftijd en ze hadden de geur van praetoriaanse garde om zich hangen. Hoe dan ook, toen het vuur eenmaal flink om zich heen had gegrepen en de Aventijn in lichterlaaie stond, net als de Subura, begonnen deze groepen te verdwijnen en opeens waren de mannen die de brand bestreden weer in de meerderheid.'

'Of die in bedwang hielden in de door Nero gewenste mate.'

'Daar lijkt het nu wel op.'

Vespasianus wist dat het zo zat en vroeg zich af hoe de keizer zijn verschrikkelijke misdaad dacht te kunnen verhullen. Of was hij misschien zo arrogant dat hij dacht dat dat niet nodig was? Zeker was in ieder geval dat wat Nero dacht niet in de werkelijkheid wortelde, zoals heel duidelijk bleek uit zijn groeiende lijst wandaden.

De schimmige aanblik door rookslierten van een handvol spookachtige plunderaars die over de ruïne van Decianus huis klauterden, bracht de aandacht van Vespasianus en Magnus terug naar hun taak hier. 'We moeten zo snel mogelijk van ze af komen,' zei Magnus, 'voor er een op het idee komt om in de visvijver af te koelen.'

Vespasianus sprak hem niet tegen, hij stapte met zijn zwaard in zijn ene hand op de puinberg af en begon die met hulp van zijn vrije hand te beklimmen. Magnus volgde, zachtjes vloekend, want hij brandde zijn handen aan het hete metselwerk. Aan het oog onttrokken door de rook die in het huis uit diverse smeulende hopen puin kringelde wisten Vespasianus en Magnus ongemerkt de plunderaars te naderen, die rondneusden in de resten van een woning die ooit ver boven hun stand was.

Met een triomfantelijke kreet trok een man een koperen kookpot uit de resten en stopte hem in een juten zak, die hij over zijn schouder sloeg.

'Weg!' schreeuwde Vespasianus. 'Allemaal!' Hij liep zo snel als de verraderlijke ondergrond het toeliet op het groepje af, zijn zwaard klaar voor een onderhandse steek in de buik, zoals legionairs die leren.

Magnus bukte zich om een gebroken baksteen te pakken voordat hij hem te hulp kwam.

De groep, vier mannen en twee vrouwen, deinsde terug, geschrokken door het plotseling opdoemen van twee gewapende mannen zo dichtbij. Ze wisselden snel enkele blikken uit terwijl Vespasianus en Magnus verder naderden, en namen een besluit toen ze zagen dat het om slechts twee tegenstanders ging die hen van hun lucratieve buit probeerden te verdrijven.

'Kom maar op,' zei de man met de kookpot, die zijn zak van zijn schouder haalde en er dreigend mee in de lucht rondslingerde. Zijn drie kameraden gingen bij hem staan, schouder aan schouder, allemaal met een geïmproviseerd wapen in de ene hand en een dolk in de andere.

Vespasianus was niet in de stemming om het nog eens te vragen en Magnus had het nut ervan sowieso niet begrepen. De baksteen vloog door de lucht en velde de man, zijn rechterwang scheurde open; de vrouwen gilden toen Magnus aanviel. Vespasianus deed een uitval, greep een met een mes maaiende vuist, dook onder de zwaai van een smeulend stuk hout door, ramde zijn zwaard bliksemsnel in de buik van de plunderaar en trok de man met een ruk van zijn andere hand naar zich toe, dieper het zwaard in. Vervolgens bracht hij zijn rechterarm naar voren en naar links en duwde zo de dubbelgeklapte, gespietste en kreunende man in het pad van de dolk van zijn kameraad. Met een dof geluid verdween de punt in een nier, waardoor de plunderaar van richting veranderde en weer overeind kwam, doorboord van zowel voren als achteren. Zijn lage dierlijke geluiden gingen over in een schreeuw van ondraaglijke pijn. Met een snelle zwaai en stoot sneed Magnus de keel van de vierde plunderaar open, het bloed spoot over de vrouwen, die zich omdraaiden en vluchtten, samen met de laatste man, wiens mes begraven bleef in de rug van zijn stervende kameraad. Kwaad omdat het zover had moeten komen maakte Vespasianus de twee gewonde mannen af met een korte stoot in het hart. Magnus bekeek ondertussen de buit.

'Zit er iets bij?' vroeg Vespasianus terwijl Magnus in de zakken en tassen rommelde.

'Nee, allemaal goedkope rommel.' Hij keerde een zak om, de inhoud kletterde op het puin. 'En ik denk dat als ze gevonden hadden wat wij zoeken ze er allang vandoor waren gegaan.'

'Laten we het hopen.' Vespasianus ging verder over het puin naar wat de rechthoekige binnentuin was geweest.

Hoewel de tuin geen dak had gehad, alleen een nu volledig ingestorte zuilengang rondom, leek het toch alsof er een plafond naar beneden was gekomen, zoveel puin lag er in het rond.

'De vijver zit bijna helemaal vol,' zei Vespasianus toen hij de bakstenen en dakpannen in het groene water zag, waarvan het peil flink gezakt was. 'Welke hoek?'

'Die aan de kant van het Forum Boarium,' antwoordde Magnus en hij wees naar de noordoosthoek.

Vespasianus knielde neer en begon de losse brokstukken te verwijderen; het overgebleven water in de vijver was nog behoorlijk heet, zodat hij elk stuk puin met een snelle, vloeiende beweging moest vastpakken en optillen. Magnus schoot hem te hulp en samen werkten ze door, onder begeleiding van het geschreeuw en geroep van mensen die in de buurt om buit streden in een stad waar orde en gezag volkomen waren weggevallen.

'Deze moeten we samen doen,' zei Magnus nadat hij vergeefs geprobeerd had een fors stuk van een zuil op te tillen, de laatste steen die in de hoek lag.

Vespasianus leunde over de rand van de vijver en pakte het brok stevig beet, ineenkrimpend vanwege de hitte van het water, dat de zachte huid van polsen en onderarm verbrandde. Na een snelle blik van verstandhouding tilden ze gelijktijdig, en langzaam kwam de steen omhoog. Met een enorme inspanning wentelden ze het brokstuk naar het midden van de vijver.

Vespasianus keek Magnus even aan voordat zijn blik naar het water ging. Hij aarzelde om zijn arm erin te steken en rond te tasten uit angst voor bittere teleurstelling.

Magnus plonsde zijn hand in het water en voelde. Opeens klaarde zijn gezicht op, terwijl het licht om hen heen vervaagde doordat de in nevelen gehulde zon in het westen onderging. 'Ik heb iets.' Hij trok een druipende tas tevoorschijn.

Vespasianus herkende hem onmiddellijk. 'Dat is de oude zadeltas die Decianus uit Garama had meegenomen.'

Magnus maakte de sluiting los en opende de tas zodat Vespasianus kon kijken. Hij stak zijn hand erin en helemaal op de bodem voelde hij talrijke gladde bolletjes die tegen elkaar klikten toen hij er met zijn vingers door woelde. Hij grijnsde naar zijn vriend. 'Je had gelijk.'

'Dat heb ik meestal.'

'Beweeg je niet!'

Vespasianus en Magnus bevroren.

'Sta langzaam op en draai jullie om.'

Ze deden wat hun bevolen werd en zagen een praetoriaanse centurio die op een berg puin boven hen uittorende. Aan weerszijden van hem bevonden zich vier gardisten met elk een *pilum*, een werpspeer, in de hand, op hun borst gericht.

'Aan het plunderen?' vroeg de centurio op luchtige toon.

'Ik ben senator Titus Flavius Vespasianus en deze man hoort tot mijn huishouden. We hebben het volste recht om in de stad te zijn aangezien het bevel om de stad te verlaten niet van toepassing is op senatoren, zoals u heel goed weet.'

De centurio gebaarde naar zijn mannen om hun wapen te laten zakken en ging in de houding staan. 'Centurio Sulpicius Asprus, senator. Ik ben bang dat we specifieke orders hebben dat het verbod op plunderen voor iedereen geldt, inclusief senatoren. Ik heb bevel iedereen die ik betrap op te pakken en vast te zetten. Maar aangezien u een senator bent ben ik daar niet toe bevoegd. U moet met me meekomen, senator, ik ben verplicht u naar de keizer te brengen.'

HOOFDSTUK XII

De route naar de Tuinen van Maecenas was vol obstakels. Ze moesten via het Forum Boarium en vervolgens naar het Forum Romanum, waar ze tussen het Senaatsgebouw en de Basilica Aemilia door liepen, de plek waar een aanzienlijk deel van de zaken van Rome werd afgehandeld. Daarna sloegen ze het Argiletum in en liepen door de Subura richting de Esquilijn.

'Opvallend, vindt u niet?' zei Magnus terwijl hij de uitgebrande ruïnes van de huurkazernes aan weerszijden van het Argiletum bekeek. 'Al die mensen met bijna niets raken het weinige dat ze hadden kwijt, en de kantoren van mensen als de gebroeders Cloelius in de Basilica Aemilia zijn onaangetast. Hoe is het mogelijk? Het is niet normaal.'

Vespasianus verplaatste de zadeltas naar zijn andere schouder voordat hij antwoordde. 'Ik ben bang dat het de normaalste zaak van de wereld is, Magnus.'

'Ja? Maar ik wil nog altijd weten hoe het kan.'

'Ik hoop niet dat het iets te maken heeft met het feit dat Tigellinus eigenaar is van de Basilica Aemilia, dat zou wel erg cynisch zijn.'

'Is Tigellinus de eigenaar?' Magnus was verrast.

'Ja, Nero heeft het gebouw een paar jaar geleden aan hem geschonken voor bewezen diensten, hij verdient een fortuin aan de verhuur.'

'De gebroeders Cloelius betalen vast een fraai bedrag voor een van de beste adressen van Rome.'

Door de Subura lopend zagen ze overal verwoesting, van de meeste huizen was vrijwel niets over. De brand was hier het felste geweest en de meeste gebouwen waren goedkoop gebouwd met veel hout en stonden dicht op elkaar. De vuurstorm die hier had geraasd, gevoed door de wind die tussen de Viminaal en de Esquilijn door werd geperst, was zo intens geweest dat veel gewoon verdwenen was, volledig verbrand. Daardoor was er hier minder puin dan op de Aventijn, maar alles was bedekt met een enkeldiepe laag as. Door de razernij van de vlammen, die enorme temperaturen bereikten, was de brand in de Subura heel snel uitgewoed, in een paar dagen tijd, en nu was er alleen nog een grijze woestijn over.

Langs het eerste stuk van de Clivus Suburanus op de Esquilijn was de schade vergelijkbaar met die op de Aventijn, maar toen ze hoger op de heuvel kwamen en de oostzijde bereikten was het een heel ander verhaal: over een afstand van vijftig passen was er alleen puin, niet-verkoold puin. Want langs deze straat was een grote brandgang gemaakt om de Tuinen van Maecenas en daarmee Nero's bezittingen te beschermen.

Binnen de muren van de tuin was er geen spoor van brand te zien. Vespasianus keek naar de weelderige vegetatie, die zorgvuldig op de vele terrassen van de tuin was aangeplant om een variatie aan kleuren en vormen te bieden. Ondanks de as die op sommige planten lag kon hij nauwelijks geloven dat als hij zich omdraaide hij een verwoesting zou zien die Rome in haar achthonderdjarige geschiedenis nog nooit had meegemaakt.

Centurio Sulpicius leidde Vespasianus en Magnus naar het lange gebouw met ronde uiteinden dat bekendstond als het auditorium van Maecenas.

'Wacht hier bij ze,' beval Sulpicius zijn mannen en hij ging naar binnen, langs twee praetorianen die de ingang bewaakten en in de houding sprongen.

'U blijft erg kalm,' merkte Magnus op.

Vespasianus grinnikte en keek naar de zadeltas. 'Omdat ik het gevoel heb dat ik hiervan ga genieten.'

Binnen verhief iemand zijn stem, het was die van de keizer. 'Waag het niet me te tarten, je zult schadeloosgesteld worden. Ga!'

Magnus zoog lucht tussen zijn tanden door. 'Hij klinkt in een niet al te beste bui.'

Tigellinus stormde langs de twee wachten het auditorium uit, zijn gezicht vertrokken van woede en zijn ogen donker van haat.

Vespasianus keek hem na, zijn snelle pas miste de waardigheid die verwacht werd van de prefect van de praetorianen. 'Ik zou zeggen dat daar een man loopt die opdracht heeft gekregen iets te doen wat hij liever niet doet.'

'Senator, u moet binnenkomen,' zei Sulpicius, die zijn hoofd door de deur stak. 'Uw man kan buiten blijven.'

Vespasianus rechtte zijn rug en liep toen het gebouw binnen, waar hij onmiddellijk een kreet van verrassing moest onderdrukken. In het midden van de grote ruimte stond Nero naast een tafel, een grote tafel, en bewonderde wat erop stond.

Subrius, dezelfde praetoriaanse tribuun die Nero de boodschap in Antium had gebracht, stuurde Sulpicius weg en leidde Vespasianus naar voren.

'Senator Titus Flavius Vespasianus,' kondigde Subrius aan. 'Verdacht van plundering tegen uw verordening in.'

Nero wuifde afwijzend met zijn hand, niet in staat zijn ogen van de tafel los te rukken. 'Wat vind je van mijn maquette, Vespasianus?'

Vespasianus keek ernaar, de maquette van een stad: Rome. Maar het was niet het Rome zoals iedereen het kende, het was een nieuw Rome. In het hart stond een reusachtig gebouw, opgezet rond uitgestrekte tuinen. Er was ook een rechthoekig bassin met een zuilengang, niet veel anders dan het bassin waarop het banket was gehouden, maar dan vier keer zo groot. Het hele complex besloeg het grootste deel van de route die Vespasianus vanaf het forum had afgelegd. Het was een paleis dat alle andere paleizen overtrof en met een vluchtige blik op de gevels kon hij zien dat het een fortuin aan goud zou kosten om het te bouwen. En Nero's smaak in inrichting kennende, zou nog een fortuin aan de binnenkant worden besteed.

'Neropolis!' zei Nero, nog steeds onwillig om zijn blik van de maquette en het enorme standbeeld van hemzelf in het midden af te wenden. 'Met mijn Gouden Huis in het hart, het huis waar ik eindelijk kan leven zoals een mens hoort te leven. Wat vind je ervan?'

Vespasianus wist niet wat hij ervan moest denken, maar hij begreep wel dat de maquette zo gedetailleerd en doordacht was dat hij nooit gemaakt kon zijn in de vijf dagen sinds het uitbreken van de brand die ruimte had gemaakt voor Nero's visie van een nieuw Rome, Neropolis. 'Schitterend, princeps. Wat een elegantie.'

Nero glimlachte voor zich uit met de onbestemde blik van mensen die tevreden zijn. 'Zeker, en binnen twee jaar zal het werkelijkheid zijn.'

Vespasianus moest zich weer inhouden: een dergelijk paleis in twee jaar bouwen zou de kosten verdubbelen vanwege de complexiteit van het werk en de druk op leveranciers van materialen. 'Twee jaar om een dergelijk huis te bouwen, princeps?'

'Alleen het Gouden Huis? Nee, Vespasianus, nee. Twee jaar om Neropolis te bouwen, alles.'

Vespasianus keek weer naar de maquette en zag daarbij iets vreemds: er stonden nieuwe gebouwen op plekken die door de brand gespaard waren, zoals hij nog maar enkele uren geleden met eigen ogen had gezien. In de maquette waren oude gebouwen op plekken waar de brand niet had toegeslagen verdwenen: het uiteinde van het Forum Romanum en ook op de volledig intact gebleven Campus Martius. En toen hij naar de plek keek waar de Basilica Aemilia hoorde te staan, zag hij een heel ander ontwerp en begreep hij waarom Tigellinus zo onwillig was geweest om de orders van zijn meester op te volgen, want hij moest opnieuw brandstichter worden.

Vespasianus wachtte en zei niets, terwijl Nero de maquette uit alle hoeken bleef bewonderen, op de hurken ging zitten om door straten te kijken, zich vooroverboog om de tuinen in het Gouden Huis te bestuderen. Al die tijd neuriede hij de ode aan de val van Troje, die hij bij de wedstrijd in Antium op de eerste dag van de brand had voorgedragen. De tribuun keek toe, volkomen uitdrukkingsloos, terwijl de keizer zich verlustigde aan de nieuwe stad die hij zou laten verrijzen uit de as van de oude, waarvan de ondergang zijn verantwoordelijkheid was, dat leek nu wel zeker.

'Subrius hier vertelde me dat je betrapt bent op plunderen, Vespasianus,' zei Nero op nonchalante toon, draaiend aan een koepel van het Gouden Huis. 'Nou? Klopt dat?'

Vespasianus kende Nero goed genoeg om te weten dat hij de keizer het middelpunt van elk gesprek moest maken. 'Alleen voor u, princeps.'

'Voor mij?'

'Inderdaad, princeps, zodat ik mijn woord aan u kon houden. Zoals u weet heb ik u beloofd om u de parels bij de eerste de beste gelegenheid te overhandigen, maar ik moet bekennen dat ik u een kleine onwaarheid had verteld: ik zei dat ik ze nog had, maar wat ik eigenlijk bedoelde was dat ik wist waar ze zich bevonden nadat ze van me gestolen waren.'

'Gestolen?' Dat trok de aandacht van Nero en hij keek Vespasianus voor het eerst sinds diens binnenkomst aan. 'Door wie?'

'Catus Decianus.'

'Decianus! Maar hij was het die me vertelde dat jij ze nog had.'

Nu was in Vespasianus' ogen het moment gekomen om zijn kant van het verhaal te vertellen. En dus begon hij helemaal bij het begin, bij de roof van Boudicca's goud door Decianus, waarmee de kiem voor de opstand in Britannia was gelegd, die tachtigduizend Romeinen het leven had gekost. Toen hij uitgepraat was overhandigde hij de zadeltas met de parels aan Nero.

'Het zijn er te weinig, Vespasianus,' zei Nero nadat Subrius ze had geteld. 'Er missen er eenenveertig.'

'Ik weet niet waar ze zijn, princeps. De centurio die me hier gebracht heeft kan getuigen dat ik de tas net had opgevist toen hij ons betrapte, ik heb geen tijd gehad om eenenveertig parels weg te nemen. Ik weet alleen dat er vijfhonderd parels waren toen Decianus ze uit mijn huis stal.'

Nero keek Vespasianus doordringend aan in de hoop te zien of die de waarheid sprak, maar vanwege zijn zelfingenomenheid had hij daar totaal geen talent voor. 'Decianus moet ze hebben, maar dat geeft niet. Ik breng ze wel bij hem in rekening als ik de twee miljoen sestertiën van hem opeis die jij hem hebt betaald om ze van hem te kopen. En wat is er gebeurd met de vijf miljoen in goud en zilver die hij van Boudicca heeft afgepakt? Daar heb ik zeker nooit iets van gezien.'

'Hij beweert dat Seneca de gebroeders Cloelius heeft weten over te halen het geld aan hem te overhandigen toen Decianus zich in Garama verborg en die zou het vervolgens aan u hebben gegeven. Maar ik geloof er niets van, ik denk dat Decianus de volle vijf miljoen nog ergens verborgen heeft.'

Nero keek naar zijn maquette. 'Ik heb elke sestertie nodig die ik te pakken kan krijgen als ik recht aan mijn genie wil doen. Ik denk dat Decianus zijn steentje kan bijdragen. Subrius, zoek uit waar hij zit en breng hem hier.'

De tribuun salueerde. 'Ja, princeps.'

'Hij is Rome uit,' zei Vespasianus in een poging behulpzaam te zijn.

215

Nero bleef bewonderend naar zijn maquette kijken, de nieuwe versie van de Basilica Aemilia leek zijn bijzondere aandacht te hebben. 'Je kunt gaan, Vespasianus, je bent van geen nut meer, aangezien je nog maar heel weinig geld lijkt te hebben.'

'Inderdaad, princeps, dank u.' Vespasianus draaide zich om en liep zo snel als nog fatsoenlijk was naar buiten en haastte zich door de tuinen, gevolgd door Magnus.

'En?' vroeg Magnus.

'En wat?'

'Nou, heeft hij de parels genomen?'

'Natuurlijk, maar dat is alles wat hij van me afneemt, ik geloof dat het me gelukt is om zijn aandacht naar Decianus te verleggen en gelijktijdig te verbergen dat ik eenenveertig parels heb. Nero wil heel graag dat Decianus helpt om zijn nieuwe bouwproject te financieren. Ik vind dat we deze ochtend goed werk hebben verricht.'

Magnus grijnsde. 'Laten we tot alle relevante goden bidden dat Nero heel wat wil bouwen.'

'Dat wil hij zeker, ik heb het net gezien. Hij heeft plannen voor de hele stad en die heeft hij kennelijk al een tijdje, al lang voor de brand.'

'Bedoelt u…?'

'Inderdaad.'

'Bent u er zeker van?'

'Ja.'

'Maar dat kan toch niet?'

'Ik ben bang van wel, Magnus, en als je bewijs wilt…' Hij wees naar het Forum Romanum.

Magnus kneep zijn goede oog dicht in die richting. 'Rook, en dus?'

'Een uur geleden was daar geen brand en nu plotseling wel, en de reden is dat er een gloednieuwe versie van de Basilica Aemilia moet komen en dus gaat de oude weg, net als het Senaatsgebouw en alle tempels op de Capitolijn en een paar van de oudere op de Campus Martius.'

'En hoe zit het met de Quirinaal?'

'Dat leek nog altijd een woon-en-winkelwijk te zijn in Nero's maquette, ik zag er geen publieke gebouwen, maar ik denk dat we nu snel terug moeten.' De rookpluim die van het Forum Romanum oprees was dikker geworden en er kwamen er nog een paar bij. 'Ik geloof dat het niemand veel kan schelen wat er nog meer verwoest wordt. Als Tigellinus zijn eigen gebouw in brand moet steken zal hij zich bepaald geen zorgen maken of de brand zich naar onze huizen op de Quirinaal verspreidt.'

'Vespasianus!' riep Caenis toen hij haar atrium binnenwandelde, waar vrijwel alle meubels waren weggehaald. 'Heb je gezien dat het weer opgelaaid is, net toen we dachten dat het eindelijk gedoofd was?'

'Zeker, mijn lief, en ik weet zeker dat het expres is gebeurd.'

'Expres?'

Hij vertelde haar wat hij had gezien.

'Maar dat is vreselijk,' zei Caenis, die zich op de enige resterende bank liet neerploffen en een hand voor haar mond sloeg.

'Nee, mijn lief, het is waanzin, en om het nog erger te maken denk ik dat het ook heiligschennis is: ik zag dat Epaphroditus een lamp kreeg die was aangestoken met het heilige vuur van Vesta; en dat was vlak voordat de bakkerij in brand vloog. Ergens diep in Nero's geest moet het idee rondwaren dat een brand in orde is als die met het heilige vuur wordt aangestoken. Zelfs Caligula was nooit zo ver gegaan.'

'Hij regeerde niet lang genoeg om op het idee te komen. Misschien had hij het gedaan als hij langer had geleefd.'

'Mogelijk, maar hij was vooral geïnteresseerd in het vernederen van de Senaat uit wraak voor hun betrokkenheid bij het uitmoorden van een groot deel van zijn familie. Zijn brug over de baai was het grootste plan waarmee hij ooit kwam en dat was alleen om niet steeds aan de dood van zijn zuster Drusilla te hoeven denken. Nee, hier moet een einde aan komen.'

'En jij bent de man die er een einde aan gaat maken?'

'Natuurlijk ben ik dat niet!' Vespasianus haalde diep adem. 'Het spijt me. Ik vind het nog altijd ontstellend moeilijk om te geloven.'

'En wat ga je nu doen?'

'Ik moet zorgen dat de mensen de waarheid weten.'

'Zonder dat de bron van die waarheid bekend wordt.'

'Dat spreekt vanzelf, mijn lief.'

'Tja, je weet dat je het beste uit de buurt van de plaats van de misdaad kunt blijven als je onschuldig wilt lijken.'

'Uit Rome vertrekken? Dat was ik toch al van plan, want ik moet meer geld uit de landerijen zien te halen. Ik dacht dat je misschien wel zin had om met me naar Cosa te gaan.'

217

'Ik vertrek binnenkort, alles is klaar en ik heb een escorte ingehuurd.'

'Ik kom zodra ik een tijdje in Aquae Cutillae heb gezeten.'

'Met Flavia?'

'Natuurlijk met Flavia!' Vespasianus haalde diep adem. 'Het spijt me.' Hij ging naast Caenis op de bank zitten en legde een arm om haar heen. 'Ik kom zo snel als ik kan naar Cosa. Maar als ik heen en weer reis tussen de landerijen, hoe kan ik dan geruchten verspreiden?' Hij kuste haar op het voorhoofd.

Caenis reageerde door haar gezicht op te tillen en hem vol op de lippen te zoenen. 'Schrijf het op de muren, mijn lief.'

Vespasianus maakte zich los en nam haar hoofd tussen zijn handen, haar in de ogen kijkend. 'Op de muren?'

'Natuurlijk, laat op de eerste nieuwe gebouwen schrijven wie er precies verantwoordelijk is voor de brand, daarna duurt het niet lang voor het idee zich verspreidt. Ik weet zeker dat je wel iemand kent die het voor je kan organiseren zonder dat iemand ook maar vermoedt dat jij erachter zit.'

Vespasianus glimlachte en kuste haar hartstochtelijk. 'Je bent de briljantste vrouw die ik ken.'

'Dat zegt niet veel.'

'Van de wereld dan.'

'Da's beter.'

Een dringende klop op de voordeur onderbrak de lofzang. Caenis stond op terwijl de portier ging kijken wie er toegang wilde. 'Het is Magnus, meesteres.'

Caenis knikte en de deur zwaaide open.

'U kunt maar beter snel komen, senator,' zei Magnus na een heel licht knikje naar Caenis. 'De brand verspreidt zich over de Quirinaal. Senator Pollo vertrekt nu en Domitianus is weer opgedoken en dus staat Flavia te trappelen om ook te gaan.'

'Ga met Gaius mee, Flavia,' drong Vespasianus aan met zijn blik naar het zuiden, waar het vuur naderde, inmiddels op minder dan een halve mijl. Het werd bestreden door de vigiles van de derde cohort, maar ze leken weinig vooruitgang te boeken. 'En neem Domitianus met je mee.'

Flavia sloeg een arm om Domitianus heen, die hem onmiddellijk afschudde. 'En jij dan?'

'Magnus en ik blijven tot het laatste moment, we helpen bij het blussen. Liever dat dan toekijken hoe het huis afbrandt.'

'Ik wil ook blijven,' benadrukte Domitianus.

Vespasianus onderdrukte de neiging om de jongen een draai om de oren te geven. 'Je doet wat ik je opdraag, ga met je moeder mee en probeer je te gedragen na alle zorgen die je haar hebt bezorgd door vijf dagen weg te blijven.' De blik die hij zijn zoon toewierp smoorde elke brutale opmerking of ongehoorzaamheid die mogelijk in hem broeide.

Domitianus draaide zich om en besteeg zijn paard alsof dat precies was wat hij op dat moment wilde doen.

'Zeg niets over de parels tegen hem, liefje,' fluisterde Vespasianus terwijl hij Flavia in de *raeda* hielp, de overdekte wagen getrokken door vier paarden waarin ze zou reizen, omringd door slaven en kussens.

'Zoals je wilt. Kom je snel?'

'Magnus zorgt dat de paarden klaarstaan, we komen misschien vanavond nog wel, zeker als het vuur zich zo snel blijft verspreiden en de hele wijk in zijn greep krijgt. Anders kom ik zodra ik weet dat het huis veilig is.'

Flavia verraste hem met een kus op de wang. 'Wees voorzichtig, echtgenoot, je weet dat ik van je hou.'

'Kom op, beste jongen,' riep Gaius vanuit zijn eigen raeda, die vlak voor die van Flavia stond, 'zet die vrouw neer zodat we kunnen vertrekken.'

'Ik zie u in Aquae Cutillae, oom. En jou ook, Flavia.' Vespasianus gaf zijn vrouw een kus terug en Gaius zocht een comfortabele houding in zijn wagen, met een paar van zijn jongens om hem gezelschap te houden. De rest van het huishouden voegde zich bij Vespasianus' slaven achter de twee raedae. De menners lieten hun zwepen knallen en het kleine konvooi kwam in beweging – het verbod op voertuigen met wielen in de stad overdag werd algemeen genegeerd.

Vespasianus keek ze een tijdje na voordat de brandlucht hem weer herinnerde aan het vuur waarmee hij en Magnus de confrontatie moesten aangaan.

'Terugtrekken!' schreeuwde de centurio van de vigiles tegen zijn mannen toen Vespasianus en Magnus aan kwamen lopen en de vlammen zagen oplaaien uit de tempel van Quirinus, de speer dragende god van de Sabijnen.

De tachtig man onder het commando van de centurio haalden hun pompen weg en zetten het met hun emmers op een rennen toen het dak, omkranst door vlammen, het begon te begeven. Driehonderd-vijftig jaar had de tempel hier gestaan, gebouwd van baksteen rond een houten geraamte, nu brandde het oude hout onbeheersbaar.

'Weg! Weg!' schreeuwde de centurio weer en hij gebaarde naar Vespasianus en Magnus dat ze moesten omkeren.

Dakpannen barstten en sprongen door de hitte uit elkaar, waardoor scherpe, gloeiend hete scherven in alle richtingen vlogen. Het vuur raasde door de dakbalken, die door begonnen te zakken en het niet langer hielden.

'Weg! Weg!' herhaalde de centurio ter aansporing van zijn mannen die langs hem renden, om vervolgens twee van hen te helpen om de laatste pomp weg te duwen.

Met hoog opschietende vlammen stortte het dak in een aantal fasen in, alsof de Tijd in zijn voortrazende wagen even vertraagde en het moment uitrekte. Met donderend geweld vielen de versplinterende dak-pannen en krakende balken op de grond, terwijl een steekvlam door de brandende deuren naar buiten schoot en alles om zich heen verschroeide. De vigiles die de pomp duwden slaakten angstkreten en werden naar voren geslingerd, zo groot was de kracht van de uitbarsting. Vespasianus voelde zijn wenkbrauwen verschroeien, hij schermde zijn gezicht af en bukte, waardoor de hitte op zijn kale kruin brandde.

'Tering!' vloekte Magnus en hij begon op zijn knie te slaan om de brandende rand van zijn tuniek te doven.

'Snel,' schreeuwde Vespasianus, die het op een lopen zette terwijl overal om hem heen brandend puin neerkwam. Hij beschermde zijn hoofd met een arm en rende naar waar de pomp nu brandde. Ernaast kronkelden en rolden de centurio en zijn twee mannen op de grond, hun tunieken stonden in brand. Vespasianus sloeg op de vlammen op de rug van de centurio en Magnus probeerde de andere twee te helpen. 'Trek hem uit!' schreeuwde Vespasianus boven het gegil uit en hij reikte naar de gesp van de man. Geroosterd vlees en verschroeid haar prikkelden zijn neus, maar hij wist de riem los te krijgen. De centurio begreep on-danks zijn pijn wat er gebeurde en met een snelle ruk trok hij het bran-dende kledingstuk over zijn hoofd en gooide het weg. Vespasianus sloeg de vlammen in het haar van de man uit, terwijl Magnus erin slaagde de tuniek van een van de vigiles los te trekken. Voor de tweede was geen hulp meer mogelijk, hij was een waanzinnige vuurbal op twee benen die als een kip zonder kop rondrende.

Ze droegen de centurio en zijn man weg van het brandende puin, de derde gillend achterlatend. Hun huid was rauw en hun haar weg, ze hyperventileerden van de pijn.

De rest van de centurie kwam aanrennen toen ze Vespasianus en Magnus de gewonde mannen de heuvel op zagen slepen.

'Twee van jullie, breng ze terug naar jullie kazerne om ze te laten verzorgen,' beval Vespasianus. 'De rest gaat met mij mee.'

Er lag zoveel autoriteit in zijn stem dat niemand, zelfs niet de optio, zijn recht om te commanderen in twijfel trok; bovendien had hij net twee van hen van een zekere en onaangename dood gered.

Vespasianus sprak de optio aan. 'Hebben jullie touwen?'

'Ja, daar.'

'Haal ze. Het is zinloos de brand te bestrijden en daarom gaan we een brandgang maken. We trekken ons terug naar de Quirinaalpoort, waar de muren enkele tientallen passen terugspringen, daar gaan we het doen.'

Voor de twee huizen lagen drie mannen dood, de hoofden opengebarsten en bloedend. Ze waren doodgeknuppeld door de vigiles toen ze probeerden te voorkomen dat hun huizen werden gesloopt. Er was geen tijd geweest om ze te overtuigen en Vespasianus had daarom zonder meer het bevel gegeven, want ze stonden op zo'n honderd passen van zijn ooms huis en dit was in zijn ogen de beste plek voor een brandgang om het vuur tegen te houden. Andere burgers schreeuwden dat ze de brandgang verder naar voren moesten maken zodat ook hun huizen gespaard zouden worden, maar Vespasianus wist dat dit de logische plek was, bij de Quirinaalpoort, waar de muur door de stad liep, want een derde van het werk was al gedaan en de straat van de poort naar de Alta Semita en verder was twee karren breed.

Schreeuwende, vluchtende burgers renden langs hen heen, hun armen vol met alles wat ze konden dragen. Een enkeling ging de andere kant op om een familielid te zoeken of om snel nog even te plunderen voordat het volgende blok in vlammen opging. Sommigen keerden niet terug.

'Trekken!' brulde Vespasianus boven de chaos uit. De vier touwen kwamen strak te staan en de achttien man per touw spanden hun spieren, knarsten hun tanden en kreunden van inspanning.

'Doorgaan, stelletje lamzakken!' schreeuwde Magnus bij wijze van aanmoediging. 'Trek zoals je een Brit van je moeder zou trekken.'

Zelfs te midden van het gevaar kon Vespasianus een kleine glimlach niet onderdrukken toen hij zich herinnerde hoe de allang dode centurio Faustus een vergelijkbare uitdrukking had gebruikt in Thracië. Het was sindsdien een van zijn favoriete zegswijzen. Hij keek naar Magnus en zijn vriend grijnsde terug. 'Ik dacht dat dat u wel zou amuseren.'

Er klonk een scherpe knal en het metselwerk scheurde op de plek waar de haken eraan trokken.

'Doorgaan, hij komt,' schreeuwde Vespasianus toen de muur van een van de huizen begon te bewegen.

Het aanstaande succes voelend verdubbelden de vigiles hun inspanningen, hun handen vol blaren van de ruwe hennep. Nog vier hartslagen hield het metselwerk het uit en toen, bij de vijfde, kwamen de muren neer, in tweeën brekend tijdens de val klapten ze dubbel. Wolken stof wervelden op toen ze de grond raakten. Terracotta dakpannen gleden van de dakranden en de verdieping begon door te buigen en stortte in, waardoor andere muren begonnen te wankelen en dakbalken loskwamen. Nu donderde alles naar beneden en verdween in een wolk stof die hoger oprees naarmate er meer naar beneden kwam.

'Neem twee contubernia en haal zo veel mogelijk hout en andere brandbare spullen uit het huis,' zei Vespasianus tegen de optio. 'Ik ga met de rest van de jongens naar de volgende twee huizen.'

Vespasianus zweette als een otter en zijn tuniek zat aan zijn lichaam geplakt. Hij had enorme dorst, want zijn keel was droog van rook en as, maar hij bleef zijn mannen aanvuren bij het afbreken van de volgende twee gebouwen. Voortdurend dwaalden zijn ogen nerveus naar de snel naderende vlammen, die tegen alle logica die hij kon bedenken in heuvelopwaarts hun tempo versnelden.

Ze werkten wanhopig door, trokken aan touwen om muren omver te halen. Sommige waren stevig gebouwd, andere minder. Intussen sleepten de optio en zijn mannen zo veel mogelijk balken uit het puin weg. In het uur dat de vlammen nodig hadden om van de tempel van Quirinus naar de gelijknamige poort te komen werd ruim een twintigtal huizen aan de noordzijde van de Alta Semita neergehaald, waarmee een brandgang van bijna tweehonderd passen lang en inclusief de straat veertig passen breed werd gemaakt.

'Is het genoeg?' vroeg Magnus terwijl ze toekeken hoe de vlammen de laatste gebouwen voor de brandgang bereikten.

Vespasianus gaf geen antwoord, het was genoeg of niet, zijn mening zou hoe dan ook niet van invloed zijn op wat er ging gebeuren. De vigiles waren druk bezig het hout uit het puin weg te halen, al was de hitte inmiddels zo intens dat elke man steeds maar een moment kon werken.

'Wie heeft hier de leiding?' schreeuwde een stem.

Vespasianus herkende hem onmiddellijk en draaide zich om. 'Ik, Sabinus.'

Sabinus stapte op hem af, hij en zijn lictoren vertoonden allemaal de sporen van zes dagen strijd tegen de vlammen; achter hen kwamen vier centuries van een van de stadscohorten. 'Wat doe je hier, Vespasianus?'

'Ook leuk om jou te zien, Sabinus. Ik bescherm de huizen van onze familie, dat is het antwoord.'

Sabinus liep langs Vespasianus naar de brandgang. 'Iedereen weg, dit deel van de stad wordt geëvacueerd. Weg!'

De vigiles waren maar al te blij om van de hitte weg te komen en gaven direct gehoor.

Vespasianus rende om Sabinus in te halen. 'We kunnen nu niet evacueren, wie moet dan de brand bestrijden als die over de brandgang slaat?'

'Niemand, Vespasianus, niemand. De keizer heeft bevolen dat iedereen weg moet, hij heeft een vluchtelingenkamp op de Vaticaanse heuvel opgezet en voedt daar de mensen op eigen kosten.'

'Eerst het probleem creëren en dan doen alsof hij het oplost.'

'Wat bedoel je?'

'Precies dat. Nero is verantwoordelijk voor de brand en nu wil hij dat de mensen van hem houden door voor ze te zorgen.'

Sabinus keek neutraal. 'Tja, maar wat zijn motieven ook zijn, dit zijn de bevelen. De brand heeft de Capitolijn en het aangrenzende deel van de Campus Martius verwoest, dit is het laatste deel waar de brand nog ongecontroleerd is en Nero wil dat hij vanzelf uitbrandt.'

'Dat kan hij makkelijk zeggen, het gaat niet om zijn huizen.'

Sabinus keek zijn broer vermoeid aan. 'Je mag blijven en in je eentje tegen het vuur vechten als je dat wilt, broer, maar ik geef iedereen bevel om te vertrekken en laat de jongens van de stadscohorten hier om plundering te voorkomen, dus jouw, Gaius' en Caenis' huis zijn veilig als het vuur ze niet bereikt.' Hij gebaarde naar de brandgang. 'Volgens mij moet dat voldoende zijn, dus het komt in orde. Ga, broer, ga naar Aquae Cutillae. Ik wijs de centuriones de huizen aan waar ze speciaal op moeten letten.'

'Maar hoe zit het met…'

'Hoe zit het met wat?'

'De lening?'

Sabinus schudde het hoofd. 'Daar hebben we nu geen tijd voor. Het contract is met de rest van mijn huis verbrand. Stuur me volgende maand een nieuwe en ik zal je het geld bezorgen. Ga nu, ik laat je weten hoe het met de huizen afloopt.'

Vespasianus kneep zijn broer in de schouders, draaide zich om en liep weg. Magnus volgde hem, ze zeiden niets tegen elkaar, zelfs niet toen ze bij hun paarden kwamen. Ze sprongen in het zadel en dreven hun rijdieren voort, de Quirinaal over en door de Porta Collina, waarna ze links de Via Salaria namen, tussen de tombes en talloze vluchtelingen door.

Toen ze door de ergste drukte heen waren en ze langs de weg omhoog tegen een heuvel konden rijden omdat er niet zoveel tombes meer stonden, wendde Vespasianus zich tot Magnus. 'Nero mag hier niet mee wegkomen, Magnus, daar zal ik voor zorgen.'

Magnus keek twijfelachtig, oncomfortabel in het zadel stuiterend. 'O ja? En waarom denkt u dat u de mogelijkheden of de macht hebt om de keizer te straffen?'

'Die heb ik persoonlijk ook niet, maar ik kan de mensen ervan bewust maken dat hij straf verdient. De tijd nadert, Magnus, en ik heb jouw hulp nodig.' Vespasianus stopte en keerde zijn paard om over de stad uit te kijken. Ze stonden op de plek waar hij al die jaren geleden met zijn vader en broer Rome voor het eerst had gezien. Het Rome waar hij als tiener naartoe was getrokken, het Rome dat in zijn ogen zoveel moois te bieden had maar vol duisternis en angst bleek te zijn, was niet meer. Misschien was Rome gezuiverd, misschien geofferd.

De heerseres van de wereld strekte zich nog over haar zeven heuvels uit, maar was niet meer dan een karkas, bedekt met een lijkwade van

224

dikke nevels: de rook, stoom en andere dampen die ze uitstootte in de laatste ademteugen van haar doodsstrijd. Overal krioelden de inwoners als mieren in het rond en zagen de stuiptrekkingen van de stad, terwijl de branden het laatste restje schoonheid vernietigden. De kreten van de Romeinen stegen ten hemel, ze slingerden hun verdriet over de dood van hun stad naar de goden. Maar de goden hielden zich doof. Ze hoefden ook niet te hulp te snellen, want de veroorzaker van de catastrofe was ook de redder in nood. Nero, die nog altijd vanaf Caligula's toren in de Tuinen van Maecenas de ramp overzag, ging iedereen die hij dakloos had gemaakt huisvesten en voeden zodat ze hem eeuwig dankbaar zouden zijn terwijl hij de stad herbouwde om zijn ijdelheid te strelen.

Vespasianus huiverde bij de herinnering aan hoe Nero zich aan de naam Neropolis had verlekkerd. 'Ze moeten weten wie hier verantwoordelijk voor is en daar kunnen we een handje bij helpen, Magnus. En als ze het eenmaal zeker weten, dan zal Nero's droom in rook opgaan. Er komt geen Neropolis.'

DEEL III

AQUAE CUTILLAE, APRIL 65 n.C.

HOOFDSTUK XIII

'Dit is de vijfde in de acht maanden die we nu hier zijn,' zei Vespasianus, omhoogkijkend naar de boom aan de rand van het bos, om vervolgens zijn blik van de afschuwelijke aanblik af te wenden. Het was hetzelfde bos bij de oostrand van het landgoed waar hij en Sabinus al die jaren geleden met zes vrijgelatenen in een hinderlaag hadden gelegen om een groep ontsnapte slaven te pakken die al enkele keren muildieren van het landgoed hadden gestolen.

Magnus trok Castor en Pollux weg van de met vliegen overdekte hoop ingewanden aan de voet van de boom waaraan het opengesneden karkas van een muildier was gespijkerd. 'Dat willen jullie niet eten, jongens.' De twee slanke, zwarte jachthonden met schouders tot heuphoogte en brede, vierkante koppen die overgingen in zwaar gespierde nekken, gromden omdat ze het gratis maaltje aan hun neus voorbij zagen gaan. Ze trokken hun grote lippen, waarlangs speeksel droop, op om gele, vervaarlijk ogende tanden te ontbloten. 'Het kan me niet schelen wat jullie vinden, jullie mogen het niet.' Magnus gaf opnieuw een ruk aan de riemen, wat tot nieuw gejank leidde. 'Belangrijker nog, het is de tweede deze maand, het lijkt steeds vaker te gebeuren.'

Vespasianus wendde zich tot Philon, die sinds de dood van zijn vader Pallo, twee jaar geleden, de rentmeester was. 'Wie heeft het gevonden?'

'Drustan, een van de vrijgelatenen, meester.'

'Die enorme Brit die ik vlak voordat ik naar Afrika ging heb vrijgelaten?'

'Ja, Titus Flavius Drustan,' bevestigde Philon.

'Heeft hij een van de andere zeven gevonden?'

'Eentje, meester, vorig jaar. Waarom?'

Vespasianus wuifde de vraag met zijn hand weg. 'Toen ik na de opstand in Britannia terugkwam, drie jaar geleden, vertelde je vader dat er een paar keer muildieren geslacht of gestolen waren, maar hij had het nooit over zoiets als dit.'

Philon haalde zijn schouders op en schudde zijn hoofd in verwarring. 'Ik heb alle vijfenveertig jaar van mijn leven op het landgoed doorgebracht en ik heb nog nooit zoiets meegemaakt. Mijn vader had het u zeker verteld als hij iets dergelijks had gezien en ik heb hem nooit over dit soort wreedheden horen praten.'

Vespasianus keek weer omhoog naar het muildier, de voorbenen waren gebroken zodat ze opzijgetrokken konden worden, waarna het dier aan twee lagere taken van de boom was gespijkerd in een parodie op de kruisiging van een mens. Vespasianus moest aan de gevluchte jongen denken, de enige overlevende van de bende, die hij en Sabinus vlakbij hadden gekruisigd. De achterbenen van het muildier hingen naar beneden, het hoofd opzij tegen de borst, waardoor een leeg gepikte oogkas zichtbaar was. 'Dit is de eerste die zo gekruisigd is, de rest was veel grover gedaan.' Hij wendde zich tot Magnus, die de honden met moeite in bedwang hield. 'Wat denk jij?'

'Wat ik denk? Dat niemand zoiets voor de lol doet, in ieder geval niet zonder een reden.' Magnus gaf de strijd met de trekkende honden op en liet ze gaan voor hun stinkende feestmaal. Hij wees omlaag langs de helling met rijke weidegrond achter hen, die golvend van het bos tot aan een geul liep, met daarachter heuvels bedekt met rotsen en knoestige bomen, grond die niet voor landbouw geschikt was. 'Maar we zijn hier bij de oostgrens van het landgoed en u weet heel goed dat er in die heuvels bandieten rondzwerven.'

'Daar dacht ik ook aan,' zei Vespasianus fronsend. 'Maar ik heb het gevoel dat het niet willekeurig maar persoonlijk is.' Dat idee was langzaam gegroeid na de derde vondst van een verminkt muildier, kort na de viering van het nieuwe jaar.

Hij en Magnus hadden op de dag dat ze Rome verlieten het konvooi tegen de schemering ingehaald. Ze waren vervolgens doorgereden om vóór Flavia, Gaius en het huishouden in Aquae Cutillae aan te komen, zodat Philon voorbereidingen kon treffen voor de komst van de vele huishoudslaven.

Al snel volgde het leven het gebruikelijke ritme van een verblijf op het land, waarbij Vespasianus zijn tijd verdeelde tussen het beheer van het landgoed en de jacht. Magnus' hereniging met Castor en Pollux ging gepaard met veel gekwijl en gekwispelstaart, en de honden volgden maar al te graag de geursporen van wild over het landgoed in gezelschap van hun meester, die op zijn beurt na een lange dag in de buitenlucht met plezier terugkeerde om verwend te worden door zijn slavin Caitlín, die met Gaius' huishouden was meegekomen.

Na een maand in Aquae Cutillae, waar hij de helft van Sabinus' lening in nieuwe slaven had geïnvesteerd om zo de efficiëntie van het landgoed flink te vergroten, ging Vespasianus naar Cosa om daar Caenis een maand lang gezelschap te houden. Hier hield hij een andere routine aan, waarbij hij veel meer tijd aan Caenis besteedde dan hij aan Flavia had besteed, en daarnaast richtte hij zich op het beheer van het landgoed dat hij geërfd had van zijn grootmoeder Tertulla. Hier investeerde hij de andere helft van Sabinus' lening, eveneens in nieuwe slaven. En zo verdeelde hij zijn tijd over zijn landgoederen, steeds een maand op elk, terwijl in Rome het puin afgevoerd werd met de schepen die graan naar de stad brachten. Het werd naar de monding van de Tiber gevaren, waar het gebruikt werd om moerasland te dempen. Het leegruimen van de stad was een langdurig proces en omdat het bestuur vrijwel verlamd was, hadden de senatoren weinig anders te doen dan zich met hun landgoederen bezighouden. Intussen hielden de keizer, Sabinus als prefect van de stad, en de stedelijke praetores en aediles de stad draaiende.

Maar, zo schreef Sabinus in de verslagen die hij Vespasianus regelmatig stuurde, de keizer was degene die als held van het plebs uit de ramp tevoorschijn was gekomen. Hij had onbaatzuchtig de mensen van Egypte de kans om van zijn talenten te genieten onthouden door zijn reis naar Alexandria af te zeggen om zich voor het welzijn van zijn onderdanen te kunnen inzetten. Dat deed hij door minstens één keer per maand persoonlijk toezicht te houden op de dagelijkse uitdeling van brood en door ver uit de buurt van de stinkende, in de nazomerse hitte bakkende tentenstad te blijven, die in en rond de tuinen op de Vaticaanse heuvel was ontstaan. Maar het feit dat hij zijn tuinen had opengesteld en zich af en toe liet zien bij de broodverdeling was voldoende om hem geliefd te maken bij het volk, dat geen woord van kritiek wilde horen. Ze hadden geen oordeel over het feit dat hij zich vooral wijdde aan het grote, vrijgemaakte stuk grond midden in het hart van de stad, waar hij toezicht hield op het opmeten en uitzetten van wat snel de fundering van het Gouden Huis zou worden. Het paleis vormde in zijn ogen het middelpunt van Neropolis en was het enige wat de stad bestaansrecht gaf: hoe kon er immers aan zijn behoeften worden voldaan als er geen mensen om hem heen waren om zijn bevelen op te volgen?

Vespasianus stopte al zijn energie in zijn landgoederen om er zo veel mogelijk geld uit te kunnen halen: hij fokte muildieren, bracht ze groot en verkocht ze aan het leger of aan een van de vele bouwbedrijven die rond Rome als paddenstoelen uit de grond schoten, hongerig naar een aandeel in het vele werk dat de herbouw van Rome met zich meebracht. Vanwege de grote vraag lag de prijs van muildieren hoog en aan het einde van het seizoen, toen de saturnalia naderden, voelde Vespasianus zich heel wat geruster over zijn financiën dan toen hij net uit Afrika terug was. Het feit dat zijn huis, net als dat van Gaius en Caenis, gespaard was gebleven was een door Fortuna gezonden bonus.

Vespasianus stuurde echter geen gebed naar Fortuna toen hij naar het gekruisigde muildier keek, maar naar Mars, zijn beschermgod. Een koude angst knaagde aan zijn buik en hij had geleerd op zijn gevoel te vertrouwen. 'Haal hem naar beneden en verbrand hem, Philon.' Hij trok Magnus mee, weg van het bos, terwijl Philon de begeleidende slaven orders gaf om het karkas weg te halen. 'Weet je nog die stropers die we vorige keer dat we hier waren betrapten? Degenen die Domitianus gijzelden.'

Magnus krabde op zijn hoofd. 'De klootzakken die een pijl in Castors poot schoten? Natuurlijk herinner ik me die, een paar stierven een aangenaam onaangename dood.'

'Ja, maar de laatste liet ik gaan.'

'Wat ik toen heel dom vond, en dat vind ik eigenlijk nog steeds.'

'Ik had mijn woord gegeven.'

'Flauwekul, je woord geven aan dat soort schorem is evenveel waard als het advies van een Vestaalse maagd over pijpen.'

'Dat mag zo zijn, maar ik heb woord gehouden.'

'En nu denkt u dat die stroper wraak neemt voor een stel waardeloze vriendjes van hem? Ik betwijfel het, niet na zoveel tijd, het is zeker vier jaar geleden.'

'Ik weet het, maar sindsdien ben ik nooit langer dan een paar dagen achter elkaar op het landgoed geweest. Nu ben ik hier langer, veel langer, zo lang dat het bekend kan worden dat ik er ben.'

'Maar waarom hebben ze dan niets anders geprobeerd dan een stel muildieren op een onsmakelijke manier afslachten?'

'Daar zat ik ook mee, maar toen herinnerde ik me de laatste woorden van een van de stropers, hij zei dat iemand die de Mankepoot wordt genoemd van zijn dood zou horen en hem zou komen wreken.'

Magnus knikte toen de woorden van de stervende man terugkwamen. 'Klopt, en hij zei dat de Mankepoot zijn tijd neemt omdat hij zich niet snel kan bewegen.'

'En hij neemt altijd wraak en kent geen medelijden, want niemand heeft dat ooit aan hem betoond.'

Magnus keek om naar het muildier dat nu op de grond lag en de aandacht had van Castor en Pollux, die inmiddels genoeg hadden van de ingewanden. 'En u denkt dat het gekruisigde muildier een teken is dat de Mankepoot in de streek is?'

Vespasianus haalde zijn schouders op. 'Weet ik niet, maar het kan geen kwaad om voorzichtig te zijn.'

Flavia was verontwaardigd, ze ging rechtop zitten op de bank waar ze met Domitianus op had gelegen. 'Wat bedoel je, waarom mag ik het huis niet uit zonder een paar vrijgelatenen om me te bewaken?'

Vespasianus haalde diep adem en formuleerde de zin in zijn hoofd. Hij kende het soort situatie waar hij nu in zat maar al te goed, goed genoeg om te begrijpen dat dit niet het moment voor een verkeerd woord was. Hij nam een garnaal van de schaal voor hem op de tafel in het triclinium en pelde hem zorgvuldig. 'Lieve.' Hij zweeg even om de staart te verwijderen. 'Ik heb niet gezegd dat je begeleiding móét hebben, ik zei alleen dat het béter is.'

Flavia snoof en wees op Gaius, die naast Magnus op de derde bank aan de tafel lag en onzichtbaar probeerde te zijn. 'En geldt dat ook voor je oom of alleen voor zwakke vrouwen?'

'Ik laat me niet vergezellen,' stelde Domitianus met puberale stelligheid.

Vespasianus nam niet eens de moeite om naar zijn zoon te kijken. 'Je doet wat je gezegd wordt. En luister, Flavia, Gaius is niet mijn wettelijke verantwoordelijkheid en jij bent dat wel. Ik kan Gaius geen bevel

233

geven, maar ik kan hem wel adviseren van de ene gelijke aan de andere, en ja, ik adviseer Gaius om niet zonder gewapend escorte buiten de gebouwen te komen.'

'En ik, beste jongen, volg dat advies maar al te graag op.' Gaius hield zijn handen op zodat een van zijn verrukkelijke jongens het garnalensap kon wegvegen. 'Mijn huid is me veel te dierbaar om Vespasianus te negeren als hij zegt dat er gevaar dreigt.'

'Vooral omdat er zoveel van is,' mompelde Domitianus en meteen ontving hij een flinke draai om de oren van zijn moeder, wier ergernis over haar echtgenoot haar ervan weerhield om de klap te verzachten.

'En ik doe wat ik wil,' zei Flavia, die over haar hand wreef terwijl Domitianus met zijn ogen knipperde, zijn hoofd duidelijk tollend. 'En als ik in mijn eentje wil wandelen om een luchtje te scheppen, dan doe ik dat.'

Vespasianus verslikte zich bijna in zijn garnaal. 'Maar schat, je hebt sinds we hier zijn nog geen enkele wandeling gemaakt. Je gaat alleen maar met de raeda op bezoek bij andere zich vervelende vrouwen in de buurt om samen over jullie echtgenoten te klagen. En je neemt altijd een gewapend escorte mee als je dat doet.'

'Omdat de wegen niet veilig zijn, maar hier, op mijn eigen landgoed? En bovendien, wat weet jij ervan wat ik doe terwijl jij bij Caenis bent? Misschien loop ik dan wel overal rond en praat met de boeren.'

'Flavia, je wrijft me onophoudelijk onder de neus hoe verschrikkelijk je het platteland vindt en hoe saai het landgoed is. Je ziet nog niet eens het verschil tussen een olijfboom en een granaatappel.'

'Misschien is het dan nu tijd om het te leren.'

'Ik zou het heel fijn vinden als je meer belangstelling voor het landgoed gaat tonen, maar ik vraag je alleen om een kleine voorzorgsmaatregel te nemen in de vorm van begeleiding. Alsjeblieft, lieve.'

'Ik ga nergens heen zonder mijn honden,' vertelde Magnus in een poging Vespasianus' argument te versterken.

Flavia's gezicht vertelde duidelijk wat ze van de honden vond. 'Je mag ze hebben, Magnus. Ik ga zeker niet ergens heen mét ze.'

Vespasianus had de indruk dat Magnus zich moest inhouden om niet te zeggen dat Castor en Pollux dezelfde mening waren toegedaan, en hij had het zeker gezegd als hij niet in het huis van zijn vriend was geweest. 'We gaan allemaal met een escorte. Ik heb Philon gevraagd Drustan het te laten regelen.'

Flavia's gezicht werd lang van afschuw. 'Die bruut. Hij is bedekt met tatoeages en stinkt erger dan een varkensstal.'

'Hoe weet je dat? Je bent nog nooit in een varkensstal geweest.'

'Ik wil niets te maken hebben met die Britse wilde!'

'Je hoeft niets met hem te doen, hij moet je alleen begeleiden met een van zijn kameraden. Ze kunnen achter je lopen, of van de wind af, wat je maar wilt. Maar ga niet...'

'Meester!' zei Philon, die haastig het vertrek binnenkwam en hem zonder omhaal onderbrak. 'Ik denk dat u beter even kunt komen kijken.'

Vespasianus, Magnus en Gaius volgden de rentmeester naar de binnen-tuin. Op elke hoek van de zuilengang was een fel brandende toorts aangebracht die een flikkerend licht over de struiken en de centrale visvijver wierp en trillende schaduwen projecteerde van de zuilen die het met terracotta dakpannen gedekte dak van de omgang droegen. De avondlucht begon koel te worden, maar bevatte nog sporen van de lente-dag, terwijl de cicaden langzaam hun dagtaak beëindigden om plaats te maken voor de geluiden van de nacht.

Philon leidde hen door de zuilengang aan de rechterkant en vervol-gens naar een houten deur aan het einde, bewaakt door een oude slaaf. Ze gingen naar buiten en liepen tussen twee stallen door naar het om-sloten erf naast het huis. Rechts was het lage gebouw waar de vrijgela-tenen woonden en dat de westkant van het erf vormde; de zuidzijde bestond uit het twee verdiepingen tellende slavenblok met de stallen van de veldslaven beneden en de slaapzaal van de betrouwbaardere huis-slaven boven. Aan de oostkant waren de werkplaatsen, de smidse en meer stallen; in deze wand bevonden zich de poorten, twee stevige hou-ten constructies. Voor een van deze poorten had zich een groep vrijge-latenen verzameld, ze keken naar iets op de grond.

'Achteruit, jongens,' zei Philon toen ze de groep naderden, 'en geef me een fakkel.'

Vespasianus, Magnus en Gaius liepen naar voren en keken naar wat de belangstelling had getrokken, terwijl Philon hen bijlichtte met de fakkel.

'Het is net over de poort gegooid,' vertelde Philon. 'Ik heb een paar jongens naar buiten gestuurd om te kijken of ze de daders konden pakken, maar die waren direct in het donker verdwenen.'

'Een muilezelhoofd,' zei Magnus. Hij gaf het ding een duw met zijn voet.

'Klopt,' stemde Philon in. 'Maar kijk nog eens goed.'

Vespasianus knielde neer en kneep zijn ogen samen. 'Hij heeft brandplekken en mist een oog.' De betekenis van zijn observatie drong onmiddellijk tot hem door. 'Het is het hoofd van het muildier van deze middag, iemand moet hem uit het vuur hebben getrokken.'

Philon knikte. 'Dat dacht ik ook, meester.'

'Dit bevalt me niets, beste jongen,' zei Gaius, die met moeite uit zijn hurkende positie overeind kwam en daarbij een wind liet.

'Mij ook niet, oom. Iemand wil ons duidelijk maken dat ze ons in de gaten houden.'

Vespasianus sliep die nacht weinig, hij had niet meer dan een uur of twee de tijd gevonden om te gaan liggen na het organiseren en bewapenen van de vrijgelaten en enkele betrouwbare slaven en het uitzetten van wachten op de muren en daken van de gebouwen. De ochtend brak aan zonder dat er iets was gebeurd en het landgoed maakte zich op voor een nieuwe werkdag. De veldslaven kregen hun voer en werden door de opzichters met zwepen weer aan hun zware arbeid gezet, terwijl de huisslaven aan hun aanzienlijk lichtere huishoudelijke werkzaamheden begonnen.

Rond het tweede uur van de dag leek het incident met het muilezelhoofd een vervagende droom voor de meeste mensen op het landgoed, nu ze weer helemaal opgingen in hun dagelijkse taken, die nauwelijks veranderden van maand tot maand en van jaar tot jaar.

Vespasianus voelde enige opluchting toen Philon hem in het tablinum kwam vertellen dat er een ruiter naderde. 'Hij komt van de Via Salaria, meester, die moet hij bij Reate hebben verlaten.'

Vespasianus rolde de boekhouding van het vorige jaar die hij had zitten bestuderen op. 'Waarschijnlijk komt hij uit Rome. Goed om te weten dat we niet afgesneden zijn. Wie de Mankepoot ook moge zijn, hij heeft niet genoeg manschappen om ons te omsingelen, dat geeft me een geruster gevoel. Bied de ruiter een bed voor de nacht aan, mocht hij dat willen.'

236

Philon boog en trok zich terug, terwijl uit het atrium de geluiden klonken van iemand die binnengelaten werd. Al snel kwam hij terug en overhandigde Vespasianus een stel leren kokers.

'Brieven, beste jongen?' zei Gaius, die achter de rentmeester was binnengekomen. 'In ieder geval iets om de spanning te doorbreken.' Hij ging onuitgenodigd zitten en wachtte op het nieuws.

'Titus,' zei Vespasianus, naar het zegel van de eerste brief kijkend, om die vervolgens te openen. 'Hij schrijft dat hij onderweg is om over een voorstel voor een nieuw huwelijk te praten.'

'Echt waar? Dat is snel, zijn eerste vrouw ligt koud in haar graf. Hij had haar nooit mee naar Azië moeten nemen. Nu hij terug is kan hij zich beter op een praetorschap en het lidmaatschap van de Senaat richten in plaats van zich met een nieuw huwelijk bezig te houden.'

'Misschien ziet hij dit huwelijk als een manier om zijn kansen daarop te vergroten, tenslotte kan onze familie het zich momenteel niet eens veroorloven om Epaphroditus om te kopen om zijn naam op de kandidatenlijst te zetten.'

'Je zou weleens gelijk kunnen hebben. Wiens dochter is het?'

'Van Quintus Marcius Barea Sura.' Hij keek naar de rentmeester. 'Philon, vertel de meesteres dat we onze oudste zoon morgen of overmorgen kunnen verwachten. Ze kan maar beter de jonge meester waarschuwen dat zijn oudere broer komt zodat hij de tijd heeft om aan het feit te wennen.' Nadat de rentmeester was vertrokken wendde hij zich weer tot Gaius. 'Dat zou weleens een goede partij voor onze familie kunnen zijn. We moeten ons vereerd voelen dat Sura het heeft voorgesteld. Ik neem aan dat het om Marcia Furnilla gaat, want als ik het me goed herinner is de oudere Marcia een tijdje geleden getrouwd, tenzij ze onlangs gescheiden is.'

Gaius leefde onmiddellijk op nu hij zich aan zijn favoriete tijdverdrijf, roddelen, kon overgeven. 'Nee, ze is nog altijd met Marcus Ulpius Traianus getrouwd, die momenteel in het oosten onder Corbulo dient en zich daar naar ik heb gehoord onderscheiden heeft. Ze hebben een zoon van elf die je in de gaten moet houden voor Domitilla's dochter. Er is ook een oudere dochter, Ulpa Marciana, zij heeft laatst een heel goed huwelijk gesloten met Gaius Matidius Patruinus, die, zoals je weet, meer geld heeft dan hij kan uitgeven, zelfs na het verstrekken van renteloze leningen aan de keizer.'

'Ze zijn zeker een familie in opkomst.'

Terwijl Gaius verderging over het voorgestelde huwelijk opende Vespasianus de tweede brief, die van Sabinus was, en begon te lezen. 'Ik heb gehoord dat Sura's broer Soranus dicht bij Piso staat.'

Vespasianus keek op van Sabinus' brief. 'Hoe dichtbij?'

'Ze kennen elkaar.'

'En? Ik ken Piso, u ook.'

'Ja, maar wij worden niet uitgenodigd voor zijn etentjes.'

'We zullen het er met Titus over hebben als hij er is, hij zal het ongetwijfeld willen bespreken. Hij zegt dat hij ja heeft gezegd onder voorbehoud dat ik instem. Sura wil de formaliteiten graag zo snel mogelijk afhandelen en Titus stelt voor dat als ik instem we een afspraak met Sura maken. Het huwelijk kan dan de volgende dag plaatsvinden, als de voortekenen gunstig zijn, natuurlijk.'

'Natuurlijk. Hij lijkt ongewoon veel haast te hebben.'

'Titus is nog geen maand terug uit zijn provincie en is weduwnaar. Hij is de neef van de prefect van Rome en bovendien mijn zoon, hij is wat Sura betreft een goede partij. Ik neig ernaar om toestemming te geven, al was het maar om nauwere banden met de Ulpii te krijgen.'

'Zoals je wilt, beste jongen, maar vergeet niet wat ik gezegd heb.'

'Natuurlijk, oom.' Vespasianus richtte zijn aandacht weer op zijn broers brief, om hem na enkele ogenblikken over de schrijftafel naar Gaius te schuiven. 'Dat huwelijk zou weleens sneller kunnen plaatsvinden dan we dachten. Ik geloof niet dat we nog lang hier kunnen blijven, oom. Sabinus schrijft dat het Senaatsgebouw deze maand tijdens het feest van Ceres zal worden ingewijd, en het Circus Maximus gaat de dag erna open voor de traditionele wagenrennen op de laatste dag van het feest. We zullen naar Rome terug moeten.'

Gaius wierp een blik op de brief. 'Jammer, het beviel me hier uitstekend zo ver van Nero's blik. Het is de eerste langere periode sinds de vroege dagen van Claudius' regering dat ik de angst niet voortdurend zwaar op me voel drukken.'

'Ik weet het. En om het erger te maken keren we terug naar een keizer die ongetwijfeld staat te springen om geld.'

'De provincies hebben het leeuwendeel van het benodigde geld opgehoest.'

'Maar Rome is nog maar net begonnen om als een feniks uit de as te

238

herrijzen. Hou uzelf niet voor de gek, oom, onze klasse is als volgende aan de beurt.'

Gaius gooide de brief walgend neer. 'Het enige wat ik van het leven verlang is om niet op te vallen en met mijn jongens met rust gelaten te worden, en wat krijg...' Hij spitste zijn oren. 'Wat was dat?'

'Wat?'

Gaius stak een hand op. 'Luister.'

En toen hoorde Vespasianus het. 'Een schreeuw, ver weg.'

'Dat, beste jongen, is een man die veel pijn lijdt.'

Vespasianus haastte zich van het tablinum door de open deuren naar de tuin, waar hij bijna op Magnus botste, die de andere kant op rende. 'Wat is er, Magnus?'

'Weet ik niet, maar het komt uit de richting van waar we gisteren het muildier vonden.'

Vespasianus snelde de tuin door naar het erf. 'Philon! Philon!' De rentmeester kwam uit het kantoor in het woongebouw van de vrijgelatenen. 'Philon, verzamel zo veel mogelijk vrijgelatenen en bewapen ze. Ze moeten te paard klaarstaan.'

'Ja, meester.'

'En zorg dat alle anderen binnen blijven. Haal alle werkploegen terug, begrepen?'

'Ja, meester.'

'En de meesteres? Heb je haar mijn boodschap overgebracht?'

'Ik heb een jongen achter haar aan gestuurd.'

'Achter haar aan?'

'Ja, ze was een wandeling gaan maken.'

Vespasianus vervloekte de koppigheid van zijn vrouw. 'Nu? Na al die tijd besluit ze een wandeling te maken?'

'Maak u geen zorgen, heer. Ik heb Drustan en nog iemand meegestuurd.'

Dat kalmeerde Vespasianus. 'Goed, maar haal haar zo snel mogelijk terug. Wij gaan intussen uitzoeken wie er zo'n lawaai maakt.'

De zon werd opgeslokt door grijze wolken, aangevoerd door een sterke wind uit het oosten. Vespasianus voelde de eerste druppels regen zijn gezicht en onderarmen raken toen hij met Magnus en acht beschikbare vrijgelatenen door de poorten galoppeerde zonder te wachten tot ze volledig open waren.

De schreeuw was overgegaan in gejammer en klonk alleen nog af en toe, want niemand, hoeveel pijn hij ook leed, kon zoveel lawaai voortdurend volhouden.

Vespasianus spoorde zijn paard aan en reed naar het oosten, de richting waar het geluid vandaan kwam, schreeuwend tegen iedereen in de velden binnen gehoorsafstand dat ze moesten terugkeren naar de veiligheid van het boerderijcomplex. Geketende groepen slaven schuifelden zo snel mogelijk terug langs de paden, wreed aangespoord door de zweepslagen van de opzichters, die grote haast hadden om zichzelf in veiligheid te brengen.

Vespasianus en zijn metgezellen vlogen over de golvende weiden, die afgewisseld werden met wijngaarden en olijfgaarden. De fijne druppeltjes in de lucht verdikten zich tot echte regen en de wind, die direct in hun gezicht waaide, liet hun mantels achter hen wapperen. Onverschillig voor het omslaande weer graasden kuddes merries met hun veulens, de muildieren, die op hun wankele benen en met hun veel te grote hoofd tegen hun moeder gingen staan om te schuilen tegen de regen. Het gejammer bleef komen en gaan, meegedragen op de wind, en hoe dichterbij ze kwamen, hoe zekerder Vespasianus werd van de oorzaak van de pijn. En dus keek hij met de grimmige blik van een man wiens angstige vermoedens net waren bevestigd toen hij de top van een heuveltje bereikte en het kruis zag, enkele honderden passen verderop.

Aan het kruis kronkelde een figuur. Een kwart mijl daarachter stonden twee ruiters die hun nadering gadesloegen.

'Klootzakken!' schreeuwde Vespasianus en hij dreef zijn paard voorwaarts, ook al wist hij dat hij de twee man niet te pakken zou krijgen; toen hij naderde draaiden de mannen zich inderdaad om, galoppeerden weg en verdwenen over de volgende heuvel. 'Laat ze maar, we halen ze toch niet in.' Vespasianus hield zijn paard in en liep om het kruis heen.

De gekruisigde man hing naar voren, het gewicht van zijn lichaam werd gedragen door de spijkers die door zijn polsen waren geslagen, net onder de muis van zijn handen. Bloed verdund met regenwater stroomde langs zijn armen naar zijn borst, die op en neer ging in een moeizame poging om adem te halen. Het gebrek aan zuurstof prikkelde het instinct om te ademen en hij kreeg stuipen. Hij drukte op de spijker waarmee zijn voeten aan de staander waren vastgezet en trok zich op aan zijn polsen, zijn gezicht vertrokken van de pijn terwijl hij de lucht met horten en stoten naar binnen zoog, om vervolgens jammerend uit te ademen in een huiveringwekkend desolaat geluid.

Met enorme inspanningen wist hij lang genoeg overeind te blijven voor een volgende reeks schokkerige ademhalingen. Bij het jammeren opende hij zijn ogen en werd zich bewust van Vespasianus. 'Maak er een einde aan, meester, in naam van de goden.'

Vespasianus knikte en trok zijn zwaard. 'Wie heeft dit gedaan?'

De man grimaste, alle spieren in zijn gezicht leken gelijktijdig samen te trekken. 'Ik moest u zeggen dat het de Mankepoot was.'

'Hoe zag hij eruit?'

De man schudde zijn hoofd, verdund bloed spatte in Vespasianus' gezicht. Met een laatste uitbarsting wist hij uit te brengen: 'Hij werd in een stoel gedragen.'

Vespasianus wist dat hij niet meer kon verwachten. 'Je krijgt een goede begrafenis.'

De ogen van de man gingen even open en hij zag een zwaard naar voren flitsen en in zijn hijgende borst verdwijnen; hij keek Vespasianus strak aan terwijl er bloed uit zijn mond kwam. Met een nauwelijks zichtbaar knikje vervloog het leven uit zijn ogen en zijn hoofd viel naar voren.

'Wie was het?' vroeg Vespasianus, zijn kling uit het lijk trekkend.

'Manius, meester,' antwoordde een van de vrijgelatenen. 'Hij was een opzichter.'

'En het ziet ernaar uit dat zijn slaven allang weg zijn,' zei Magnus, die van zijn paard sprong en een stel beenijzers oppakte.

'Ze werken altijd in paren,' bedacht de vrijgelatene. 'Waar is Manius' metgezel?'

De vraag was nog maar net gesteld toen een gil hem beantwoordde.

Vespasianus wendde zijn paard. 'Ze hebben gewacht tot we hier waren voor ze hem gingen kruisigen, we kunnen ze misschien nog tegenhouden voor ze het kruis overeind zetten.'

De jacht begon en met elke klap van de hamer op een spijker klonk een schreeuw van toenemende pijn. Ze dreven hun paarden door de inmiddels stromende regen genadeloos voort in de hoop dat ze de opzichter konden redden voordat het kruis werd opgericht. Eenmaal overeind zouden de pezen in voeten en polsen door de plotselinge belasting stuk worden getrokken. Als ze voor dat moment aankwamen, was er een kleine kans dat hij weer zou kunnen lopen en zijn handen redelijk zou kunnen gebruiken. Als hij tenminste niet aan een infectie zou bezwijken.

Vespasianus sloeg zijn paard met het plat van zijn zwaard op de flanken, de bandiet vervloekend die zich de Mankepoot noemde en die zijn slaven bevrijdde en zijn mensen doodde uit wraak omdat Vespasianus vijf jaar geleden had afgerekend met stropers op zijn land. Hij had volkomen in zijn recht gestaan. Het leek niet te kloppen, die enorme overreactie uit naam van de Mankepoot, en toch gebeurde het. Nu zou er pas een einde aan komen als de Mankepoot dood was en zijn mannen gevangen of eveneens gedood waren.

Ze bereikten de heuvel waar de twee ruiters achter waren verdwenen en zagen meer van regen doortrokken velden. In de verte, moeilijk zichtbaar door de regenvlagen, was een groepje mensen en uit hun midden kwam het geschreeuw. Schijnbaar zorgeloos gingen ze gewoon door met hun grimmige taak terwijl Vespasianus en zijn groep op hen afstormden. Vijfhonderd passen, vierhonderd passen, driehonderdvijftig, en toen, toen ze nog minder dan driehonderd passen te gaan hadden, werd het kruis overeind gezet. Het slachtoffer schreeuwde naar zijn goden terwijl de spijkers aan zijn gewrichten trokken en de staander in het eerder gegraven gat verdween. De bandieten hadden geen tijd meer om het kruis met wiggen vast te zetten en sprongen op hun paarden om weg te galopperen; de gekruisigde hing naar voren aan het overhellende kruis.

'Probeer ze in te halen,' schreeuwde Vespasianus tegen de vrijgelatenen, al wist hij dat het ze hoogstwaarschijnlijk niet zou lukken. Hij bracht zijn paard tot stilstand naast de opzichter, die in doodsangst aan de spijkers hing, zijn ogen gefixeerd op de spijkerkop die uit zijn voeten stak. Vespasianus en Magnus sprongen van hun paarden; op zijn tenen kon Vespasianus net bij de dwarsbalk, terwijl Magnus zich bukte om zo laag mogelijk houvast op de staander te vinden.

'Klaar,' riep Magnus.

Vespasianus knikte.

'Drie, twee, een, nu.' Magnus trok aan de staander zodat die uit het gat kwam terwijl Vespasianus het steeds toenemende gewicht van de dwarsbalk opving. Langzaam kwam het kruis uit de grond, maar elke schokkende beweging, hoe klein ook, zond pijnscheuten door het lichaam van het slachtoffer en hij huilde van de pijn op een manier die Vespasianus nog maar zelden had gehoord. Ze legden het kruis zo voorzichtig mogelijk neer, zodat de man op zijn buik lag. Nu de grond zijn gewicht droeg nam de druk af en verminderde de pijn ietsjes. Vespasianus pakte zijn riem en haalde die voorzichtig onder de buik van de man door en maakte hem strak dicht om de staander zodat hij eraan vastgebonden zat. Nu kwam het moeilijke deel: het kruis omdraaien zodat de opzichter op zijn rug lag en ze de spijkers konden verwijderen. 'Jij draait het kruis om, Magnus, ik hou hem vast.'

Magnus haalde diep adem en pakte het uiteinde van de dwarsbalk beet, terwijl Vespasianus een arm met beide handen vasthield in een poging te voorkomen dat de zwaartekracht te hard aan de wonden zou trekken. Langzaam ging het kruis omhoog, het slachtoffer probeerde zijn geschreeuw in te slikken toen zijn lichaam weer werd blootgesteld aan de pijn van de spijkers. Vespasianus hield hem stevig vast en nam zo veel mogelijk gewicht op zich. De dwarsbalk bereikte het hoogste punt en daalde vervolgens weer, zodat het slachtoffer op zijn rug kwam te liggen, zijn borst ging met horten en stoten op en neer. Een blik op de wonden vertelde alles wat er te vertellen viel: bij het oprichten en weer neerhalen van het kruis hadden de spijkers hard aan de gaten in de polsen getrokken en die waren nu drie keer zo groot als toen de spijkers er net in waren geslagen. De wonden in de voeten waren al niet anders. De opzichter zou nooit meer zonder hulp kunnen lopen en hij zou de rest van zijn leven niet meer voor zichzelf kunnen zorgen. Hij keek op naar Vespasianus en aan zijn ogen was te zien dat hij het zelf ook besefte. Met een uiterst lichte glimlach accepteerde hij zijn lot: beter meteen sterven dan als een waardeloos wrak door het leven moeten gaan.

'Wat weet je over degenen die dit gedaan hebben?' vroeg Vespasianus, zijn zwaard trekkend voor de genadeslag.

De opzichter schudde het hoofd. 'Alleen dat het smeerlappen zijn,' kreunde hij. 'Dood ze.'

'Gaat gebeuren.' Vespasianus stootte de punt van zijn zwaard onder de ribbenkast door in het hart. Een zachte zucht ontsnapte aan de man, die al dood was.

'Daar komen de anderen,' zei Magnus. 'En het ziet ernaar uit dat ze iemand bij zich hebben met wie we een leuk praatje gaan maken.'

'Geef de senator nou maar gewoon antwoord, anders ben jij dat straks,' zei Magnus, die naar de dode opzichter wees, nog altijd aan het kruis vastgenageld. 'Maar dan niet zo dood, als je begrijpt wat ik bedoel.'

De gevangen bandiet wierp een blik op de man die hij even tevoren had gekruisigd. Aan zijn gelaatsuitdrukking viel te zien dat hij heel goed begreep wat Magnus bedoelde.

Magnus deed er nog een schepje bovenop. 'De vraag is of je meer lawaai gaat maken dan hij, want jij moest hem snel vastspijkeren omdat wij naderden, terwijl wij de tijd hebben en het dus op ons gemak goed kunnen doen. Wij hebben geen haast en zullen het kalmpjes aan doen.'

De bandiet keek naar de groep om hem heen, zijn ogen schoten heen en weer op zoek een spoor van mededogen bij een van de tien mannen, maar vond niets. 'En als ik meewerk?'

'Dan,' zei Vespasianus, 'kun je net zo dood als hij zijn zonder aan het kruis te worden gespijkerd.'

'Een snelle dood?'

'Je hebt mijn woord.'

Nog een blik op de vreselijke wonden in de polsen van de opzichter was voldoende voor de bandiet om tot een besluit te komen. Hij ging op de knieën voor de genadeslag. 'Als jullie twee mijl pal oost gaan, twee valleien verder,' hij wees naar de met kreupelhout begroeide helling aan de andere kant van de geul, 'dan komen jullie bij een riviertje. Ga daar langs de stroom naar het zuiden en na ongeveer een mijl komen jullie bij een dennenbosje. Daar is het kamp.'

'Hoeveel man heeft hij?'

'Dat verschilt steeds, maar nu zijn het er zo'n twintig, tweeëntwintig.'

'Mooi, je kunt ons er morgen naartoe brengen.'

De bandiet keek verbaasd op. 'Morgen? Maar u hebt uw woord gegeven.'

'Voor een snelle dood, maar ik zei niet wanneer. Hoe weet ik of je de waarheid vertelt? Als wat je gezegd hebt klopt, krijg je een snelle dood als we de Mankepoot hebben.' Vespasianus fronste het voorhoofd in verbazing omdat de bandiet doodsbang leek bij het vooruitzicht nog een extra dag te moeten leven.

'Maar u hebt uw woord gegeven!'

'Waarom wil je zo graag sterven?'

De ogen van de man schoten onwillekeurig naar het westen.

Vespasianus begon een naar voorgevoel te krijgen. 'Wat weet je?' Hij pakte de bandiet bij het haar en trok hem overeind. 'Wat is er aan de hand dat je liever meteen doodgaat? Wat?' Hij gaf de man een knietje in het kruis en liet hem los, zodat hij dubbelklapte en op de grond viel, hyperventilerend. 'Wat hebben jullie gedaan?'

De bandiet greep naar zijn kruis, zijn gezicht vertrokken van de verlammende pijn.

'Hij kan ze beter tellen dan erover wrijven,' grapte Magnus terwijl ze wachtten tot de bandiet weer kon praten.

'Vertel me wat jullie hebben gedaan,' herhaalde Vespasianus toen de man minder zwaar begon adem te halen, 'of anders heb je niets over om te tellen.'

De bandiet keek op naar Vespasianus, speeksel droop uit zijn mondhoek. 'We waren een afleiding.'

Vespasianus' voorgevoel ging over in een ijskoude rilling. 'Voor wat?'

'Voor de wraak van de Mankepoot.'

'Wraak? Wraak voor de dood van een stel stropers vijf jaar geleden?'

'Stropers? Niks stropers. Wraak op u.'

'Op mij? Wat heb ik hem aangedaan?'

'Door u is hij zo geworden. Wij moesten jullie weglokken, en dat hebben we gedaan, dus ik neem aan dat als u teruggaat hij zijn wraak heeft genomen.'

Vespasianus keek Magnus aan en wees op de bandiet. 'Neem hem mee, ik ga snel terug.'

Door de stromende regen reed Vespasianus met zes van de vrijgelatenen terug. Ze gaven hun rijdieren ervanlangs tot het bloed langs de flanken liep, zoveel haast had hij om thuis te komen, al wilde een deel van hem liever geen haast maken uit angst voor wat hij zou kunnen aantreffen. Wat had de Mankepoot gedaan en wat had hij, Vespasianus, gedaan om het te verdienen? Hoe had hij de Mankepoot gemaakt tot wat hij was? Ging het om een legionair die hij gestraft had? Een vijandelijke soldaat die hij ernstig verwond had? Een misdadiger die hij had laten berechten? Allemaal mogelijk, maar misschien was het ook wel iets anders, iets waar hij niet aan gedacht had of wat hij vergeten was. Zeker was dat hij een bepaalde onrust had gevoeld sinds ze het gekruisigde muildier hadden gevonden. Hij had Flavia gewaarschuwd niet alleen naar buiten te gaan vanwege die onrust, niet omdat... Flavia! Flavia was naar buiten gegaan, alleen maar om te laten zien hoe koppig ze kon zijn. Vespasianus slikte en sloeg zijn paard nog harder, zonder dat het iets opleverde, omdat het dier al over de grens van zijn kunnen heen ging. Hij vervloekte zichzelf voor zijn vlaag van ergernis waardoor hij het paard extra had laten lijden. Maar zijn spijt was van korte duur, want het beeld van Flavia in de handen van de Mankepoot of een van diens handlangers brandde in zijn hoofd. Hij smeekte Mars in een gebed dat de jongen die Philon achter Flavia en Domitianus aan had gestuurd hen had gevonden en dat ze teruggekeerd waren.

Met een schok besefte Vespasianus dat zijn zoon met zijn vrouw was meegegaan zonder dat hij zich zorgen om de jongen had gemaakt, had hij niet ook om hem bezorgd moeten zijn? Misschien had hij het Domitianus nog niet vergeven dat hij de verstopplek van de parels had verraden, iets waarmee hij hem nog niet had geconfronteerd. Hij kwam tot de conclusie dat zijn zoon maar beter niet kon weten dat zijn ouders van zijn verraad op de hoogte waren, want als hij wist dat hij in de gaten werd gehouden zou hij het de volgende keer alleen maar beter verbergen. Als hij zich veilig waande, zou hij minder voorzichtig zijn. Hij moest de jongen goed in het oog houden, als hij tenminste nog in leven was.

Angst knaagde aan Vespasianus terwijl zijn paard door de regen voortraasde. De angst werd afgewisseld met schuldgevoelens: waarom had hij niet begrepen dat de gebeurtenissen van deze ochtend een afleidingsmanoeuvre waren? Het muildierhoofd had hem doen vermoeden dat ze aangevallen zouden worden, maar toen hij de eerste kreten van de gekruisigde opzichter hoorde, had hij zich laten verleiden om met alle beschikbare vrijgelatenen op onderzoek uit te gaan, waardoor het boerderijcomplex alleen door oude mannen en vrouwen en kinderen werd verdedigd. Wat had hem bezield? Hij had zich wel heel simpel in de luren laten leggen en hij had het nog erger gemaakt door op het gejammer van de tweede opzichter af te gaan. De bandieten hadden duidelijk gewacht met hem te kruisigen tot Vespasianus en zijn mannen de eerste opzichter hadden gevonden en hem de genadeslag hadden gegeven. Door naar de tweede man te gaan had de Mankepoot minstens nog een halfuur gewonnen voor wat hij ook van plan was. Bij elkaar anderhalf uur, schatte Vespasianus, zou hij van huis weg zijn geweest als hij weer thuiskwam. Anderhalf uur, in die tijd kon heel wat dood en verderf worden gezaaid.

Angst en schuldgevoelens hielden hem in hun greep terwijl hij doorweekt de mijlen aflegde en hij was zo diep in gedachten verzonken, met nog ruim een mijl naar zijn huis te gaan, dat hij het kruis bijna niet had herkend als wat het was: het derde kruis die dag.

Het derde.

En toen hij goed keek voelde hij zijn maag omdraaien en het braaksel omhoogkomen, het spoot over de manen van het paard. Hij probeerde zijn ogen af te wenden maar het lukte hem niet, zijn blik zat vastgevroren aan de persoon aan het kruis, en hoewel hij van achteren naderde was het duidelijk wie daar hing, want hij herkende de stola. Bovendien stond aan de voet van het kruis een rek rechtop met een jongen eraan. Die leek ongedeerd, maar was aan het rek vastgebonden en had een doek voor zijn mond zodat hij geen geluid kon maken. Zijn ogen toonden afschuw, want Domitianus staarde naar het gekruisigde lichaam van zijn moeder Flavia.

HOOFDSTUK XIV

'Flavia!' schreeuwde Vespasianus toen hij van zijn paard sprong. 'Flavia!' Hij rende langs het kruis en keek omhoog, na één blik viel hij op zijn knieën, snikkend zonder dat er tranen kwamen.

Flavia staarde op hem neer, haar ogen uitzinnig van de pijn. Ook zij had een doek voor haar mond zodat ze niet kon schreeuwen en zo mensen kon aantrekken om haar te hulp te komen. Ze was aan het kruis vastgespijkerd. De wonden waren diep en door de regen uitgespoeld, zodat het witte bot zichtbaar was. Haar stola was met bloed bevlekt en haar hoofd kaalgeschoren. Ze kronkelde in een poging adem te halen door haar met slijm gevulde neus, uit haar keel kwam een gorgelend geluid en ze hoestte vloeistof op, waardoor ze bijna in de doek stikte. Haar borst ging schokkend op en neer en haar pijn werd nog ondraaglijker.

'Haal haar omlaag!' gilde Vespasianus tegen de vrijgelatenen die met duidelijke afkeer naar de meesteres van het landgoed keken. Na het bevel kwamen ze direct in actie, terwijl Vespasianus naar Domitianus snelde en de doek van zijn mond haalde. De jongen spuugde een mondprop uit en Vespasianus zag tot zijn afschuw dat het een bal van Flavia's haar was. De prop vloog zijn richting op en de schreeuw die volgde leek niet van een mens afkomstig te zijn; de schelste harpij had geen huiveringwekkender geluid kunnen voortbrengen. De kreet hield aan terwijl Vespasianus de knopen waarmee Domitianus was vastgebonden losmaakte. De jongen kon zijn ogen niet van zijn moeder losmaken. Intussen waren de vrijgelatenen bezig het kruis uit de grond te tillen. Vespasianus nam zijn zoon in zijn armen en probeerde hem vaderlijke troost te bieden terwijl de tranen over zijn eigen gezicht stroomden.

Hij hield hem dicht tegen zich aan, platitudes in zijn oor mompelend, ook al wist hij heel goed dat het niet in orde zou komen. Domitianus begon eindelijk te kalmeren en Vespasianus hield diens gezicht tussen zijn twee handen. Zijn zoon keek terug, de ogen nog wijd open in angst. 'Ik dacht dat ze het ook met mij gingen doen, vader. Ik dacht dat ze mij ook gingen kruisigen. Mij!'

Het duurde een moment voor Vespasianus besefte wat de woorden van Domitianus betekenden, die intussen door bleef ratelen over zijn ontsnapping aan een vreselijke dood. En toen hij het begreep gaf hij zijn zoon met al zijn kracht een klap in het gezicht. 'En je moeder dan?' Zijn stem was laag en vol dreiging van meer geweld. Hij wees op Flavia, die haar lichaam verwrong bij elke schok van het kruis dat neergelaten werd. 'Hoe zit het met je moeder? Het gaat niet om jou, met jou is niets aan de hand. Maar je moeder? Zij is degene die lijdt.' Hij gaf Domitianus met de rug van zijn hand nog een klap in het gezicht, niet in staat zichzelf in bedwang te houden. De jongen keek hem verwonderd aan.

Nog een klap.

Domitianus gilde en sprong op. 'Daar zult u voor boeten, vader. Niemand slaat me.'

Vespasianus haalde uit naar zijn zoon in een poging hem een echte vuistslag te geven, maar Domitianus was te snel, hij dook onder de vuist door en zonder nog een blik op zijn gekruisigde moeder te werpen rende hij in de richting van het huis. Vespasianus spuugde hem na en keerde zich om naar waar zijn vrouw op de grond werd gelegd.

Knielend naast Flavia legde Vespasianus zijn hand achter haar hoofd en maakte de knoop los waarmee haar mond was dichtgebonden. Heel voorzichtig trok hij de doek voor haar mond weg, want elke beweging, hoe klein ook, was buitengewoon pijnlijk door de spijkers door haar gewrichten. Flavia's ogen bleven in de zijne kijken terwijl hij de prop van haar eigen haar uit haar mond haalde.

'Het spijt me, echtgenoot,' fluisterde Flavia, haar stem hortend en gejaagd. 'Het spijt me zo.'

Vespasianus pakte de waterzak die een van de vrijgelatenen aanbood en goot enkele druppels in haar mond. 'Het is mijn fout, Flavia, ik had nooit het huis uit moeten gaan.'

'Ik ook niet. Ik deed het om je te ergeren.'

'Het geeft niet.' Vespasianus raakte de kop van de spijker door haar rechterpols aan. 'We trekken ze eruit, Flavia.'

'Nee, Vespasianus, het is afgelopen met me.' Ze haalde moeizaam adem. 'Ik wil niet nog meer lijden en ik wil niet leven zoals hij.'

'Wie?'

'De Mankepoot natuurlijk, hij liet me zijn wonden zien toen ik op het kruis lag, de mond dichtgesnoerd terwijl ik inwendig schreeuwde toen ze met de hamer en spijkers aankwamen. Hij liet me zien wat je gedaan had waardoor hij niet meer kon lopen en zijn handen niet meer goed kon gebruiken.'

'Wat ík had gedaan?'

'Ja, Vespasianus. Jij en Sabinus.'

'Waar en wanneer?'

'Hier op het landgoed, veertig jaar geleden.'

'Veertig jaar ge...' En toen wist hij het weer, veertig jaar. 'De weggelopen slavenjongen! Degene die we hebben gekruisigd op de dag nadat Sabinus was teruggekeerd van zijn periode als militair tribuun. We kruisigden hem bij de geul langs de oostgrens van het landgoed.'

'Dat weet ik, hij heeft me alles verteld voor hij opdracht gaf me vast te spijkeren. Hoe hij zonder genade vastgenageld werd en jullie hem achterlieten om te sterven.'

'Maar ik pleitte bij Sabinus voor zijn leven.'

Flavia schudde het hoofd en vertrok haar gezicht van pijn. 'Ik geloof niet dat hij dat onthouden heeft. Hij herinnert zich alleen de spijkers die in zijn gewrichten gehamerd werden en de ruk toen het kruis overeind werd gezet, en daarna herinnert hij zich hoe zijn vader hem losmaakte en hem in leven hield zodat hij op een dag wraak kon nemen. Maak me af, Vespasianus, ik kan niet langer leven.'

Vespasianus raakte Flavia's wang aan, over de zijne stroomden tranen. 'Als dat je wens is.'

'Vertel de kinderen dat ik van ze hou, en vooral tegen Domitianus, want van alle drie heeft hij dat het meeste nodig. Ik hoorde je daarnet.'

Vespasianus beet op zijn tong om niet iets neerbuigends over zijn jongste zoon te zeggen.

'De Mankepoot zei dat hij Domitianus niet heeft gekruisigd omdat hij zelf rond die leeftijd was toen het hem overkwam. Hij wilde laten zien dat hij beter is dan jij. Hij zei ook dat hij hem flink zou beschadi-

250

gen door hem zo vast te binden dat hij me aan het kruis moest zien lijden.'

Vespasianus betwijfelde of dat het geval was, maar zei daar niets over. Hij kon alleen maar de wang van zijn vrouw strelen. 'Ik had een betere echtgenoot voor je kunnen zijn, Flavia.'

'Nee, dat is niet zo, ik had alles wat ik wilde en jij zorgde voor het geld om dat mogelijk te maken. Caenis zal de leegte die ik achterlaat opvullen, geef haar mijn zegen en zeg haar dat ze een moeder voor onze kinderen moet zijn. En nu moet je het doen, echtgenoot, er valt niets meer te zeggen.'

Vespasianus boog zich voorover en kuste Flavia op de lippen, ze beantwoordde de kus en sloot haar ogen. Hij begreep dat ze zijn gezicht niet wilde zien als hij de genadestoot uitdeelde. Hij trok zijn zwaard en voor de derde keer die dag richtte hij het op een hart. Met zijn andere hand hield hij haar achterhoofd vast. 'Ik zal je wreken, Flavia, en ik zal om je rouwen, vrouw.'

'Doe het, Vespasianus.'

Ook hij sloot zijn ogen, hij vermande zich en stuurde zijn vrouw naar de veerman. Ze maakte geen geluid om haar heengaan te markeren, en als ze het wel deed, werd het gemaskeerd door Vespasianus' rauwe brul van ellende en woede toen hij het hart doorboorde van de vrouw die zijn kinderen had gebaard. Toen het voorbij was viel hij voorover op Flavia's lichaam en lag daar, trillend van verdriet, terwijl de tijd zonder dat hij er iets van merkte verstreek.

'We kunnen beter naar huis gaan,' zei Magnus en hij legde zijn hand op Vespasianus' schouder. 'U moet weg uit de regen.'

Vespasianus opende zijn ogen en merkte dat hij op Flavia's onbeweeglijke borst lag. Hij tilde zijn hoofd op en besefte dat hij koud en nat was. Hij was de regen vergeten op het moment waarop hij besefte dat het Flavia was die aan het kruis hing. Hij kwam overeind en zag dat hij in zijn verdriet zijn zwaard in de borst van zijn vrouw had laten staan.

'Ik doe het wel,' bood Magnus aan, die het gevest beetpakte.

'Nee, Magnus, dank je.' Hij haalde Magnus' hand weg en greep zijn zwaard. 'Dat is mijn taak.' Hij knarste met zijn tanden en draaide zijn pols zodat de zuiging verminderde en hij de kling kon lostrekken. Het ijzer was bedekt met Flavia's bloed, hij veegde het schoon aan het gras. Nog altijd verdoofd stond hij op, met hulp van Magnus, en keek om zich heen. 'Maak haar lichaam los en breng haar naar huis.' De vrijgelatenen durfden hem niet aan te kijken nadat ze zijn verdriet over de dood van zijn vrouw hadden gezien. Zijn blik ging naar de gevangen bandiet, hij wees met zijn zwaard naar de man. 'En kruisig hem dan in haar plaats.'

De bandiet viel op zijn knieën. 'Maar u hebt het beloofd, u hebt me een snelle dood beloofd.'

'Je wist dat de Mankepoot dit ging doen terwijl jij voor afleiding voor hem zorgde, nietwaar?'

'Ik wist het niet, ik zweer dat ik niet wist wat hij ging doen. Ik zweer het!'

Magnus duwde Vespasianus' zwaardarm omlaag. 'We hebben hem levend nodig. Nu meer dan ooit, want alleen hij kan ons naar de Mankepoot leiden, en ik neem aan dat u dat boven alles wilt.'

Vespasianus knikte, zijn ogen stonden dof. Hij stak zijn zwaard in de schede. 'Je hebt gelijk, Magnus; die klootzak vinden en hem afmaken is nu het allerbelangrijkste.' Hij keek weer naar de gevangene. 'Mijn belofte blijft staan: je krijgt de snelle dood die ik je heb beloofd als je ons naar de Mankepoot leidt.'

De ochtendschemering beloofde een mooie dag, de regenwolken van de vorige dag waren 's nachts weggedreven en de frisse geur van opdrogend land vulde de lucht. De zon won eenmaal boven de toppen van de Apennijnen uit gekomen snel aan kracht.

Vespasianus stond met Gaius naast Flavia's lichaam, dat in het atrium met haar voeten richting de voordeur opgebaard lag. Hij nam haar hand en keek op haar neer, haar gezicht stond kalm nu ze dood was. De vrouwen hadden haar gewassen, haar wonden verbonden en haar in haar mooiste kleren gekleed. Op haar hoofd zat een pruik en ze was opgemaakt zodat ze kleur op wangen en lippen had en leek te slapen. Er was veel wat hij haar eigenlijk nog had moeten zeggen, maar nu was het te laat. Hij had spijt van de manier waarop hij haar had behandeld: ze was altijd op de tweede plaats gekomen, na Caenis, maar ze had het altijd geaccepteerd. Hij was eerlijk tegen haar geweest over zijn minnares, maar dat kon niet voorkomen dat hij nu wenste dat hij liefdevoller voor zijn vrouw was geweest. Toen het verlangen naar haar na de komst van het derde van hun kinderen was gesleten had hij zijn hartstocht op Caenis gericht en kwam hij nog maar zelden in Flavia's slaapkamer. Hij verontschuldigde zich tegen haar schaduw en kreeg het gevoel dat ze hem vertelde dat daar geen noodzaak toe was.

Met een zwak glimlachje kneep hij in haar koude hand en liet haar los toen Philon het atrium betrad. 'Zijn de mannen klaar, Philon?'

'Ja, meester, alle sterke vrijgelatenen van het landgoed en vier betrouwbare slaven. Zeventien man in totaal, inclusief Magnus en ik. We hebben allemaal proviand voor drie dagen.'

'Mooi, we hebben iedereen nodig.' Na een laatste blik op Flavia verliet hij het atrium en liep naar de stallen, terwijl Gaius bij Flavia bleef waken.

'Het is een goede dag om op pad te gaan,' zei Magnus in een poging om vrolijk te klinken. Hij zat al te paard, met Castor en Pollux aan zijn zijde. Ook de vrijgelatenen en de vier slaven waren opgestegen, net als de gevangene, die een bewaker aan weerszijden had.

'Hij wordt nog beter als die klootzak dood is,' antwoordde Vespasianus, die de teugels van zijn paard van een staljongen overnam. 'Of beter nog, als hij voor de tweede keer vastgespijkerd wordt.'

'Hij moet er inmiddels bedreven in zijn, als u begrijpt wat ik bedoel.'

Vespasianus kon een glimlach niet onderdrukken en klom in het zadel. 'Dat doe ik zeker, Magnus, en geloof me, als hij eenmaal hangt ben ik van plan hem daar flink lang te laten hangen.' Met die woorden dreef hij zijn paard voorwaarts. Hij draafde de poort door met wraakgevoelens in zijn hart en zeventien man achter zich, plus de gevangene die hen naar de Mankepoot zou leiden.

Vespasianus keek toe terwijl twee van de slaven hun weg zochten over de stenige helling aan de overkant van de geul. De slaven, beiden Getae en dus voortreffelijke ruiters, was hun vrijheid beloofd, hoe de expeditie ook zou uitpakken, en dus kon Vespasianus erop vertrouwen dat ze niet zouden proberen te vluchten of zich bij zijn vijand zouden aansluiten.

Met het gemak van mannen die in het zadel waren geboren reden de twee Getae tegen de steile helling op, zo'n vierhonderd passen uit elkaar. Beiden hadden een boog in de rechterhand met een pijl klaar om te schieten mochten ze in een hinderlaag lopen. Maar er gebeurde niets en ze bereikten de top en konden in de volgende vallei kijken. Ze staken beiden hun wapen in de lucht ten teken dat alles veilig was en dat de rest omhoog kon komen.

Zo verlieten ze het Flavische territorium en kwamen op de woeste berghellingen van de Apennijnen, bevolkt door gevluchte slaven en bandieten van allerlei slag. Ze gingen steeds verder omhoog, hun paarden hadden het moeilijk door de losse steenslag, want geen van de ruiters bezat de kunde van de twee Getae.

Tijdens de rit vulde Vespasianus' hoofd zich met beelden van zijn vrouw in gelukkige en minder gelukkige tijden: hun eerste ontmoeting in Cyrenaica, toen ze hem als quaestor van de provincie had gevraagd om te helpen bij de redding van haar toenmalige minnaar, Statilius Capella; hij had een siddering in zijn lendenen gevoeld toen hij met haar sprak. Maar ze was niet langer in de provincie geweest toen Vespasianus terugkeerde van zijn missie, waarbij Capella was omgekomen, gedood door een leeuw. Ze hadden elkaar vier jaar later toevallig in Alexandria weer getroffen, waar Caligula hem heen had gestuurd om het borstpantser van Alexander de Grote uit diens mausoleum te halen zodat de onbeschaamde jonge keizer het kon dragen bij het oversteken van de pontonbrug die hij door de baai van Neapolis had laten aanleggen. Ze was toen de minnares van de toenmalige prefect van Egypte, Flaccus, maar die regeling werd nog dezelfde avond overboord gezet toen Flavia hem naar zijn bed vergezelde. Hij was kort na zijn terugkeer naar Rome met het gestolen borstpantser met haar getrouwd. Ze wist heel goed dat Caenis haar plaats als echtgenote nooit kon innemen vanwege de Augustiaanse wet die het senatoren verbood met een vrijgelatene te huwen. Pas toen ze goed en wel getrouwd waren ontdekte Vespasianus de extravagante kijk van Flavia op geld, die lijnrecht tegenover zijn eigen zuinige instelling stond. Geld werd daarmee de belangrijkste bron van conflicten tussen hen en zijn geregelde ergernis over haar spilzieke uitgavenpatroon had langzaam de prikkeling in zijn lenden gedoofd die hij altijd had gevoeld als hij naar haar keek. Maar desondanks had ze hem drie kinderen geschonken en was ze een loyale, al was het niet volledig trouwe, vrouw voor hem geweest. Hij probeerde snel de slechte herinneringen aan haar te verdringen en richtte zich op de gelukkige tijden: de geboorte van de kinderen, hun verlangen naar elkaar in de begindagen van hun relatie, en natuurlijk hun oprechte vriendschap als ze niet over geld ruzieden.

Zo mijmerend bereikte Vespasianus de heuvelkam en volgde de twee verkenners naar beneden, die de volgende helling van een hogere rug beklommen, waar de uitlopers van de Apennijnen in het hoofdmassief overgingen. Boven gekomen gaven de verkenners opnieuw aan dat het volgende dal veilig was en ze leidden de groep het dal in, waar een onstuimige rivier stroomde, zoals de gevangene had gezegd.

'Laat hem vooropgaan, Philon,' zei Vespasianus over de gevangene. 'Als hij probeert te vluchten schiet je zijn paard neer, we willen hem niet het idee geven dat hij kan vermijden ons naar zijn meester te leiden en toch aan een langzame dood ontsnappen, vind je niet?'

Philon grijnsde en wendde zich tot de gevangene. 'Dat willen we zeker niet, meester. Heb je dat gehoord, stuk stront?'

De gevangene knikte en liet zich zonder protest naar voren leiden.

'Wat bent u van plan als hij ons naar het kamp heeft geleid?' vroeg Magnus.

Vespasianus keek naar de zon, die nu ruim in het achtste uur was. 'We wachten tot het donker is en dan overvallen we ze in hun slaap, dat vergroot onze kansen.'

De zon was al een tijd achter de westhelling verdwenen, waardoor de vallei in langzaam dieper wordende schaduwen lag. Vespasianus keek neer op het bosje langs de rivier waar de Mankepoot volgens de gevangene zijn kamp had opgeslagen, aan deze kant van de stroom, de oostkant.

Ze waren te voet genaderd na de paarden een eind terug in het dal te hebben achtergelaten. Een vrijgelatene was bij de dieren gebleven om ze te bewaken en een oogje op de gevangene te houden, die vastgebonden was en een mondprop had gekregen. Zonder bang te hoeven zijn dat een hinnikend paard hun prooi kon waarschuwen hadden ze zich stilletjes een weg gebaand over de helling boven het bosje, en nu lagen ze tussen de rotsen verborgen om te wachten tot de nacht zou vallen. Het was in het schemerige licht moeilijk uit te maken, maar het kamp leek nog bewoond te zijn, want er hing een heel vage geur van rook in de lucht, al kwam er tussen de bomen niets vandaan, dus het kon om een nasmeulend vuur gaan. Vespasianus zag geen enkele beweging in het bosje en er kwam ook geen geluid van stemmen vandaan.

'Denkt u echt dat ze zo snel weer zijn vertrokken?' vroeg Magnus, die zijn stem dempte en zijn ene goede oog samenkneep om beter te zien; hij aaide de honden over hun flanken om ze stil te krijgen.

'Daar was ik wel bang voor, tenslotte zullen ze verwachten dat ik wraak kom nemen. Ik hoop dat onze gevangene een idee heeft waar de Mankepoot naartoe zou kunnen gaan als hij hier niet meer is.'

Magnus gaf zijn poging om iets te zien op en ging met zijn rug tegen een rotsblok zitten. 'We gaan er dus gewoon op af?'

'Als er iemand is, dan liggen ze hopelijk te slapen als we komen. Als er niemand is, moeten we onze vriend maar overhalen om met andere schuilplaatsen te komen.'

'Ik denk dat iemand die zoveel macht heeft als de Mankepoot lijkt te hebben heel makkelijk kan verdwijnen als hij dat wil.'

'We zullen het zien, Magnus. Iets zegt me dat dit nog niet voorbij is. Hij mag Flavia dan hebben gekruisigd, maar denk je dat hij daar genoegen mee neemt? Ik niet.'

Een begrijpende glimlach kroop over Magnus' gezicht. 'U bedoelt dat hij verwacht dat u achter hem aan komt.'

Vespasianus knikte zonder zijn ogen van het bosje af te wenden. 'Dat denk ik zeker. Ik heb me steeds afgevraagd: waarom Flavia? Het enige antwoord dat ik kan bedenken is dat hij weet dat een man zijn vrouw altijd zal wreken.'

'Heel goed mogelijk. Maar als hij ons verwacht, wat staat ons dan te wachten?'

'Een val natuurlijk.'

'En wij gaan daar gewoon in lopen?'

'Nee, we laten hem dichtklappen en keren de boel dan om.'

'Echt?'

Vespasianus grijnsde. 'Ja, echt.' Hij wendde zich tot Philon. 'Hoe lang?'

'Ze kunnen elk moment hier zijn, meester. Ik heb ze een halfuur geleden teruggestuurd en ze opgedragen aan te komen als het licht net verdwijnt, zodat ze onmogelijk gezien kunnen worden.'

'Maar wel gehoord.'

'Laten we hopen van niet.'

De nacht viel snel over de vallei en op dat moment doken de slaven op, met de paarden achter zich, die in vier colonnes aan elkaar waren gebonden.

Vespasianus ging naar de oudste van de twee Getae. 'Je weet wat je moet doen?'

'Ja, meester,' antwoordde de slaaf fluisterend. 'Wanneer u maar wilt.'

Vespasianus keek naar de drie andere slaven, elk leidde drie of vier paarden. 'Neem geen onnodige risico's, laat de paarden het werk doen.'

De slaven verzekerden hem dat ze dat zouden doen.

'Goed, ga!'

De slaven leidden de paarden de helling af, gevolgd door Vespasianus met Magnus en de vrijgelatenen. Hun snelheid nam bij het afdalen toe en van de stilte waarmee ze eerst waren genaderd bleef niets over met hoeven die op de donkere grond evenwicht zochten en het hinniken waarmee de paarden uiting gaven aan hun onzekerheid. Maar het deerde Vespasianus niet, want hij wist dat het onvermijdelijk was. Hij trok zijn zwaard en volgde zo snel hij kon in het verdwijnende licht, zijn hart bonsde in de hoop dat hij de vijand te slim af was.

Verder gingen de paarden, steeds sneller, en ze bereikten de rand van het bosje, waar de slaven ze losslieten en met de punt van hun zwaard in hun flanken prikten, waardoor druppels bloed tevoorschijn kwamen en de dieren briesend tussen de bomen door stormden alsof een cavalerie-eenheid een charge uitvoerde.

En toen gebeurde het, precies zoals Vespasianus had verwacht: een schelle, dierlijke kreet van pijn, gevolgd door een tweede. Vespasianus versnelde zijn pas en ging op het geluid af, met zijn vrijgelatenen en Magnus en zijn honden op de hielen. Hij hield zijn zwaard laag, klaar voor een buikstoot, en dook onder takken door, rende rond een donkere stam en ving een glimp op van iemand die vanuit zijn schuilplaats in een boom naar beneden sprong en achter de paarden begon aan te rennen. Vespasianus wierp zich op de man en stootte zijn zwaard naar voren en voelde de punt even weerstand tegen vlees vinden voordat de kling een nier doorboorde. De bandiet slaakte een gil die door merg en been ging en viel voorover, zijn armen in de lucht. Nu de verrassing voorbij was brulden de vrijgelatenen hun strijdkreten en stortten zich op de bandieten, die hun val op ruiterloze paarden hadden laten dichtklappen. De verrassing was zo compleet dat veel bandieten dachten dat de gil en de strijdkreten afkomstig waren van de niet-bestaande cavalerie en ze bleven achter de lokpaarden aan rennen, terwijl Vespasianus en zijn metgezellen van achteren kwamen en me-

257

nig leven namen voordat ze doorhadden wat er werkelijk aan de hand was.

Nu de jagers prooi waren geworden draaiden ze zich van de paarden weg om hun echte vijand te confronteren, maar in veel gevallen was het te laat. Zwaarden zwaaiden en stootten onzichtbaar vanuit de nacht, kelen en lichamen werden opengesneden. Vespasianus sprong over de man die hij had neergestoken heen en schopte een volgende die zich naar hem wilde omkeren hard tegen de knieschijf en raakte hem van opzij, waardoor die brak. Het been begaf het en de man brulde van pijn, pezen en banden werden losgescheurd en hij viel voorover; Vespasianus stootte zijn zwaard schuin omhoog en dreef het ijzer zo hard in de borst van de man dat het er dwars doorheen ging, met een obsceen gegorgel van lucht dat door bloed ontsnapt. Vrijwel direct dood viel de bandiet op de grond en nam Vespasianus' zwaard mee. Vespasianus liet het handvat los en rolde het lijk met zijn voet om. Hij knielde en begon aan zijn wapen te trekken, daarbij wrikkend om de zuiging tegen te gaan. Opeens liet het zwaard los en Vespasianus kwam net overeind om een volgend slachtoffer in het schemerduister te zoeken, toen er een flits wit licht door zijn hoofd schoot en zijn oren galmden. En toen werd alles donker.

'Eindelijk weer wakker.'

De stem leek van ver weg te komen en sneed door de pijn in Vespasianus' hoofd. Hij bewoog weer en voelde dat zijn polsen achter zijn rug waren gebonden.

'Fris hem op.'

Een plens koud water raakte zijn gezicht en borst, waardoor hij proestte en bijna stikte, omdat hij het nodige water in zijn longen kreeg. Hoestend en zijn hoofd schuddend opende hij zijn ogen, de zonsopgang wierp een gouden gloed tussen de bomen door.

'Wat een genoegen om je weer te zien, Titus Flavius Vespasianus.' Vespasianus draaide zijn hoofd en zag een man van zijn eigen leeftijd, die links van hem op een paar passen afstand op een stoel zat. Hij was volkomen kaal en had een smal, door de zon gebruind gezicht. Hij herkende hem vrijwel onmiddellijk, ondanks de vele jaren die waren verstreken sinds hij hem voor het laatst had gezien.

'En je ziet er zo gezond en welgedaan uit.' De man glimlachte, maar er lag geen warmte in zijn ogen; de vingers waren vervormd en bewogen niet. 'Ik zie dat je naar mijn handen kijkt.' Hij tilde zijn rechterarm op, de vorm van de hand bleef hetzelfde, de vingers stijf. 'Als ik erg mijn best doe kan ik soms mijn pink bewegen, al moet ik toegeven dat ik het al jaren niet meer heb geprobeerd, omdat het weinig zin heeft, snap je?' Hij liet de palm van zijn hand aan Vespasianus zien en deed alsof hij zich enorm concentreerde.

Op zijn pols, vlak onder de muis van de duim, zat een groot, rafelig litteken, dat bleek oplichtte in het toenemende licht. Een wond veroorzaakt door een spijker die door huid en been was gehamerd toen hij als jongen aan een kruis werd genageld, al die jaren geleden. Vespasianus herinnerde zich het gezicht maar al te goed, in verkrampte doodsangst naar de hemel starend, ook al was het inmiddels veertig jaar geleden dat dit beeld in zijn hersenen werd gegrift.

'Kijk, ik kan het nog altijd.' De pink ging een paar keer heel licht heen en weer en bleef daarna weer bewegingsloos. 'Mijn voeten zijn daarentegen heel wat minder bewegelijk.' Hij stak een voet naar Vespasianus uit; ook daar zat een gruwelijk litteken op, hier had de spijker een enorm gat gemaakt toen hij er op gedrukt had in een poging zijn borst de ruimte te geven om adem te halen. 'Of eigenlijk moet ik voet zeggen.' Hij stak zijn andere been naar voren, dat vlak boven waar de enkel hoorde te zijn eindigde. 'Ze moesten hem verwijderen omdat hij ging zweren. Weet je hoe het gedaan werd?'

Vespasianus antwoordde niet.

'Mijn vader hakte hem af met zijn scherpste zwaard. Het was niet erg scherp. Hij moest vier keer slaan, al kan ik me maar twee keer herinneren, want ik viel flauw, snap je. Hij was vastbesloten om me in leven te houden, ook al wist hij dat ik de rest van mijn leven afhankelijk van anderen zou zijn. Er moet zelfs iemand mijn kont voor me afsponzen. Maar je went aan de onwaardigheid ervan, ik voel geen schaamte meer als iemand me flink sponst. Je begrijpt nu wel waarom ze me de Mankepoot noemen.'

Vespasianus keek om zich heen en zag dat hij omringd was door een tiental mannen en ongeveer evenveel vrouwen, van wie sommigen een zuigeling bij zich hadden.

'Op zoek naar je vrienden?'

Weer gaf Vespasianus geen antwoord.

'Ze zijn veilig, dat wil zeggen degenen die het hebben overleefd; je slaven gingen ervandoor toen de tweede val dichtklapte. Je honden zetten het ook op een lopen, maar ja, zo zijn slaven en honden nu eenmaal, en wij kunnen het weten, want de meesten van ons waren ooit slaaf. De vrijgelatenen probeerden zich te verzetten, maar vrouwen die van boven een regen van stenen gooien zijn moeilijk te bestrijden.'

Vespasianus slaagde er niet in zijn gezicht in de plooi te houden.

'Natuurlijk was er een tweede val, ben je daar echt verbaasd over? Ik weet dat je slim bent en ik ging ervan uit dat je met een of andere list zou komen en dus heb ik de vrouwen met een zak stenen de bomen in gestuurd voor het geval dat. En het is schitterend geslaagd, we hebben twaalf van jullie levend gevangen. Denk eens aan al het lawaai dat jullie gaan maken als we jullie samen kruisigen. 'Ik zeg "wij" maar ik bedoel mijn mannen, want helaas kan ik niet meedoen met het feestje. Maar ik zal met alle genoegen toekijken, o zeker, ik zal ervan genieten. Daar heeft mijn vader me voor in leven gehouden: wraak. Hij was de hoogste leider van de vele bendes van bandieten en weggelopen slaven in de Apennijnen. Hij was ook een trots man, een burger wiens bezittingen werden onteigend door Augustus toen die aan de macht kwam om zijn veteranen te betalen en ze land te geven. Hij wilde me niet laten sterven zonder wraak te hebben genomen en hoewel mijn leven niet makkelijk was, ben ik hem er nu dankbaar voor, nu ik je in handen heb. Je broer zal ik op een dag ook nog pakken en dan kan ik me bij mijn vaders schaduw voegen.'

Vespasianus huiverde bij de gedachte dat een gerechtvaardigde bestraffing die zo lang geleden had plaatsgevonden tientallen jaren later zoveel gevolgen kon hebben.

'Al die jaren heb ik gewacht tot je een langere periode op je landgoed zou doorbrengen zodat ik de tijd had om te komen en een val voor je op te zetten. Het zou niet voldoende zijn geweest om je op een afstandje met een pijl te doden of om je op het forum in Rome te laten neersteken, snap je; de enige manier waarop je kunt begrijpen wat ik heb moeten doormaken is als je het zelf ervaart. Heeft je vrouw er overigens van genoten? Wat onbeleefd van me om er niet eerder naar te vragen. Het leek haar niet echt te bevallen toen we haar achterlieten. Maar ja, niemand verlangde van haar dat ze ervan zou genieten, alleen dat ze zou lijden.' De Mankepoot toonde weer een kil glimlachje.

'Maar genoeg gepraat, we moeten maar eens aan de slag. De kruisen zijn bijna klaar.'

'Ze hebben u dus ook,' zei Magnus toen Vespasianus door een van de bandieten naar het kringetje van gevangenen op de stenige grond vlak bij de rivier werd gebracht. Ze zaten allemaal op hun hurken met de handen achter hun rug gebonden. Vier man bewaakten hen. 'Ik begon net hoop te krijgen dat u ontsnapt was en bezig was een redding te organiseren.'

De bandiet sloeg met de schacht van zijn speer op Magnus' hoofd. 'Niet praten!'

De bandiet liep weg en Vespasianus hurkte naast zijn vriend, zo dichtbij mogelijk zodat ze niet gehoord werden als ze fluisterden. 'Het spijt me je te moeten teleurstellen, alleen de slaven zijn ontsnapt en ik denk niet dat ze terugkomen om ons te helpen.' Hij keek naar de rand van het bosje, waar twaalf ruwe kruisen in elkaar gezet werden, terwijl anderen gaten groeven om ze in op te richten. 'Ik vrees dat we zelf uit deze situatie moeten zien te komen.'

Magnus bromde en wees met zijn hoofd naar de vier bewakers om hen heen, ieder van hen had vier of vijf werpsperen binnen handbereik in de grond gestoken. 'Ik ben bang dat zij er anders over denken.'

Vespasianus kon het alleen maar met hem eens zijn. De bewakers waren te ver weg om naar ze toe te rennen, zelfs als ze erin slaagden hun handen vrij te krijgen. 'Maar ik word liever door een speer gedood dan dat ik hier blijf zitten wachten tot ik gekruisigd word.'

'Daar zit wat in.' Hij leunde naar Philon aan zijn andere zijde toe. 'We willen proberen ze te overvallen, geef het door.'

Vespasianus zei hetzelfde tegen de vrijgelatene aan zijn andere kant.

Binnen enkele ogenblikken volgden heimelijk knikjes van instemming. Vespasianus maakte zich klaar voor een wanhoopsdaad die hoogstwaarschijnlijk tot de dood van velen van hen, inclusief hijzelf, zou leiden – maar als ze niets deden waren ze hoe dan ook dood.

Met weinig te verliezen gaf hij het signaal en sprong overeind, een ogenblik later gevolgd door zijn elf metgezellen, die allemaal op de dichtstbijzijnde bewaker afstormden. De eerste werpspeer floot tussen zijn benen door en schampte langs de binnenkant van zijn linkerknie zonder veel schade aan te richten. Philon was het slachtoffer van de tweede, met een voltreffer in zijn rechterdij, waardoor hij achter-overviel. Vespasianus besefte dat de bewakers laag mikten en bevel hadden gekregen om hen uit te schakelen en niet te doden, het was zinloos. Vloekend bracht hij zijn hoofd omlaag en zette het op een lopen, wrikkend met zijn gebonden polsen. Magnus gaf een brul en viel voorover met een speer in zijn kuit. Biddend voor een slecht ge-mikte worp die een dodelijke wond zou veroorzaken stormde hij ver-der, recht op de bewaker af die nu alleen nog met hem moest afreke-nen en daar zijn laatste werpspeer voor overhad. Maar de rover was geen onervaren jongeling die snel in paniek raakte; hij stapte snel opzij toen Vespasianus hem met zijn hoofd omver probeerde te kege-len en sloeg met de schacht van de speer hard op zijn rug, waardoor Vespasianus viel en met zijn gezicht op losse stenen kwam en zijn kin schaafde.

Vespasianus schreeuwde het uit toen de punt van de speer in zijn rechterbil werd geramd.

'Probeer eens te rennen met een speer in je kont, senator,' sneerde de bewaker, die met de punt wrikte zodat de pijn door alle lichaamsdelen van Vespasianus schoot en hij zichzelf moest dwingen niet te gillen om te voorkomen dat hij het laatste beetje waardigheid dat hij nog had zou kwijtraken.

Ruwe handen trokken hem aan de polsen overeind, waardoor zijn schouders bijna uit de kom schoten; de speer bleef in zijn vlees zitten en veroorzaakte bij elke beweging een snijdende pijn. Magnus en Philon lagen nog op de grond, samen met vijf vrijgelatenen, slechts drie ston-den overeind, ongedeerd. Vespasianus zag de ontbrekende niet.

'Ik keek zó uit naar het moment waarop jullie het zouden proberen,' zei de Mankepoot achter hem. 'Al had ik niet verwacht dat een van jullie zou weten te ontsnappen, hij heeft geluk gehad.'

Blij te horen dat een van zijn mannen was ontkomen draaide Vespa-sianus zich om. De Mankepoot zat in zijn stoel, met twee stangen ge-dragen door vier van zijn mannen.

'Niet dat ik echt een excuus nodig had om je meer pijn te doen, het is alleen heel bevredigend om de laatste hoop op het vermijden van een zo onplezierige dood weg te nemen, snap je? Heel bevredigend.' De glimlach was weer kil, de ogen bleven doods. 'Maar genoeg gedold, het is tijd om toe te kijken hoe je vrienden vastgespijkerd worden en als ze allemaal netjes hangen is het jouw beurt.' Hij knikte naar een van de bewakers. 'Breng ze allemaal hier.'

Na de eerste klap van de hamer begon Philon te krijsen alsof zijn buik werd opengesneden. Vespasianus sloot zijn ogen maar kon het geluid niet buitensluiten. Er volgden meer hamerslagen en twee andere vrijgelatenen begonnen te schreeuwen, het drong door merg en been, tot groot plezier van de bandieten, die hun gegil bespotten en verdergingen met hameren.

'Open je ogen en kijk,' zei de Mankepoot, 'of ik laat je ondersteboven kruisigen.'

Vespasianus volgde het bevel op terwijl de zich hevig verzettende Magnus door twee rovers naar een kruis werd gesleept. Toen hij op zijn knieën werd geduwd liet een van de mannen die hem vasthielden zijn arm opeens los. Het duurde een moment voor Vespasianus begreep dat de schacht die opeens uit de nek van de man stak van een pijl was. Zijn makker keek ernaar, in verwarring; het was het laatste wat hij ooit zou zien, want zijn hoofd sloeg achterover met een bloedige pijlpunt die door de achterkant van zijn schedel barstte.

Vespasianus draaide zich met een ruk om en zag de vier slaven en nog een ruiter op hen afstormen, hun paarden in volle galop met Castor en Pollux vlak voor hen; de twee Getae schoten op volle snelheid pijl na goed gemikte pijl op de bandieten af. De ene na de andere man ging neer, geraakt of in een poging om dekking te zoeken. Vespasianus gooide zich op de grond terwijl de pijlen langs suisden. De bedrevenheid van de voormalige bereden krijgers bleek uit de nauwkeurigheid waarmee ze vanaf een galopperende hengst schoten. Binnen twintig hartslagen waren de ruiters en honden bij hen, de boogschutters doorzeefden met gemak de doelwitten, terwijl de twee andere slaven van hun paard sprongen en met hun al snel bebloede zwaarden op de vluchtende bandieten inhakten en de vrijgelatenen bevrijdden; de honden verscheurden intussen de gewonden.

Vespasianus voelde dat zijn boeien werden doorgesneden.

'Zo, vader.'

Hij draaide zich om en keek in de grimmige ogen van zijn oudste zoon, Titus.

Titus stak een hand uit om zijn vader overeind te helpen. 'Ik geloof dat we net op tijd zijn.'

Vespasianus stond weer op zijn voeten. 'Net te laat voor Philon en een paar van de jongens. Bij de goden boven en beneden, wat ben ik blij je te zien.' Hij omhelsde Titus, terwijl overal om hen heen de vrijgelatenen wraak namen op hun kwelgeesten. De Mankepoot kon niets anders doen dan zitten en toekijken.

'Is dat de man die moeder heeft vermoord?' vroeg Titus.

'Dat is hem.'

Titus liep naar de Mankepoot toe, wiens ogen niet langer doods stonden en nu angst toonden. 'Een van ons gaat hiervan genieten en een van ons beslist niet.'

Het was één uur in de middag toen ze klaar waren. De zuigelingen en jonge kinderen waren gespaard om slaaf te worden, maar de anderen die de reddingsactie hadden overleefd moesten lijden, zelfs de vrouwen, als wraak voor hun aandeel in de valstrik.

Philon en de twee andere vrijgelatenen die spijkerwonden hadden waren door de nu vrijgelaten slaven naar de boerderij gebracht om daar behandeld te worden, maar de rest van de vrijgelatenen was gebleven om enthousiast aan de slag te gaan. De lucht was gevuld met gehamer en akelige jammerkreten.

Er stonden inmiddels zeventien kruisen op de golvende weidegronden, precies op de plek waar Vespasianus en Sabinus de Mankepoot voor de eerste keer gekruisigd hadden. Nu stonden ze op het punt om het achttiende en laatste op te richten.

'Dit keer zal er niemand zijn om je los te maken,' zei Vespasianus toen hij de doodsbange man uit zijn stoel trok. 'Een paar van de jongens zullen hier blijven om dat in de gaten te houden. En als je dood bent halen ze je lijk van het kruis en laten het voor de wilde dieren liggen, je schim zal geen rust kennen.'

Vespasianus, Titus en Magnus legden Flavia's moordenaar op het kruis, zijn smeekbeden en kreten wekten geen medelijden op, alleen grimmige bevrediging. En met datzelfde gevoel van bevrediging sloeg Vespasianus een spijker door de eerste pols, door het litteken, waarna hij de hamer aan Titus gaf om hem het genoegen te gunnen de tweede spijker te slaan; Magnus deed de voet, langzaam.

En zo werd de man voor de tweede keer gekruisigd, zijn gehuil en gejammer was niet minder doordringend dan de eerste keer dat Vespasianus het had gehoord, veertig jaar terug. Maar deze keer, toen hij zonder haast wegreed, wist Vespasianus dat de man aan het kruis zou sterven en hij wenste dat dat de eerste keer al was gebeurd. Met die wens in zijn hoofd begonnen de tranen weer te stromen in rouw om zijn vrouw, die het niet verdiend had om op die manier te sterven. Morgen zou hij Flavia begraven en dan zou hij snel naar Rome terugkeren om te vergeten.

DEEL IV

ROME, APRIL 65 n.C.

HOOFDSTUK XV

Rome was weer in nevelen gehuld. Vespasianus kon vrijwel geen detail achter de stadsmuren onderscheiden toen hij en zijn familie op de stad neerkeken vanaf de plek waar hij Rome de laatste keer had gezien. Toen lag de stad als een verschrompeld karkas stuiptrekkend over de zeven heuvels, bedekt met een lijkkleed van dikke dampen. Dit keer werd de stad niet aan het zicht onttrokken door rook, maar door stof; het stof van duizenden bouwplaatsen.

'Je kunt het geld bijna binnen horen stromen,' zei Vespasianus tegen Titus, die op het paard naast hem zat.

Titus wreef over zijn nek, die aanzienlijk dikker was geworden in de achttien maanden die hij had gediend in de staf van de gouverneur van Azië. 'In mijn laatste paar maanden in Azië hebben we de belastinginkomsten bijna verdrievoudigd om geld naar Rome te kunnen sturen. Tempels zijn leeggehaald en lokale kooplieden moesten veel meer betalen dan ze zich konden veroorloven. En zo ging het in alle oostelijke provincies, en als het zo doorgaat zouden de gevolgen weleens heel ernstig kunnen zijn, vader. Er heerst inmiddels veel wrok, vooral in Syria en Judaea.'

Vespasianus keek naar zijn oudste zoon, trots op de manier waarop hij de *cursus honorum* doorliep. Hij besefte dat toen hij zo oud was als Titus nu, hij Flavia voor het eerst had ontmoet. Hij ging verzitten in het zadel om de wond op zijn bil te ontzien. 'Dat zal Nero denk ik weinig kunnen schelen, zolang er alles uit wordt geperst wat er te halen valt.'

'Tja, ik kan alleen maar zeggen,' liet Magnus aan de andere kant van Vespasianus zich horen, 'dat ik erg blij ben dat ik te onbeduidend ben om opgemerkt te worden, zodat ik een redelijke kans heb om het weinige dat ik heb opgespaard voor mijn oude dag te behouden.'

'Inderdaad, mijn vriend,' stemde Gaius in, comfortabel gezeten in de wagen die hij met Domitianus deelde, 'je hebt geluk. Ik ben van plan zo onopvallend mogelijk te blijven en mijn beurs goed gesloten te houden tot de laatste baksteen op zijn plek is gelegd en de laatste steiger is ontmanteld.'

Vespasianus leek niet te denken dat zijn ooms strategie echt zou werken. 'Ik ben bang dat het lastig zal zijn, oom. Ik vermoed dat de keizer de Senaat om toestemming voor allerlei nieuwe belastingen zal vragen. U verbergen in uw tablinum is vrees ik geen optie, tenzij u wilt opvallen door uw afwezigheid.'

Gaius huiverde bij de gedachte. 'O goden, beste jongen, o goden.'

Toen Vespasianus, Titus, Magnus en Gaius een paar uur later door de Porta Collina liepen, betraden ze een stad van steigers, stapels bouwmaterialen en talloze arbeiders, zowel slaven en vrijgelatenen als vrije burgers. Hun tempo zakte direct, omdat de toch al smalle straten vol obstakels waren in de vorm van bouwbenodigdheden en karren waarmee een eindeloze stroom bouwmaterialen werd aangevoerd, want het dagverbod was voor de periode van de reconstructie opgeschort.

Ze hadden hun paarden en Gaius' wagen buiten de poort achtergelaten, samen met enkele slaven om ze te bewaken, terwijl de rest van de slaven met Domitianus vooruit was gestuurd om het weinige personeel dat in de huizen van Vespasianus en Gaius was achtergebleven te waarschuwen voor de komst van hun meesters.

In de Alta Semita zagen ze dat de brand veruit de meeste schade aan de zuidzijde had aangericht. Hier in de buurt van de poort leek de straat zelfs de scheidslijn te zijn tussen de huizen die ontsnapt waren en de huizen die geleden hadden.

'Ik laat u hier achter,' zei Titus toen ze de kruising van de Alta Semita en de Vicus Longus naderden, waar de taverne stond die als hoofdkwartier van de Zuid-Quirinale Kruispuntbroederschap diende. 'Ik zal morgen een ontmoeting met Quintus Marcius Barea Sura regelen zodat we de financiële details van het huwelijkscontract kunnen bespreken. Hij wil het graag zo snel mogelijk afhandelen, zoals u begrepen hebt.'

'Vertel hem dat ik morgenochtend in de Senaat ben, we doen het daar.'

'Zal ik doen, vader. Tot dan.' Met een droevige glimlach pakte hij zijn vaders onderarm beet en liet zo zijn diepe verdriet blijken over het feit dat Flavia niet bij het huwelijk kon zijn. Na een hoofdknik naar Gaius en Magnus liep hij de heuvel af richting het centrum.

'De jongens hebben zo te zien nog het een en ander te doen,' zei Magnus met zijn ogen op de taveerne gericht, waar men aan een vrijwel volledige herbouw bezig was. 'De tweede keer in twaalf jaar.' Hij schudde zijn hoofd en zoog de lucht in ongeloof tussen zijn tanden door.

'Hebben ze gedaan wat ik gevraagd heb?' vroeg Vespasianus, kijkend naar een mand met dakpannen die omhoog werd getakeld langs de wankel ogende steiger die de voorkant van het gebouw bedekte.

'Ik neem het aan, ik zal het uitzoeken. Tigran was laaiend toen ik het hem vertelde en zei dat hij een vergadering zou beleggen van alle broederschappen die onder de brand hadden geleden, en dat waren de meeste, om ze te vragen mee te doen aan de campagne.'

'Je hoeft het niet meer te vragen.' Vespasianus wees op een net voltooid gebouw waarop aan beide zijden van de deur in rode verf woorden waren geschilderd. '"Nero mijn herbouw genoodzaakt heeft" en "Vuur zijn de kleur van Nero's baard". Dat lijkt me vrij duidelijk.'

Magnus keek verrast en was onder de indruk. 'Ik sta verbaasd dat de jongens zo goed kunnen schrijven.'

'Tja, de grammatica is niet fantastisch, maar het idee is er.'

'Zeg ze dat ze ook iets op jouw taveerne moeten schrijven,' bemoeide Gaius zich ermee, 'want het is wat vreemd als dat het enige gebouw zonder teksten is.'

'Klopt, ik zal het doen.' Magnus wendde zich tot Vespasianus. 'Weet u zeker dat ik niet mee naar uw huis moet lopen?'

'Het is in orde, Magnus, ik zie je morgen.'

'Ik zal Tigran vragen morgenochtend wat jongens naar senator Pollo's huis te sturen.'

'Dank je, Magnus,' zei Gaius, waarna hij en Vespasianus verder door de Alta Semita liepen richting de Granaatappelstraat.

'Het spijt me erg van je verlies, mijn lief, ze was een goede vrouw.' Caenis hield Vespasianus' handen vast in het atrium van zijn huis en keek hem in de ogen toen ze haar oprechte medeleven uitsprak na het nieuws van de dood van haar rivale. 'Flavia was erg goed voor me en ik zal haar missen.'

Vespasianus aaide haar wang en keek toen om zich heen; overal zag hij de hand van zijn overleden vrouw. 'Ze wil dat jij de leegte vult die ze achterlaat en dat je met haar zegen als moeder voor de kinderen optreedt.'

Caenis kuste de rug van Vespasianus' hand toen die langs haar lippen kwam. 'Natuurlijk doe ik dat, mijn lief. Wil je dat ik bij je intrek?'

'Vind je het niet vervelend om met de herinnering aan Flavia om je heen te leven? Ik heb mijn twijfels.'

Caenis glimlachte droevig en schudde het hoofd. 'Je hebt gelijk: ik denk niet dat ik dat kan, ik zou dingen willen veranderen en dan het gevoel hebben dat ik inbreuk maak als ik dat deed. Misschien moet je bij mij intrekken.'

'Samen met Domitianus?'

Caenis kon de flits van weerzin die over haar gezicht trok niet verbergen. 'Natuurlijk kan Domitianus ook bij mij komen wonen, ik zal proberen hem de sturing te geven die Flavia gewild had.'

Vespasianus zei maar niet dat Domitianus niet gevoelig was voor sturing, hoe goedbedoeld ook. 'Ik veronderstel dat ik het huis maar beter kan verkopen.'

'Dat zou dwaas zijn.'

Vespasianus dacht even na, vrijwel onmiddellijk begreep hij zijn vergissing. 'O ja, alle contanten die ik vrijmaak worden uiteindelijk ingepikt door Nero.'

'Het was afschuwelijk de afgelopen maanden. Nero's Gouden Huis heeft...'

'Rome leeggezogen?' onderbrak Vespasianus haar.

'En blijft dat doen. Bijna elke drie of vier dagen is er wel een zelfmoord, want informanten komen voortdurend met valse beschuldigen tegen de rijken en Nero gelooft ze maar al te graag. En met alle geruchten die rondgaan dat hij de brand heeft aangestoken ziet hij nu overal samenzweringen tegen hem.'

'De opschriften werken dus?'

'Erg goed, maar het zijn niet alleen de broederschappen die het doen, het gewone volk begint zich af te vragen hoe de brand begonnen is. Nu ze dat enorme paleis midden in de stad zien verrijzen vinden ze het toch

272

een vreemd toeval dat zoveel van hun huizen zijn afgebrand en dat Nero vervolgens een reusachtig paleis bouwt op de resten.'

'En het zo snel bouwt.'

'Inderdaad, de intelligentere mensen beseffen dat de plannen vóór de brand uitbrak al klaar moeten hebben gelegen, anders had de bouw nooit zo snel van start kunnen gaan. Epaphroditus probeert ze af te leiden van hun gemopper op hun meester.'

'Een zondebok?'

'Ja, iemand anders om de schuld van de brand te geven.'

'De volgelingen van Paulus van Tarsus,' zei Sabinus in antwoord op Vespasianus' vraag. Ze liepen samen met Gaius de Quirinaal af, het was de volgende ochtend en hun gecombineerde entourage van beschermelingen zorgde voor een formidabel escorte. Sabinus was tijdelijk in zijn ooms huis getrokken in afwachting van de herbouw van zijn huis op de Aventijn. 'Epaphroditus heeft het me gisteren verteld.'

Vespasianus zuchtte. 'Ik heb liever dat de schuld bij Nero blijft liggen, maar ik kan niet zeggen dat het me spijt als dat kleine zakkenwassertje en zijn volgelingen moeten lijden.'

'Het was hoogste tijd, beste jongens,' zei Gaius stellig. 'Ze hebben hun atheïstische vuilspuiterij veel te lang ongestoord mogen verspreiden. Heb je die schurk van een Paulus nog in de cel zitten, Sabinus?'

'Zeker, oom, hij zit veilig in het Tullianum opgesloten. Ik discussieer af en toe met hem. Hij gelooft oprecht in zijn leugens, hij is een spiritueel man die grote troost had kunnen vinden in mijn Heer Mithras, maar ik kan hem niet overtuigen. We hebben ook een van zijn rivalen, Petrus. Die hebben we een paar dagen geleden eindelijk weten op te pakken. Hij en Paulus schijnen al jaren te bakkeleien over de vraag of niet-joden ook lid van hun sekte mogen worden. Ze lijken nu een soort compromis te hebben bereikt en waren bezig een tempel of iets dergelijks hier in Rome op te zetten. Een nare gedachte, en ik kan het weten na wat ik gezien heb als gouverneur van Thracië en Macedonië.'

'Inderdaad, beste jongen,' stemde Gaius in, 'wij waren er toen ook, weet je nog? We zagen hoeveel je er moest kruisigen toen ze weigerden aan de keizer te offeren.'

'Juist, maar daar was het makkelijker om ze te pakken. Het probleem hier is dat Rome zo groot is dat ze onopgemerkt kunnen blijven. Volgens mijn informatie nemen hun aantallen met een beangstigende snelheid toe nu Paulus en Petrus het hebben bijgelegd, en dus is het idee dat we deze kans om met ze af te rekenen moeten aangrijpen voordat ze vaste grond onder de voet hebben.'

Vespasianus meende een zwakke plek in het plan te zien. 'Welke bewijzen heb je om de beschuldiging geloofwaardig te maken?'

'Afgezien van het feit dat in tijden van crisis en onzekerheid de mensen graag een minderheid de schuld willen geven om er eens flink op los te meppen?'

'Ja, afgezien van dat.'

'Tja, het heeft met een oude voorspelling te maken.'

Vespasianus was geïnteresseerd. 'O ja?'

'Ja, afkomstig uit Egypte, en ze zegt dat Rome zal branden als de Hondsster opkomt. Het blijkt nu dat de aanhangers van Paulus die voorspelling goed kennen, want veel van hen zien Rome als een onderdrukker in plaats van de ruimhartige en tolerante samenleving die het in werkelijkheid is.'

'En wanneer kwam de Hondsster vorig jaar op?'

Sabinus grijnsde. 'Heel gelegen in de nacht dat de brand uitbrak.'

Vespasianus tikte met zijn vingers op zijn voorhoofd. 'Natuurlijk, ik weet nog dat Magnus het erover had. En was dat toeval of was het zo beraamd?'

'Nou, dat is het interessante. Als het echt de mensen van Paulus waren, is het mogelijk dat hij het zo beraamd heeft om de voorspelling te laten uitkomen als ondersteuning van de godsdienst die hij in elkaar gedraaid heeft. Maar als het Nero was, dan was het óf toeval, óf...'

'... Nero heeft de dag expres uitgekozen om iemand de schuld te kunnen geven voor het geval de mensen begonnen te vermoeden wie de stad echt in brand heeft gestoken.'

'Precies. En als dat het geval is, dan was Nero al zeker een jaar bezig dit te plannen.'

Vespasianus fronste. 'Waarom denk je dat?'

'De november voor de brand, acht maanden ervoor, toen jij in Afrika was, nam Nero eindelijk de tijd om naar alle beroepszaken te luisteren die hij op de lange baan had geschoven omdat hij zo druk bezig was met het bouwen van een tempel voor zijn dochter. Paulus was een van degenen die een beroep deden. Nu wist Nero niet precies wie Paulus was, maar hij had wel al gehoord van de vereerders van Christus. Wie had dat tenslotte niet sinds Claudius ze aanpakte en uit de stad verbande? Ik weet niet of het een spontane beslissing van Nero was of dat hij al eerder had bedacht dat deze sekte de ideale zondebok was, maar Nero ontdekte in ieder geval dat Paulus een volgeling van de Christus was. Bij het proces beweerde Paulus dat het einde van de wereld aangekondigd zou worden door de opkomst van de Hondsster, en toen Nero dat hoorde gaf hij direct bevel de executie uit te stellen en Paulus op te sluiten, want hij meende gebruik van diens dood te kunnen maken.'

Vespasianus' glimlach groeide langzaam. 'En dat kan hij zeker, geweldig goed, en nog eens extra omdat hij een burger is.'

'Wat maakt dat voor verschil?' vroeg Gaius toen ze het deels herbouwde Forum van Caesar bereikten, waar het bij de brand verwoeste bronzen ruiterbeeld van de dictator nog niet vervangen was.

'Omdat hij de eerste burger zal zijn die geëxecuteerd wordt omdat hij lid van deze intolerante sekte is. Een sekte die het bestaan van de goden ontkent, weigert offers aan de keizer te brengen en over het algemeen antisociaal is en zich afzijdig houdt. Het laat zien dat Rome dergelijke opvattingen niet accepteert van zijn burgers.'

Gaius was in de war. 'Maar Sabinus zei dat hij was veroordeeld voor het aanstichten van een rel in Caesarea, niet voor lidmaatschap van een verboden sekte, als daar al een wet tegen is, en die bestaat er zover ik weet niet.'

Sabinus sloeg zijn oom op de schouder. 'Ik heb zo het gevoel, oom, dat die wet er snel komt. Al voel ik ergens wel enige spijt, want ik heb hem leren kennen als een spiritueel man en hij weet veel van mijn Heer Mithras, wat niet verrassend is aangezien hij uit Tarsus afkomstig is, een van de belangrijkste centra van mijn religie. In mijn ogen had hij net zo makkelijk het mithraïsme kunnen prediken, er zijn zoveel overeenkomsten en hij zou heel wat minder heibel hebben veroorzaakt.'

'Maar dan zou hij niet de leider van de sekte zijn geweest,' bracht Vespasianus Sabinus in herinnering, terwijl ze het Forum Romanum betraden. 'Dan zou hij gewoon een van de vele mithraïsche predikers zijn geweest en dat zou nooit genoeg zijn geweest voor Paulus.'

'Vader Jupiter Optimus Maximus, of met welke naam u ook aangesproken wilt worden, door deze stier aan u te offeren smeken we u dat u goedgunstig en van goede wil zult zijn voor de Senaat, onze keizer Nero Claudius Germanicus Caesar, en Rome, de stad waar u verblijft.' Aulus Licinius Nerva Silianus, de eerste consul, stond met zijn handpalmen omhoog en een slip van zijn toga over zijn hoofd boven aan de treden van het herbouwde Senaatsgebouw. Rook van het altaar kringelde achter hem omhoog. De senatoren, ruim vijfhonderd man sterk, stonden voor het gebouw en waren getuige van het offer van een zuiver witte stier. Achter hen was het forum vrijwel helemaal vol met het volk van Rome, dat in eerbiedige stilte toekeek terwijl Vestinus Atticus, de tweede consul, het dier met een klap van een hamer verdoofde, waarna Silianus zijn keel doorsneed.

Er werden meer gebeden gereciteerd terwijl het geofferde bloed in een bronzen bassin vloeide, dat al snel vol was en overstroomde, zodat de treden voor het Senaatsgebouw dieprood kleurden en de ijzergeur van het levensvocht de snel warmer wordende ochtendlucht vulde. De stier zakte door zijn poten en viel toen op zijn zij, waarna de twee consuls hem snel opensneden. Terwijl Silianus de lever omhooghield en verkondigde dat die perfect was, kwam er een arend hoog boven het forum voorbijvliegen, zijn vleugelslag langzaam en majestueus. Hij koerste pal naar het oosten. Velen zouden later zweren dat hij een brandend kooltje in zijn klauwen vasthield – maar hoe hij dat deed zonder zichzelf te verwonderen kon niemand verklaren, onwillig als ze waren om praktische bezwaren een indrukwekkend voorteken te laten verpesten.

Silianus wees naar de hemel toen de arend over de reusachtige bouwplaats van het Gouden Huis vloog en verder naar de Esquilijn. 'Jupiter Optimus Maximus heeft ons offer aanvaard. En wat meer is, hij geeft onze gedachten met dit voorteken richting. We zullen nu onze plaats innemen en op de komst van de keizer wachten, die ons eert door tijd vrij te maken van het toezicht houden op de herbouw van onze stad. Hij zal een pleidooi voor onze hulp houden. Patres conscripti, tot zijn komst zullen we luisteren naar de prefect van Rome, Titus Flavius Sabinus, die verslag zal doen van de voortgang van de herbouw.'

Vespasianus keek verbaasd naar zijn broer. 'Je hebt niet gezegd dat je deze ochtend ging spreken.'

'Dat wist ik zelf ook niet, ik heb ook niet iets nieuws te zeggen wat niet iedereen al weet.'

276

'Dan is het een val, beste jongen,' stelde Gaius. 'Silianus zou je het woord niet geven als hij daar niet iets bij te winnen heeft. Ik raad je aan het heel kort te houden en de keizer te overladen met lof voor zijn geweldige werk bij het coördineren van de inspanningen, ook al weten we dat hij alleen belangstelling heeft voor zijn nieuwe paleis. En als maar de helft van de geruchten waar is staat hij gewetenloze aannemers toe zo veel mogelijk geld aan de rest van de herbouw te verdienen door slechte huizen neer te zetten.'

'U hebt gelijk, oom, ik zal de keizer uitbundig prijzen en zuinig zijn met harde feiten.'

Hij houdt zich aan zijn woord, dacht Vespasianus bij het aanhoren van de bloemrijke lofzang van zijn broer op de onbaatzuchtige inzet van de keizer om de situatie van de goede inwoners van Rome te verbeteren. Hij vermeed te zeggen dat dat in Nero's denken op één persoon neerkwam: hijzelf.

'En wat betreft de stand van de publieke werken,' declameerde Sabinus toen hij zijn toespraak wilde afsluiten in de hoge zaal, die naar verf en zaagsel met een ondertoon van zweet rook. 'We hebben onlangs nog eens tweeduizend publieke slaven van de slavenmarkten van Delos gehaald en het werk aan de reconstructie van alle openbare gebouwen is in volle gang, op kosten van de schatkist. En dat, patres conscripti, is alles wat ik te melden heb.'

'Onze dank aan de prefect van Rome,' zei Silianus toen Sabinus terugliep naar zijn stoel, die tussen Vespasianus en zijn oom stond. 'Maar voordat u gaat zitten, prefect, hoop ik dat u ons kunt vertellen wie er verantwoordelijk is voor de ramp, want ik meen dat u nu over die informatie beschikt.'

Sabinus stopte plotseling, alsof hij tegen een onzichtbare wand aan was gelopen. Vespasianus begreep nu waarom Epaphroditus zijn broer had verteld wie er de zondebok voor de brand moest zijn: Sabinus moest met de valse beschuldigingen tegen de sekte komen. Zo zouden de verdenkingen van het volk tegen Nero ongegrond lijken, iets wat niet het geval zou zijn als Nero of iemand uit zijn entourage met de beschuldiging kwam.

Vespasianus zag dat diezelfde gedachten door het hoofd van zijn broer schoten toen hij besefte dat hij gedwongen werd om de onschuld van Nero te verdedigen. En om daarin te slagen moest Sabinus de sekte genadeloos vervolgen.

Sabinus draaide zich om en keek de eerste consul aan. 'De schuld ligt zonder twijfel bij een nieuwe sekte van goden loochenende atheïsten. In het verleden hebben ze geweigerd offers aan de keizer te brengen of, zoals in het compromis dat met de joden is gesloten, vóór de keizer.'

Silianus trok een ernstig gezicht terwijl er een verontwaardigd gemompel door de zaal ging. 'En welke bewijzen hebt u gevonden voor deze bewering?'

Vespasianus kon zien dat zijn broer snel nadacht.

'Ik heb de bekentenis van enkele slaven die lid zijn van de sekte, in overeenstemming met de wet verkregen met marteling. Ze zeggen dat de brand door twee mannen is georganiseerd: Paulus van Tarsus en een medeplichtige van hem, Petrus. Beiden zitten in de cel in het Tullianum en...'

'In de cel!' De stem was onmiddellijk herkenbaar en Vespasianus hoefde zijn hoofd niet te draaien om te weten dat Nero onaangekondigd in de open deuren van het Senaatsgebouw stond. Het was een vooraf opgezette entree, zoals bleek uit de gezichtsuitdrukking van Epaphroditus, die vlak achter de keizer stond.

Sabinus draaide zich om. 'Ja, princeps.'

'Hoe lang zitten ze al in jóúw cel?'

Sabinus slikte. 'Paulus van Tarsus staat onder arrest sinds hij hier bijna vier jaar geleden kwam om gebruik te maken van zijn recht als Romeins burger om bij u in beroep te gaan. U hebt zijn beroep twee novembers geleden aangehoord en hem ter dood veroordeeld, maar in uw wijsheid gaf u bevel die niet onmiddellijk te voltrekken en hem voorlopig in het Tullianum op te sluiten.'

Vespasianus sloot zijn ogen en was opgelucht dat Sabinus het toneelstukje goed genoeg beheerste om er niet aan toe te voegen: tot het Nero uitkwam om hem te laten executeren.

Nero, gekleed in purper en goud, liep de zaal in met een melodramatische gezichtsuitdrukking van geschoktheid, zijn armen in de lucht en zijn mond en ogen wijd open. 'En dus heb je hem in bewaring genomen en terwijl hij onder jouw jurisdictie viel heeft hij met zijn medeplichtige de verwoesting van de stad georganiseerd!' Nero keek ontzet en stak zijn armen omhoog naar de hemel in een smeekbede aan de goden dat dit schokkende feit niet waar mocht zijn.

Sabinus zweeg, Vespasianus begreep dat het voor hem weinig zin had om zich te verdedigen tegen de beschuldiging dat hij door onoplettendheid in zekere zin verantwoordelijk was voor de brand. Dat het onwaarschijnlijk was dat Paulus ook maar iets had kunnen organiseren vanuit de ondergrondse kerker van het Tullianum, daar dacht niemand aan.

'En hoe zit het met zijn medeplichtige?' ging Nero verder toen de hemel hem verzekerd had dat het schokkende feit wel degelijk waar was. 'Is hij ook een burger?'

'Nee, princeps, hij is afkomstig uit de provincie Judaea.'

'Waar is hij?'

'Ook hij zit in de cel.'

'En hoe lang is dat het geval?'

Sabinus slikte opnieuw. 'Enkele dagen, princeps.'

'Twee dagen! Twee dagen en hij is nog in leven. Hij had zodra hij gepakt was aan mij moeten worden voorgeleid zodat ik het bevel tot kruisiging had kunnen geven.'

'Ze zullen beiden morgen voor u verschijnen.'

'Nee, dat is niet snel genoeg, breng ze vanavond naar mijn tuinen op de Vaticaanse heuvel. Ik zal ze berechten voor de ogen van de mensen die hij dakloos heeft gemaakt en die daar in een kamp zitten. Ik wil dat ze de schuldigen zien. Laat intussen overal in de stad bekendmaken wie de brandstichters zijn zodat de mensen weten wie verantwoordelijk zijn voor de verwoesting van de stad en laat alle kwaadaardige muurkladderij verwijderen met beschuldigingen tegen mij! Mij!' Nero gilde dat laatste woord uit en liep paars aan, zijn ogen schoten door de zaal alsof hij alle aanwezigen ervan verdacht beschuldigingen tegen hem op pas gebouwde muren te hebben geklad. Het duurde even voor hij zichzelf weer onder controle had en hij haalde een paar keer diep adem. 'En stuur zo veel mogelijk van die ellendige wezens als je kunt, het wordt tijd dat ik een voorbeeld stel. En laat die joodse delegatie uit Jeruzalem die al voor de brand op een audiëntie wachtte komen om toe te kijken, ik wil hun pleidooi afwijzen en ze naar Judaea terugsturen met een heel duidelijk idee van wat ik met intolerante godsdiensten doe.'

Nero schreed naar buiten en Sabinus ging weer zitten, zijn voorhoofd bezweet. 'Die klootzak van een Epaphroditus! Hij heeft me te kijk gezet.'

Vespasianus kon het alleen maar beamen. 'Maar het was vrijwel on-mogelijk om dit te zien aankomen. Wat zijn je opties?'

'Opties? Dat zou een luxe zijn. Als ik er niet in slaag de haat van het volk van Nero naar Paulus te verleggen, kan ik maar beter meteen mijn polsen opensnijden. Ik zal laten weten dat het de plicht van elke burger is om deze atheïsten op te pakken en ze naar het forum te brengen.'

'Dat ging niet slecht voor uw broer.'

Vespasianus was na de zitting op weg naar de uitgang en keek om zich heen om te zien wie hem had aangesproken. Hij zag een lange, magere senator van middelbare leeftijd naast Titus staan, hij had een scherpe haakneus en een breed voorhoofd met zware wenkbrauwen, die hem samen een vogelachtig uiterlijk gaven. Niets wees erop dat de opmerking ironisch bedoeld was.

'Dit is Quintus Marcius Barea Sura, vader,' vertelde Titus hem.

'Ja, we hebben elkaar in de Senaat gezien.' Vespasianus greep de hand die Sura aanbood. 'Het is me een genoegen om kennis te maken, Sura, en nee, ik vond dat het helemaal niet goed ging voor mijn broer. Hoe staat u daarin?'

Sura's hoofd schokte een paar keer in een aardige imitatie van een vogel die naar zaad pikte. 'Ik sta nergens, mijn beste Vespasianus, het was niet meer dan een observatie.' Hij kwam dichterbij en dempte zijn stem. 'We weten allemaal dat het een klucht was en niemand durft het hardop te zeggen. Maar het feit dat Nero Sabinus voor zijn toneel-stukje heeft uitgekozen kan alleen maar goed voor uw broer zijn. Nero zal hem voortaan als medeplichtige beschouwen en daarmee als iemand die aan zijn kant staat en dus geen vijand is. Dat is erg handig in het huidige klimaat, dat zult u met me eens zijn. Ik vertel u dit alleen op-dat u mijn gedachtegang begrijpt. Misschien blijken we vergelijkbare opvattingen te hebben, wat prettig zou zijn, aangezien onze families mogelijk een verbintenis aangaan.'

'Zeker, Sura, dat zou weleens kunnen gebeuren. Zullen we een stukje wandelen?'

'Maar waarom zo snel?' vroeg Vespasianus aan Sura toen ze langs het pas voltooide Huis van de Vestaalse Maagden liepen. 'De bruidsschat van een miljoen is meer dan acceptabel, maar u hebt toch zeker tijd nodig om zoveel contanten bij elkaar te krijgen? Denkt u echt dat u het de dag na morgen in handen hebt?'

'Ik heb het nu, in goud. Het ligt klaar in mijn huis, de vrucht van mijn jaar als gouverneur van Hispania Baetica. Ik zou het huwelijk al morgen willen laten plaatsvinden als het niet de dag van de heropening van het Circus Maximus was, met de wagenrennen ter ere van het feest van Ceres. Dat bedrag aan contanten in huis is een van de redenen waarom ik haast heb met de bruiloft, begrijpt u?'

Vespasianus snapte het. 'Als u een dergelijk bedrag naar een bank brengt zou Nero ervan horen?'

'Het is altijd beter om nieuws over financiële voorspoed niet tot de oren van de keizer te laten doordringen, gezien zijn huidige liefde voor geld.'

'Wanneer is een keizer niet verliefd op geld?'

'Precies. De familie van mijn oudste dochters echtgenoot, de Ulpii, is heel behulpzaam in het afleiden van Nero's aandacht voor onze familie door regelmatig renteloze bijdragen, zo zullen we het maar noemen, te doen aan de keizerlijke schatkist.'

Vespasianus wendde zich tot Titus. 'Ben jij het ermee eens dat het zo snel gebeurt?'

'Natuurlijk, vader. Ik wil zo snel mogelijk hertrouwen en mijn toekomstige schoonvader wil graag dat zijn dochter de vrouw van een senator is.'

'Ah.' Vespasianus keek Sura vragend aan.

'Titus is nu oud genoeg om in aanmerking te komen als quaestor, maar daar moet momenteel flink voor betaald worden en er zijn maar weinig families die het zich kunnen veroorloven. De echtgenoot van mijn oudste dochter, mijn schoonzoon Patruinus, is echter bereid Nero te vragen om Titus tot quaestor te benoemen als hij de keizer weer een lening verstrekt, wat over enkele dagen het geval zal zijn.'

Vespasianus was verbaasd. 'Waarom zou hij dat voor mijn familie doen?'

'Niet voor uw familie, maar voor de mijne.'

'En waarom hebt u dan Titus uitgekozen als degene die deze grote gunst ontvangt?'

Sura's hoofd schokte opnieuw alsof hij ergens naar pikte. 'Tja, dat lijkt me voor de hand liggen, Vespasianus, er staan ons donkere tijden te wachten zolang Nero geen erfgenaam heeft – de keizerin is weliswaar weer zwanger, maar als de vrucht al blijft leven, moet hij ten eerste een jongen zijn en ten tweede veertien zien te worden voordat hij oud genoeg is om zijn vader op te volgen.' Weer kwam Sura's hoofd naar voren en hij dempte zijn stem. 'Mogelijk haalt het kind het, Vespasianus, maar denkt u dat het mogelijk is voor... Tja, laten we geen verraderlijke gedachten uitspreken, maar u begrijpt waar ik heen wil, niet?'

'Zeker, en ik ben het met uw analyse eens.'

'Ik wist dat we dezelfde denkwijze zouden hebben. U moet begrijpen, Vespasianus, in deze duistere tijden zijn we allemaal op zoek naar bondgenoten en ik beschouw u en uw familie als een goede mogelijkheid; u bent de held van de invasie van Britannia en speelde een grote rol in het neerslaan van Boudicca's opstand. En u bent de broer van de prefect van Rome, in ieder geval voorlopig nog. En bovendien hebt u het genoegen de lieftallige Caenis als minnares te hebben en wat zij niet weet van de keizerlijke politiek is het niet waard om te weten. Al met al, als de dobbelstenen worden gegooid en de donkere dagen beginnen denk ik, als een echte gokker, dat u weleens een indrukwekkende worp kunt doen. Ik denk dat dat voldoende redenen zijn. Goed, hebben we dan overeenstemming en zullen we het huwelijk overmorgen houden, de dag waarop Patruinus zijn geld naar het paleis brengt?'

Vespasianus hoefde niet lang na te denken. 'Afgesproken, Sura, overmorgen.'

Sura greep Vespasianus' onderarm. 'Voortreffelijk, voortreffelijk. Nog één advies voor ik ga: maak gebruik van de opdracht van Sabinus om de gevangenen vanavond naar de keizer te brengen; als u met hem meegaat zal Nero u associëren met de misleiding waar hij mee bezig is. Het kan alleen maar goed zijn als hij u als medeplichtige aan zijn gekonkel beschouwt, het geeft hem meer reden om te geloven dat u van hem houdt en u weet hoe belangrijk dat voor Nero is.'

Vespasianus glimlachte naar Sura, onder de indruk van diens sluwheid. 'Ik geloof dat u weleens gelijk zou kunnen hebben. Dank u, Sura, voor de goede raad.'

'Ik ben ervan overtuigd dat u me ooit een wederdienst zult bewijzen.'

'Dat denk ik ook.'

De gevolgen van de bekendmaking kwamen snel en waren gewelddadig, en dat verbaasde Vespasianus niets. Hij vergezelde Sabinus, die geëscorteerd werd door zijn lictoren, over het Forum Romanum naar het Tullianum, de enige staatsgevangenis van Rome.

'Haat is maar al te makkelijk aan te wakkeren,' mijmerde hij bij de aanblik van een bende jongens die twee gillende slavenmeisjes voortsleepten naar een al bijna vol tijdelijk kamp dat voor de rostra was opgericht en dat bewaakt werd door troepen van de stadscohorten.

Sabinus was onbewogen. 'Dit is al de tweede keer dat het kamp vanmiddag wordt gevuld. Ik heb Marcus Cocceius Nerva, de praetor die me met de gevangenen helpt, opdracht gegeven om ruim tweehonderd van die ellendelingen naar de Vaticaanse heuvel te brengen. De goden mogen weten wat Nero met ze gaat doen om de mensen te vermaken.' Hij klopte op de zware, met ijzer beslagen deur van het Tullianum.

Vespasianus keek toe terwijl de twee meisjes door de poorten van het kamp werden geduwd. 'Zeker is in ieder geval dat ze de rivier nooit meer zullen oversteken.'

De deur werd geopend door een enorme, kale man met een ongezond voorkomen en een afstotelijke geur, die een bevlekt leren schort over een vettige tuniek droeg. 'Goedemiddag, prefect.'

Sabinus liep langs de man en betrad een lage, vochtige ruimte, schemerig verlicht door enkele olielampjes. 'Blaesus, ik kom voor de twee gevangenen.'

Blaesus toonde een grijns vol rotte tanden. 'Ik zal Schatje ze laten halen, dat zal hij leuk vinden. Schatje!'

Vespasianus kwam ook naar binnen en het gevoel opgesloten te zijn overviel hem onmiddellijk. Hij dacht terug aan de tijd dat hij een van de drie jongste magistraten was en toezicht hield op boekverbranding en executies; in deze ruimte had hij toegekeken hoe Sejanus en zijn oudste zoon Strabo werden gewurgd. Hij huiverde bij de herinnering aan wat er daarna was gebeurd met de twee jongere kinderen die veroordeeld waren hetzelfde lot als hun vader te ondergaan: omdat het ongeluk zou brengen om een maagd te executeren was hij gedwongen geweest om bevel te geven tot ontmaagding van Sejanus' zeven jaar oude dochter. Hij kon haar nog horen schreeuwen terwijl hij naar buiten liep, onwillig om de daad te aanschouwen die hij in gang had gezet. Het was geen herinnering die hij koesterde.

Een rommelend gegrom wekte hem uit zijn onplezierige gepeins; uit een schemerige hoek verscheen een harige man, enkel in een lendendoek gekleed, zijn platte gezicht bijna volledig behaard.

'Haal ze, Schatje,' zei Blaesus met een zekere genegenheid voor wat in de ogen van Vespasianus een soort huisdier was. Duidelijk blij om een zo verantwoordelijke opdracht te hebben gekregen greep Schatje een ring met sleutels die aan de muur hing en begaf zich naar een deurtje in een afscheiding aan de andere kant van de ruimte.

Vespasianus keek zijn broer verbaasd aan. 'Heb je ze niet daarbeneden opgesloten?' Hij wees naar een luik in het midden van de kamer, dat naar hij wist toegang gaf tot de vochtige en ellendige cel waar zover hij wist alle gevangenen werden opgesloten.

Sabinus schudde zijn hoofd. 'Ik vond niet dat hij dat verdiende.'

'Je hebt die afscheiding laten bouwen omdat je vindt dat hij het niet verdient, na alle ellende en dood die hij heeft aangericht? Hij heeft je goed weten in te pakken in jullie gesprekken.'

Sabinus haalde zijn schouders op. 'Hij is een spiritueel man, net als ik. Hij is alleen misleid in zijn opvattingen.'

'Wil je me nu vertellen dat je sympathie voelt voor dat stuk stront met zijn kromme poten na alles wat je hebt gedaan om hem aan te pakken?'

'Uw broer is begonnen zich open te stellen, Titus Flavius Vespasianus,' zei Paulus van Tarsus toen Schatje de deur met een scherpe grom opende om hem uit te nodigen naar buiten te komen. Klein, kaal, O-benen en met een half oor; de andere helft was hij kwijtgeraakt toen hij de tempelwachters jaren geleden in een tuin buiten Jeruzalem had aangevoerd bij de arrestatie van Joshua bar Josef, de man die hij nu vereerde. 'Ik was verrast hoeveel we gemeen bleken te hebben. Het zal niet lang duren voor ik hem heb bekeerd tot het ware licht en hem zuiver met het bloed van het lam.'

'Het licht van mijn Heer Mithras is het enige licht dat ik nodig heb en ik heb gebaad in het bloed van de stier.'

'Er is slechts één licht en dat is de ene ware God, wiens licht op ons schijnt door Zijn zoon Joshua Christus, die voor onze zonden stierf. Ik zal je snel zover hebben dat je dat erkent, want je ziet al bijna de waarheid.'

Vespasianus merkte aan het gemak waarmee ze de zinnen uitwisselden dat ze dit gesprek al vaker hadden gevoerd.

'Daar is geen tijd meer voor, Paulus.'

'Ah.' Paulus glimlachte voor zich uit terwijl een oudere man met lang, verward grijs haar en een baard door de deur in de afscheiding stapte. 'Het lijkt erop dat we niet lang meer in deze wereld zullen verkeren, Petrus.'

Petrus krabde in het dikke haar onder zijn kin. 'Het spijt me niet om hem te verlaten, Gods huis is beter dan dat van de caesar, of het nu van goud is of niet.'

'Inderdaad, broeder.'

'Waar brengen jullie ons heen?' vroeg Petrus aan Sabinus.

'Jullie worden voorgeleid aan Nero in zijn tuinen aan de andere kant van de Tiber, op de Vaticaanse heuvel.'

HOOFDSTUK XVI

De zon naderde de horizon en scheen in hun samengeknepen ogen. Vespasianus, Sabinus en hun gevangenen, voorafgegaan door Sabinus' lictoren, staken de Tiber over via de brug die Nero onlangs had laten bouwen bij de bocht die de rivier aan de noordwesthoek van de Campus Martius maakte. Voor hen lag een stad van tenten en hutten gedompeld in de rioolstank die uit de rivier opsteeg. De duizenden vluchtelingen toonden geen belangstelling voor hun groepje, ze waren zoals altijd vooral bezig de aediles lastig te vallen in de hoop op een woning in een van de nieuwe huurkazernes die voltooiing naderden. Elke dag lukte het er wel een paar om zich uit het miserabele vluchtelingenkamp te kopen of kletsen, om vervolgens een kamertje te betrekken in een van de haastig opgetrokken huizen die vooral op kortetermijnwinst waren gebouwd en niet zozeer op veiligheid op de lange termijn.

Vespasianus keek ongelovig naar de ellende om hem heen; aangezien hij Rome op de laatste avond van de brand had verlaten en pas de vorige dag was teruggekeerd, had hij geen idee gehad van de omstandigheden waarin de daklozen de afgelopen negen maanden hadden geleefd. 'Hoe kunnen ze dit verdragen, Sabinus? Waarom is niemand in opstand gekomen?'

'Och.' Sabinus gebaarde met een hand naar een groepje verloren ogende oudere mannen. 'Wat kunnen ze doen? Ze moeten geduldig zijn en wachten tot anderen hun leven weer op poten zetten. We zijn een grote rekruteringscampagne begonnen en veel mannen van gevechtsleeftijd zijn in de legioenen opgenomen; de rest is uitvaagsel of vrouw. Ze hebben geen wilskracht meer, alleen nog lusteloos geduld.' Hij wendde zich tot Paulus. 'Dit is de ideale voedingsbodem voor je verhaaltjes, Paulus.'

'Waarheden, geen verhaaltjes, Sabinus. Ik kan je verzekeren dat mijn volgelingen die onder deze arme mensen verspreiden en ze merken dat de zaadjes van Christus' passie in vruchtbare aarde vallen.'

'Net als de mijne,' vulde Petrus aan.

'Voor hun eigen veiligheid kunnen ze dat maar beter niet doen, het is verstandiger om Rome te verlaten,' zei Sabinus, 'want ze hebben de brand veroorzaakt en nu zullen ze boeten.'

Paulus keek verbijsterd. 'Maar iedereen weet wie de echte schuldige is.'

'Is dat zo? Het kan ook anders gezien worden, bijvoorbeeld dat iemand geprobeerd heeft om zijn voorspelling te laten uitkomen.'

Paulus dacht een ogenblik na. 'De voorspelling van de Hondsster: Rome zal branden na de opkomst van de Hondsster.'

'Juist, en jij hebt Nero over die voorspelling verteld en liet het klinken alsof ze van jou was; hij had er nog nooit van gehoord. Hij onthield je verhaal en zag een perfecte mogelijkheid voor een dekmantel. Jij, de leider van de nieuwe sekte, zei dat het einde der tijden door de opkomst van de Hondsster zal worden aangekondigd en, heel verdacht, Rome brandde precies in de nacht dat die ster vorig jaar opkwam; de nacht die ook nog eens een van de zwartste dagen van de kalender was. Natuurlijk moeten jij en je mensen het wel geweest zijn. Je bent een dwaas geweest, Paulus, en nu ben je Nero's zondebok.'

Het leek alsof er een feest werd voorbereid, want de geur van geroosterd vlees drong door de stank van het kamp heen toen ze Nero's tuinen naderden, die naast zijn circus op de Vaticaanse heuvel lagen. Enkele praetoriaanse wachten stonden in de dieper wordende schemering in de houding en twee andere escorteerden hen door de poort naar wat een oase van rust leek na het overvolle kamp.

'Ik dacht dat Nero zijn tuinen zou openstellen voor de mensen,' zei Vespasianus, die om zich heen keek en geen teken van vluchtelingen-tenten zag, zoals hij verwacht had.

'Nee, dat duurde een paar dagen en toen besefte Nero dat ze hier wel een paar jaar zouden blijven,' antwoordde Sabinus met een wrang lachje. 'Hij heeft ze weer heel snel weggestuurd, hij zei dat ze te veel lawaai maakten en dat hij rust nodig had om harder te kunnen werken zodat de stad sneller herbouwd kan worden.'

'Hij kon zichzelf met andere woorden niet horen zingen.'

Sabinus grinnikte. Intussen leidden de twee praetorianen die voor hen liepen het gezelschap dieper de tuinen in. De geur van geroosterd vlees werd sterker, net als het licht, afkomstig van een tiental toortsen even verderop.

Vespasianus noch zijn broer was voorbereid op het schouwspel dat hun wachtte toen ze bij een groot terras omringd door een balustrade kwamen. In het midden stonden ligbanken met Nero en zijn keizerin erop. Poppaea Sabina was zichtbaar weer zwanger. Ze aten van een volgeladen tafel, maar het was niet dit vrij normale tafereel dat Vespasianus zo schokte, het was wat het zichtbaar maakte. Langs de balustrade waren op regelmatige afstanden grote toortsen opgericht, twaalf in totaal, en Vespasianus begreep nu waar de geur van geroosterd vlees vandaan kwam.

'Prefect Sabinus,' zei Nero met raspende stem, het sap van een peer van zijn vingers likkend. 'Daar ben je dan met de daders.'

'Zoals u bevolen hebt, princeps. Hier zijn Paulus van Tarsus en Petrus van Judaea, klaar voor uw oordeel.'

'Wat doet hij hier?' vroeg Poppaea, naar Vespasianus wijzend.

Nero fronste en keek naar Vespasianus. 'Nou? Wat doe jíj hier?'

Vespasianus wist dat hij er niets mee opschoot om schaamte te voelen. 'Ik ben met mijn broer meegegaan om het genoegen te smaken u de twee mannen te zien veroordelen die verantwoordelijk zijn voor de brand van Rome, princeps. Ik zie graag het recht zijn loop hebben.'

'Juist, het recht moet inderdaad zijn loop hebben.' Nero keek in het huiveringwekkende, flakkerende licht enkele ogenblikken naar de gevangenen. 'Maar we hoeven de zaak niet te horen, ik zie dat ze schuldig zijn, daarom zullen we ze nu voor het volk brengen.' Hij gebaarde naar een figuur in de schaduw achter de balustrade. 'Subrius, vertel de mensen in het kamp dat ze naar mijn circus moeten komen, zo snel mogelijk, zodat ze de waarheid kunnen zien. En zorg dat ook de joodse delegatie er is.'

'Ze wachten buiten de tuinen, princeps.'

'Mooi. Zeg dat ze met me mee moeten als ik naar het circus ga.'

De praetoriaanse tribuun groette en haastte zich weg.

Nero keek weer naar de gevangenen. 'Ik herinner me deze Paulus nog, hij zei iets over het einde der tijden dat hier in Rome zou beginnen bij de opkomst van de Hondsster. Tja, het leek er even op dat de voorspelling zou uitkomen, maar…' Hij gebaarde om zich heen. 'Het leven gaat door.' Hij keek naar een van de toortsen. 'Voor hen natuurlijk niet, maar voor de meeste anderen wel.' Vervolgens wierp hij een blik op een groepje veroordeelden dat in de schaduwen wachtte tot het hun beurt was om voor licht te zorgen. 'Behalve voor hen misschien. De dag gaat nu in de nacht over, maar morgen wordt het weer dag. Het was dus niet het einde der tijden, het waren jij en je mensen die het zover probeerden te laten komen. Het volk van Rome zal nu de waarheid leren kennen.'

Paulus bleef onbeweeglijk. 'Heel Rome weet dat u het was.'

'Zwijg!' gilde Poppaea. 'Hoe durf je de keizer zonder toestemming aan te spreken?' Ze legde een troostende hand op Nero's arm. 'Negeer zijn leugens, liefje, laat hem je wenkbrauwen niet fronsen. De mensen weten hoeveel je van ze houdt en hoe hard je voor ze werkt, ze zouden zulke laaghartige laster nooit geloven. Laten we hier eens en voor altijd een einde aan maken.'

'Zal de keizer eindelijk ons pleidooi aanhoren, prefect?' vroeg een jood, een twintiger met een lange baard, aan Sabinus toen de delegatie van zes zich bij Nero's entourage voegde, op weg naar het circus.

Sabinus keek de man niet aan. 'Ik geloof niet dat hij ooit van plan is geweest uw zaak aan te horen, Josef. Joodse priesters die door de procurator van Judaea gevangen zijn gezet omdat ze weigeren de nieuwe belastingen te betalen staan erg laag op zijn prioriteitenlijstje.'

'Maar ze zijn onschuldig.'

'Welke jood is ooit onschuldig?'

Josefs ogen trokken samen. 'Jullie gaan te ver, Romein: procurator Florus perst ons uit om jullie Armeense oorlog te betalen en inmiddels ook voor de herbouw van Rome, en tegelijkertijd weigert de keizer ons recht te doen. Negen maanden hebben we hier gewacht, negen maanden, en hij wil ons niet ontvangen.'

'Ben je een burger?' vroeg Vespasianus, die de man herkende, want hij had de joodse delegatie in het theater van Antium gezien. 'Als dat niet zo is, heb je niet automatisch het recht om een pleidooi voor de keizer te houden.'

Josef wierp een minachtende blik op Vespasianus. 'En wie ben jij?'

'Mijn naam is Titus Flavius Vespasianus, jood, een proconsul van

Rome, en ik raad je aan me beleefd te behandelen, anders voorspel ik je dat je je eigen land nooit meer zult zien.'

'En ik ben Josef ben Matthias, uit een huis met priesterlijk bloed, en ik zal de volgende voorspelling doen, proconsul: als Rome doorgaat met het verkrachten van mijn land zal er een brand in het oosten uitbreken, groter dan die ik in Rome heb gezien.'

Vespasianus stopte en draaide zich naar Josef toe. 'En als dat het geval is, Josef ben Matthias, vraag je dan het volgende af: wie zullen er dan branden, joden of Romeinen?'

'Wat kan ons dat schelen, zolang er maar brand is.'

'Het zullen joden zijn, Josef, de joden zullen branden, en ik kan je verzekeren dat Rome geen haast zal hebben om de vlammen te doven tot jullie allemaal verkoold zijn.'

Vespasianus keerde zich om en liep achter Nero aan het circus in.

Het circus zat vol toen Nero samen met de keizerin het zand van de renbaan betrad om de menigte toe te spreken vanuit weer een halve cirkel van menselijke fakkels. Langs de *spina*, de centrale barrière van het circus, stonden meer van deze toortsen. Hij wachtte tot hun geschreeuw was afgelopen. Vespasianus keek vanaf de zijkant samen met Sabinus en de joodse delegatie toe, de gevangenen waren nergens te zien.

'Deze avond, volk van mij,' declameerde Nero met een hoge, maar zwakke stem die nauwelijks de reusachtige obelisk in het midden van de spina bereikte, die Caligula uit Egypte had laten overbrengen, 'hebben we de mensen hier die onze geliefde stad hebben verwoest, atheïsten onder aanvoering van twee mannen: Paulus van Tarsus en Petrus van Judaea. Ze ontkennen beiden het bestaan van de goden en vereren in plaats daarvan een gekruisigde jood.' De twee joden werden door een stel praetorianen onder aanvoering van tribuun Subrius naakt door een hek de arena in gesleept en voor Nero in het zand gegooid. 'Hun volgelingen branden in vlammen, een passende straf voor hun misdaad, en ik beloof jullie dat het vuur niet zal doven voordat ieder van deze atheïsten verdwenen is. En wat, zullen jullie vragen, zijn de bewijzen van hun schuld?' Nero zweeg even terwijl de belangstelling van het publiek hoorbaar toenam. Hij liet het een tijdje begaan en gebaarde toen om stilte. 'De stadsprefect zal jullie al het bewijs geven dat jullie maar willen.' Hij wenkte Sabinus.

'De klootzak,' mompelde Sabinus en hij kwam uit de schaduwen te-voorschijn, maar Vespasianus besefte hoe waar Sura's woorden waren ge-weest: Sabinus bewees in Nero's ogen zijn liefde voor hem en Vespasianus was blij dat hij het advies van Sura om mee te gaan had opgevolgd.

'Wat voor bewijs heb je voor mijn volk, prefect?'

Sabinus schraapte zijn keel en nam de houding van een klassieke ora-tor aan, met zijn rechterhand langs zijn zij en zijn linkerhand voor zijn borst, zijn toga vasthoudend. 'Volk van Rome, het is waar wat onze keizer zegt. Ik heb de bekentenissen van velen van deze sekte gehoord, ze staken de brand aan in een bakkerij in het Circus Maximus en daarna hielpen ze de vlammen zich te verspreiden en hinderden de inspannin-gen van onze dappere vigiles. En toen de vlammen eindelijk begonnen te doven, lieten ze het vuur weer oplaaien door de Basilica Aemilia in brand te steken.' Sabinus hield zijn hand op om de groeiende woede tot bedaren te brengen, want tot dusverre paste zijn verhaal bij de bekende feiten. 'En dan is er nog een doorslaggevend bewijs: anderhalf jaar ge-leden heeft deze man...' hij wees op Paulus, 'heeft deze man in aanwe-zigheid van vele getuigen op het Forum Romanum de dag voorspeld waarop de brand zou uitbreken, en hoe wist hij dat? Omdat hij wist dat hij hem zou aansteken en wanneer. Het was in zijn belang om de brand te beginnen, want hij haat Rome en alles waar de stad voor staat. En ik kan tientallen mensen oproepen die zullen zweren dat hij en zijn mede-plichtige, die naast hem knielt, schuldig zijn.'

Nero barstte in tranen van opluchting uit terwijl de menige woedend brulde. Poppaea sloeg een beschermende arm rond haar emotionele echtgenoot en Sabinus hield zijn handen omhoog, waardoor het lawaai nog verder toenam. Honderd hartslagen lang liet hij het doorgaan, toen gebaarde hij om stilte.

'Ik weet dat er andere geruchten zijn, laaghartige, leugenachtige ge-ruchten die nooit de ronde hadden mogen doen. Maar vraag je het vol-gende af: waarom ontstonden er dergelijke geruchten? Wie was er ver-antwoordelijk voor?' Hij wees naar Paulus en Petrus, nog altijd knielend op de grond. 'Hoe kun je nu beter de schuld van jezelf afleiden dan door naar een ander te wijzen, iemand die onschuldig is? En zo hebben de mensen die deze schanddaad hebben begaan geprobeerd de schuld te leggen bij juist de man die het allemaal weer ten goede keert: onze keizer. Onze geliefde Nero.' Sabinus draaide zich om en wees op Nero, die op zijn knieën viel en zijn handen ineensloeg en ze naar het publiek uitstrekte. Tranen rolden glinsterend in het fakkellicht en de menigte kreunde van berouw. Elke toeschouwer voelde het verpletterende gewicht van schuldgevoelens omdat ze hun keizer valselijk hadden beschuldigd, de man die de stad met zoveel geestdrift herbouwde. Nu ze de enormiteit van hun misvatting begrepen smeekten ze Nero om hen te vergeven, want ze hielden nog altijd van hem. Nero beefde en snikte, laafde zich aan de emoties van de menigte, die op haar beurt op zijn vertoon reageerde.

Vespasianus was verbaasd hoe enkele halve waarheden en ongegronde gevolgtrekkingen voldoende waren om het volk van mening te doen veranderen. Nu hielden ze weer van Nero en dus was de keizer veilig. Het volk zou hem beschermen, want ze zouden een moordenaar van hun geliefde keizer nooit in leven laten. Vespasianus besefte ook dat de volgelingen van Paulus en Petrus een veel tastbaarder doel voor de haat van het volk waren dan de relatief ver van hen af staande keizer. Ongetwijfeld kende iedereen van de lagere klassen wel iemand die aanhanger was van de laaghartige cultus en ze zouden met genoegen hun gerechtvaardigde wraakgevoelens op hen loslaten. Er verscheen een lachje op zijn gezicht toen hij besefte dat als er niemand meer over was om te vervolgen het makkelijk zou zijn om de aandacht weer naar Nero te verleggen. Het was nog lang niet voorbij. Door de stad in brand te steken had Nero de liefde van het volk voor hem verbrand en het was een kwestie van tijd voordat de mensen het zich zouden realiseren, en dan had zijn, Vespasianus', klasse de handen vrij om te handelen.

'En wat doen we met deze twee schurken?' brulde Sabinus door het luidruchtige berouw van de menigte heen, waardoor alleen de mensen het dichtste bij hem het konden verstaan. Hij liep een eindje verder over de baan en herhaalde zijn vraag, en opnieuw en opnieuw en opnieuw, tot hij het circus rond was geweest. En er was maar één antwoord en dat was unaniem en het luidde: 'Dood!'

En Nero voldeed met genoegen aan de wensen van zijn volk; hij wees naar Petrus. 'Deze man zal hier gekruisigd worden, in mijn circus op de Vaticaanse heuvel, hij zal hetzelfde lot ondergaan als de jood die hij vereert.'

Poppaea leunde naar hem toe en fluisterde iets in het oor van haar echtgenoot.

Nero vertoonde een vals lachje en wendde zich weer tot de menigte. 'Maar laten we hem niet de voldoening schenken om de dode man die hij als god beschouwt te imiteren: tribuun, kruisig hem ondersteboven.'

Dat viel in goede aarde bij het publiek.

Petrus bleef tot Vespasianus' verrassing kalm toen hij zijn afschuwelijke lot hoorde. Intussen gaf Subrius een van zijn mannen opdracht hem overeind te trekken. De veroordeelde man wierp een blik achterom op Paulus. 'Ik was niet waardig geweest om Joshua's dood te delen.'

'Ga in vrede, broeder,' antwoordde Paulus, waarop hij een klap kreeg van de andere wacht. Daarna leidde tribuun Subrius Petrus naar een gereedliggend kruis.

Nero wendde zich tot Josef en de joodse delegatie en wees op de menselijke fakkels en vervolgens naar de twee veroordeelde mannen. 'Kijk wat er gebeurt met mensen die niets van Rome willen weten, joden, degenen die Rome niet aanvaarden en er geen deel van willen uitmaken. Ga nu terug naar Judaea, ga en vertel je landgenoten dat dit is wat ze te wachten staat, vuur en spijkers, als ze zich tegen mij blijven verzetten.' Nero sloeg met een vuist tegen zijn borst. 'Mij! Want Rome, dat ben ik, en ik ben Rome.' Hij stak beide armen in de lucht om het punt te benadrukken voor een in aanbidding toekijkend publiek.

'Maar ons verzoekschrift,' schreeuwde Josef boven het gejuich uit dat op Nero's laatste woorden was gevolgd.

'Jullie verzoekschrift is gehoord en afgewezen, waarom zou ik degenen sparen die Rome haar belastingen onthouden? Mij mijn belastingen onthouden!' Een gil scheurde door de lucht en Nero likte over zijn lippen, genietend van de pijn toen de hamer de eerste spijker door Petrus' pols dreef. Hij keek weer naar Josef. 'Ga nu, joden, ga voordat jullie hem gezelschap gaan houden.'

Josef zweeg even terwijl het lijden van Petrus verhevigde. Toen draaide hij zich met geheven hoofd om en leidde zijn delegatie naar de poort onder begeleiding van het gejouw van de menigte, die hen bekogelde met wat ze maar voorhanden hadden.

Nero keek hen na terwijl de laatste spijker in het kruis werd gehamerd en Petrus het bewustzijn verloor. 'Breng hem bij,' beval Nero Subrius. 'Ik wil dat hij beseft dat hij aan het sterven is, en als hij dood is, begraaf je het lijk hier ergens op de heuvel in een geheim en ongemarkeerd graf. Ik wil niet dat zijn tombe een bedevaartsoord wordt voor volgelingen die het recht weten te ontlopen en overleven.' Nero verplaatste zijn aandacht vervolgens weer naar Paulus. 'Deze man is echter een burger. Ook al heeft hij Rome de rug toegekeerd, toch zal ik hem zo behandelen. Laat iedereen er getuige van zijn dat hij Rome wilde vernietigen, maar dat Rome heeft overleefd in de vorm van de wet. En dus zal hij onthoofd worden in overeenstemming met de wet. Prefect Sabinus, breng deze man terug naar de stad en executeer hem morgenochtend voor de ogen van de daklozen aan die kant van de rivier, zodat iedereen weet dat het recht heeft gezegevierd. Maar doe het buiten de stadsmuren, want ik wil niet dat zijn bloed Neropolis of de Campus Martius bezoedelt.' Nero draaide zich om en nam de hand van zijn vrouw. Het kruis van Petrus werd inmiddels overeind gezet; zijn geschreeuw klonk dierlijk en hij hing ondersteboven, zijn gewicht trok aan de drie spijkers waarmee hij vastzat. Nero glimlacht bij de aanblik. 'Goed, liefje, laten we naar de dis terugkeren. Vespasianus en Sabinus, jullie zijn uitgenodigd.'

'Dat was hoop ik de laatste keer dat ik de nar voor Nero heb gespeeld,' zei Sabinus toen hij en Vespasianus na hun avond met Nero en Poppaea naar de poort van Nero's tuinen liepen. De blikken die de keizerin op Vespasianus had geworpen waren even kil als haar opmerkingen geweest, maar Nero's opgewekte humeur, nu hij de liefde van het volk terug had, had alles onder een warme deken bedekt. Paulus was naar het Tullianum teruggestuurd voor zijn laatste nacht in een wereld vol zonde, zoals hij het formuleerde.

'Waarom zeg je dat?' vroeg Vespasianus, al kende hij het antwoord heel goed.

'Omdat...'

Vespasianus legde zijn hand op zijn broers arm. 'Je hoeft het niet te zeggen, Sabinus, ik weet wat je denkt, maar ik zie het in een ander licht. Je bent gedwongen om als Nero's bondgenoot op te treden. Hij vertrouwt je, in zoverre hij iemand kan vertrouwen, en dat is belangrijk voor onze veiligheid.'

Sabinus keek twijfelend. 'Dat zou betekenen dat Nero dankbaarheid kent.'

'Het heeft niets met dankbaarheid te maken. Waar het om gaat is dat hij je niet kan lozen, want dan verliest zijn verhaal dat Paulus en zijn volgelingen de brand hebben aangestoken aan geloofwaardigheid, jij bent zijn bewijs. Als straks met al die atheïsten is afgerekend kan het volk zijn woede niet langer op hen afreageren en zullen ze Nero weer de schuld gaan geven; jij, en ik ook, want ik heb me bewust bij je aangesloten, zullen de opdracht hebben om Nero's versie van de waarheid geloofwaardig te houden.'

'En gaan we dat doen?' vroeg Sabinus, terwijl de twee praetorianen die de poort bewaakten opzijstapten om hen door te laten.

'Natuurlijk doen we dat, maar met niet al te veel overtuiging.'

'Prefect Sabinus!' Een kleine man met warrig haar en een onderdanige houding wachtte net buiten de poort.

Sabinus wierp een hooghartige blik op de man, die zijn handen tegen elkaar wreef en opkeek met een poging tot een vleierige glimlach, maar hem niet in de ogen durfde te kijken. 'Wat is er?'

'Mijn naam is Milichus, heer. Ik wil de keizer spreken, maar deze mannen laten me niet naar binnen.'

'En gelijk hebben ze, waarom zou de keizer iets te maken willen hebben met iemand als jij?'

'Omdat er een complot is om hem te vermoorden, ik heb bewijzen.'

'Jij? Hoe kan jij…'

Vespasianus porde zijn broer in de ribben. 'Kom mee en vertel ons je verhaal.'

Milichus knikte en maakte zich klein op de manier van iemand die jaren slaafs had gediend. 'Dank u, heren.'

'Nou?' vroeg Sabinus, terwijl ze weer verdergingen en door het tentenkamp liepen.

'Ik ben de vrijgelatene van senator Scaevinus.'

Sabinus was onmiddellijk geïnteresseerd, want Scaevinus had het vorige jaar als praetor subtiele toespelingen met de geur van hoogverraad gemaakt. 'Ga door.'

'Nou, vanavond kwam hij thuis na een groot deel van de dag bij Antonius Natalis te zijn geweest.'

Sabinus knikte en besefte onmiddellijk wat dat betekende. Natalis was de fabelachtig rijke graanhandelaar die hem rond dezelfde tijd had gepolst.

'Toen mijn meester terug was, verzegelde hij zijn testament. Daarna haalde hij zijn oude legermes uit de schede, voelde eraan en klaagde dat het bot was geworden in de loop der jaren. Hij gaf me opdracht het op een steen te wetten tot het weer glom. Daarna bestelde hij een buitengewoon uitgebreid avondmaal, weelderiger dan ik hem ooit heb zien eten, en tijdens de maaltijd schonk hij drie van zijn slaven de vrijheid en aan de rest en aan de vrijgelatenen gaf hij geld.'

'Kreeg jij ook geld?' vroeg Sabinus.

'Zeker, niet heel veel, maar toch een aardig gebaar.'

'Klinkt alsof hij zelfmoord wil plegen,' meende Vespasianus.

Milichus knikte, zijn hoofd ging heftig op en neer. 'Dat dacht ik ook, hij was somber en duidelijk diep in gedachten verzonken, elke uiting van vrolijkheid leek een masker. Maar toen hij klaar was met eten ging hij naar bed en niet naar het bad om zijn aderen open te snijden. En voordat hij dat deed vroeg hij me verband, tourniquets en andere spullen om wonden te verzorgen klaar te leggen voor morgen.' Milichus trok een gezicht waaruit bleek dat dat laatste beetje informatie de doorslag gaf. 'Volgens mijn vrouw is het mijn plicht om dit te rapporteren.' Hij tastte met zijn hand achter zijn rug onder zijn mantel en haalde een mes tevoorschijn. 'Dit is het bewijs, dit mes moest ik slijpen.'

'Bewijs van wat?' vroeg Vespasianus, die een grote afkeer van de man voelde.

'Bewijs dat hij van plan is om de keizer te vermoorden.'

Vespasianus zag het verband niet. 'Waarom betekent dat mes dat je meester een aanslag op Nero wil plegen? Het lijkt me dat je teleurgesteld bent over de gift die je van Scaevinus hebt gekregen en dat je hem nu als kleinzielige wraak in de problemen wilt brengen.'

'Nee, broer,' zei Sabinus toen ze Nero's brug betraden. 'Zowel Scaevinus als Natalis hoort tot de kring rond Piso, weet je nog dat ik je op de avond dat de brand uitbrak over ze heb verteld?'

Vespasianus dacht na en herinnerde zich ondanks de verschrikkingen van die avond het gesprek nog. Hij gaf Milichus een teken afstand te houden zodat hij ongestoord met zijn broer kon praten. 'Wat denk jij ervan, Sabinus?'

'Ik denk dat er wat in zit, en als dat zo is, wat doen we dan?'

Vespasianus dacht even over de zaak na. 'We zouden die Milichus kunnen doden en kijken wat er gebeurt. Ik vermoed dat ze het morgenmiddag bij de heropening van het Circus Maximus willen proberen, daar kunnen ze het makkelijkst bij Nero komen.'

'Je hebt gelijk, ik zou het ook dan doen. Maar dan moeten we de vrouw van die kerel ook doden en dat kan lastig worden.'

'Niet noodzakelijkerwijs, ze weet niet dat haar echtgenoot ons is tegengekomen. Anderzijds ben ik geneigd om onze nieuwe status als aanhangers van Nero te versterken door de man naar hem toe te brengen en de samenzwering te ontmaskeren, als die er tenminste is, want vanuit ons standpunt bezien is het nog te vroeg voor Nero om te vertrekken. Geen van ons tweeën heeft op dit moment de kans om tot het hoogste niveau door te stoten als, zoals Magnus zou zeggen, je begrijpt wat ik bedoel.'

'Dat doe ik, broer. Maar als Nero denkt dat we zijn leven hebben gered, dan zullen we rijkelijk beloond worden.'

'Het is erg nuttig om een provincie met legioenen in de familie te hebben.'

Sabinus knikte langzaam en begrijpend. 'Zeker, en dan zal ik de volgende samenzwering misschien niet onthullen. Ik denk dat we deze Milichus mee naar huis moeten nemen en hem morgen na de executie van Paulus bij de keizer brengen.'

'Zo denk ik er ook over.' Vespasianus gebaarde naar Milichus dat hij moest komen. 'Je gaat met ons mee.'

'Wees heel erg voorzichtig, mijn lief,' zei Caenis de volgende ochtend toen ze samen nog voor zonsopgang in het atrium van Caenis' huis voor een haardvuur aan een ontbijt zaten van brood, olijfolie, knoflook en ruim met water aangelengde wijn. Een zacht regentje viel door de centrale opening in het dak en vormde kringetjes op het oppervlak van het impluvium. 'Je weet niet hoe diep de samenzwering gaat, als er tenminste een samenzwering is.'

'Ik ben er vrijwel zeker van dat er een is, het zit er al lange tijd aan te komen en Calpurnius Piso is de centrale man.'

'Ja, dat ben ik met je eens, áls er een samenzwering is, dan draait die om Piso, want de Calpurnii hebben een afstamming waarmee ze aanspraak op het purper kunnen maken. Maar wat is zijn machtsbasis? Hoe komt hij daar en hoe handhaaft hij zich vervolgens? Waarom nu? Wie zijn er volgens jou nog meer bij betrokken?'

'Hij en Scaevinus staan dicht bij elkaar, ik heb ze samen gezien, samen met Antonius Natalis en de dichter Annaeus Lucanus. Seneca is er ook bij betrokken, want hij wilde dat ik Sabinus zou overhalen zich bij hen aan te sluiten. Toen ik weigerde leek hij niet al te blij.'

Caenis zweeg even en kauwde op een stuk brood. Vespasianus keek naar haar en nam een slok wijn; hij wist dat ze met haar analytische geest nu alle mogelijkheden onderzocht en was niet van plan haar te onderbreken, want haar adviezen waren altijd waardevol.

'Een van de prefecten van de praetoriaanse garde is erbij betrokken,' zei ze uiteindelijk.

'Waarom denk je dat?'

'Kijk, we kunnen ervan uitgaan dat Seneca erbij betrokken is, want hij heeft je benaderd en hij heeft niets te verliezen bij Nero's dood maar juist alles te winnen. Maar ik ken hem en hij zou nooit meedoen als niet ten minste een deel van de garde Piso steunt of wie ze dan ook van plan zijn keizer te maken – misschien zelfs Seneca zelf. Vergeet niet dat ze zonder je broer niet op de steun van de stadscohorten kunnen rekenen. En als een van de prefecten in het complot zit, denk ik dat we Tigellinus kunnen uitsluiten, want hij is volledig door Nero gemaakt en heeft absoluut niets te winnen bij diens dood. Zijn vriendschap met Nymphidius Sabinus betekent dat ook de vigiles loyaal aan Nero blijven, en dus is er des te meer reden om de garde aan de zijde van de samenzweerders te hebben. Daarom moet het wel Faenius Rufus zijn, wat natuurlijk onwaarschijnlijk klinkt omdat hij eerlijk en onomkoopbaar is en nooit een verraderlijke gedachte in zijn leven heeft gehad. Maar goed, als Rufus deel uitmaakt van de samenzwering is het aannemelijk dat er ook diverse praetoriaanse tribunen en centuriones bij betrokken zijn zodat hij de steun van de meerderheid van de cohorten kan garanderen als, en dat is wel de voorwaarde, Nero dood is.'

Vespasianus zette zijn beker neer. 'Ah, ik begrijp het. Maar Nero zal dit alles niet zo diep analyseren, toch?'

'Ik betwijfel het.'

'Dus als de samenzwering ontmaskerd wordt voordat Nero dood is, zal de garde loyaal aan hem blijven en zal hij niets vermoeden, hij zal denken dat het alleen een complot van ontevreden senatoren en equites is…'

'En dat betekent?'

'Het betekent dat hij een van de prefecten van de praetoriaanse garde, die uiteindelijk voor zijn veiligheid verantwoordelijk zijn, het onderzoek zal laten doen, met hulp van een van de praetores.'

'En wie zou je kiezen als jij Nero was?'

'Prefect of praetor?'

'Prefect, want de praetor is natuurlijk Nerva, die is verantwoordelijk voor gevangenen.'

Vespasianus hoefde niet na te denken. 'Ik zou degene kiezen die de reputatie heeft eerlijk en onomkoopbaar te zijn zodat niemand kan beweren dat de resultaten voortkomen uit kwaadaardigheid, zoals hoogstwaarschijnlijk het geval zou zijn als Tigellinus de leiding zou krijgen.'

Caenis glimlachte en brak nog een stuk van het ronde brood af. 'Precies, dus hoe diep denk je dat het onderzoek zal gaan?'

'Zo ondiep mogelijk. Hij zal Nerva zo veel mogelijk tegenwerken.'

'Juist, maar de waarheid zal toch snel aan het licht komen want hij zal Nerva niet volledig om de tuin kunnen leiden. En dus zal Nerva mensen oppakken en die zullen weer namen noemen enzovoort, maar het zal een tijdje duren, een dag of zo. Maar wij weten vanaf het begin hoe het werkelijk in elkaar zit: wij weten dat de schijnbaar eerlijke en onkreukbare Rufus in werkelijkheid de samenzwering probeert af te dekken, en daarmee hebben we macht over hem.'

'Macht om wat te doen?'

'Macht om hem te gebruiken om een paar schulden te betalen.'

'Dat is briljant, liefje.'

Caenis glimlachte en kneep in Vespasianus' hand. 'Dank je. Ik kan wel een paar mensen bedenken die op het punt staan om samenzweerder te worden, of ze nou willen of niet.'

'Ik ook.'

·

Toen Vespasianus en Sabinus aan het begin van het tweede uur het Forum Romanum bereikten begon het harder te regenen. Dat weerhield het plebs er verder niet van om fanatiek te jagen op de mensen die ze verantwoordelijk hielden voor de verwoesting van hun stad. De aankondiging van de executie van de leider van de cultus werd dan ook met groot enthousiasme ontvangen. Duizenden mensen wachtten voor het Tullianum op Paulus, die naar buiten werd gebracht door Blaesus en een in elkaar krimpende Schatje, die bij de aanblik van al die mensen snel naar binnen vluchtte. Marcus Cocceius Nerva droeg de gevangene vervolgens officieel over aan Sabinus, die een contubernium van de stadscohorten onder commando van een optio bij zich had om Paulus te bewaken.

'De mensen hebben het dus echt geslikt,' zei Paulus met geboeide handen naar de menigte gebarend, die zich op het forum verdrong en om zijn bloed brulde.

'Natuurlijk,' antwoordde Sabinus voor ze aan de korte tocht richting stadspoort begonnen. 'En ze blijven het geloven tot al je volgelingen dood zijn.'

'En dan?'

'Dan zien we wel,' antwoordde Vespasianus. De menigte week uiteen om ruimte te maken en sloot zich vervolgens achter hen aan toen ze over het Forum Romanum richting het Forum Boarium begonnen te lopen.

Paulus glimlachte, maar het was een grimmig lachje dat zijn ogen niet bereikte.

Ze liepen een tijdje zwijgend verder, de menigte achter hen maakte te veel lawaai om een gesprek te kunnen voeren.

'Mijn dood zal Nero niet redden,' zei Paulus toen ze door de Porta Radusculana liepen en de mensen door de smalle doorgang op grotere afstand kwamen. 'En hij zal zeker de groei van de ware godsdienst niet stoppen, door het hele rijk zijn er kerken.'

'Wat?' Vespasianus had nog nooit van het woord gehoord.

'Kerken: groepen gelovigen die samenkomen om te bidden. Mijn dood zal hun geloof in de snelle komst van het einde der tijden alleen maar versterken. Begrijpen jullie het niet? Deze wereld blijft niet lang meer, kan niet lang meer blijven, er is zoveel zonde. Joshua zal spoedig terugkeren en hij zal over ons oordelen en zij die waardig zijn zullen in vrede leven in de wereld die komt. De armen zullen triomferen en de rijken zullen vallen.'

Vespasianus was niet onder de indruk. Ze liepen inmiddels door de Via Ostiensis, de regen viel gestaag. 'Geloof wat je wilt, Paulus, bied de armen hoop op een beter leven in een mythisch volgend leven waarvan alleen jij iets schijnt af te weten. Zeg wat je wilt, want deze wereld is alles wat er is en jij gaat heel snel sterven.'

'Is dat zo? Is dat echt zo? Nee, Vespasianus, ik zal niet sterven, alleen mijn lichaam doet dat, ik niet. Ik zal weer opstaan en voor mijn rechter verschijnen, net zoals Petrus vanuit zijn ongemarkeerde graf op de Vaticaanse heuvel zal opstaan. Jullie kunnen ons niet verslaan.'

'Heeft Joshua dat echt allemaal gezegd? Echt?'

'Laat je niet op stang jagen, broer,' kwam Sabinus ertussen. 'In de brieven die ik van hem heb gezien, geschreven aan zijn volgelingen, noemt hij niets wat deze Joshua heeft gezegd, niets van zijn leer, is het niet zo, Paulus?'

'Wat hij gezegd heeft is minder belangrijk dan wat zijn kruisiging en wederopstanding betekenen en wat hij zal doen als hij wederkeert.'

'Je hebt het gewoon allemaal verzonnen,' schamperde Vespasianus. Inmiddels leidde de Via Ostiensis door meer open terrein.

'De Heer Mithras zal hem vergeven,' bevestigde Sabinus en hij liet de colonne halt houden op de zachte, natte grond langs de weg. 'Optio, laat de gevangene knielen en wees gereed om als ik het bevel geef je plicht te doen.'

Paulus werd ruw omlaag gedrukt, zijn knieën drukten in de aarde; hij stak vrijwillig zijn nek uit zodat de slag makkelijker zou zijn.

'Volk van Rome!' schreeuwde Sabinus zodat de verzamelde menigte hem boven de regen uit kon horen. 'Jullie zijn hier om getuige te zijn van de executie van Paulus van Tarsus, die als leider van de cultus verantwoordelijk is voor de brand van Rome. Als stadsprefect heb ik tal van getuigenissen gehoord waaruit blijkt dat de brand op zijn aanwijzing is aangestoken om zo een voorspelling te laten uitkomen. De keizer heeft hem en zijn medeplichtige, Petrus van Judaea, ter dood veroordeeld. Petrus is gisteravond geëxecuteerd voor de ogen van de daklozen op de Vaticaanse heuvel en deze man zal nu in jullie aanwezigheid worden terechtgesteld zodat heel Rome weet dat het recht zijn loop heeft gehad.' Sabinus keek neer op Paulus en dempte zijn stem. 'Je bent een spiritueel man, moge het licht van Mithras je leiden.' Hij knikte naar de optio.

Paulus keek niet op. 'Ik zal geleid worden door het enige ware...' Het zwaard raakte Paulus' nek en sneed er vrijwel zonder aarzeling doorheen.

Paulus' hoofd vloog naar voren, weggeschoten door de fontein van bloed die uit de wond explodeerde; het raakte de grond en stuiterde, de deuk die het zo maakte vulde zich onmiddellijk met roodgekleurd regenwater. Het stuiterde nog een keer en nog een keer voordat het bleef liggen, ook de tweede en derde afdruk vulden zich. De menigte keek zwijgend toe, het lichaam zakte op de doorweekte aarde in elkaar. Vespasianus haalde opgelucht adem over de dood van de man die de moderne wereld had afgewezen bij het bouwen aan een nieuwe godsdienst. Tot zijn verrassing zag hij dat zijn broers ogen vochtig waren toen hij naar het lijk keek, en dat vocht was niet van de regen afkomstig.

Een vrouw trad uit de menigte naar voren en benaderde Sabinus, net toen de optio het afgeslagen hoofd pakte. 'Prefect?' Haar stem was zacht en vragend, achter haar stond een slaaf met een handkar.

Sabinus keek op, of er tranen over zijn gezicht liepen was onmogelijk te zeggen, maar Vespasianus dacht van wel. Hij verwonderde zich erover hoe zijn broer veranderd was in de negen maanden dat hij cipier van Paulus was geweest.

'Prefect,' zei de vrouw weer.

Sabinus gaf haar met een knikje toestemming om te spreken.

'Mijn naam is Lucina, ik wil graag het lichaam meenemen om het een fatsoenlijke begrafenis op mijn landgoed te geven.'

'Uw landgoed?'

'Ja, mijn echtgenoot bezit land enkele mijlen verderop langs de weg.'

'Waarom wilt u het lichaam, bent u een volgeling van hem?'

Lucina schudde haar hoofd. 'Nee, prefect. Het is in deze tijd te gevaarlijk om dat te zijn.'

Vespasianus was er niet van overtuigd dat ze de waarheid sprak.

Sabinus ging met zijn hand door zijn haar en veegde vervolgens het vocht uit zijn ogen. 'Goed dan, u mag het meenemen. Optio, geef het lichaam aan deze vrouw. Laat je mannen het in de handkar laden.'

'Mijn dank, prefect, u zult hierom herinnerd worden.'

Sabinus mompelde iets onverstaanbaars en liep weg.

Vespasianus volgde hem. 'Waarom deed je dat? Ik weet zeker dat ze loog, ze is een volgeling van Paulus.'

'Dat denk ik ook.'

'En toch gaf je haar het lichaam?'

'Wat kan het voor kwaad?'

'Ze zal een heiligdom van zijn tombe maken.'

'Buiten Rome.'

'Mensen kunnen erheen lopen.'

'Er zullen geen volgelingen meer in de stad zijn.'

'En over een paar jaar, als dit allemaal achter de rug is?'

'Dat kan me niets schelen. Ik wil alleen dat hij met respect wordt behandeld. Nero heeft geen instructies gegeven over wat er met het lichaam moet gebeuren en dus heb ik gedaan wat me het beste leek. Ik heb hem leren respecteren, ook al was hij geen vriend van Rome. Ik geloof dat hij in zeker opzicht hetzelfde zocht als ik, hij zocht alleen op een andere plek. Maar kom, broer, laten we niet meer aan Paulus van Tarsus denken; hij is dood en zal snel vergeten zijn, begraven door de tijd. Ons wacht het Gouden Huis, het is tijd om ons voordeel te doen met onze nieuwe status als aanhangers van Nero en onszelf aan een flinke portie macht te helpen.'

HOOFDSTUK XVII

Scaevinus was beslist toen hij naar het voorwerp in Nero's hand keek. 'Dat mes is een gekoesterd familie-erfstuk, princeps, ik bewaar het in mijn slaapkamer, maar deze ondankbare ellendeling...' Hij wees minachtend naar Milichus, die in elkaar kromp onder de blik van zijn meester en die van Nero. Ze bevonden zich in een van de weinige voltooide vertrekken van het Gouden Huis, een ronde zaal met koepelplafond dat ronddraaide en bedekt was met sterren, die naar men zei 's nachts oplichtten en dan de indruk van de bewegende nachthemel maakten. 'Die ellendeling heeft het gestolen en een web van leugens geweven om me te beschuldigen van een belachelijk complot om mijn keizer te vermoorden. Hij vond ongetwijfeld dat mijn donatie aan hem niet voldoende was om loyaal te blijven, alsof de vrijheid die ik hem had geschonken niet al voldoende was om loyaal te zijn. En wat mijn testament betreft, dat werk ik vaak bij en dan onderteken ik het, wie doet dat nou niet? En ja, misschien was mijn eten van gisteravond een tikkeltje extravagant, maar ik hou van eten en het was het feest van Ceres, dus vierde ik alvast de heropening van het Circus Maximus met de traditionele wagenrennen op de laatste dag van het feest, wat kan daar nou mis mee zijn? En ter ere van het feest heb ik drie slaven vrijgelaten, ik bezat ze al zeker vijftien jaar en ze waren boven de minimumleeftijd van dertig, waarmee ze in aanmerking kwamen voor vrijlating. Hoe kan iets hiervan op een complot om u te vermoorden wijzen, princeps?'

Scaevinus, die gezet was en de vlezige wangen van een lekkerbek had, leek in de ogen van Vespasianus absoluut niet iemand die politieke aanslagen pleegde. Binnen een uur nadat Milichus zijn beschuldiging aan het adres van zijn meester voor Nero had gestameld was Scaevinus gearresteerd en voorgeleid, en sindsdien had hij geen teken van schuld laten zien en waren zijn verklaringen volkomen redelijk geweest. Maar belangrijker nog, het was zijn duidelijke verbijstering over deze zaak die hem volledig leek vrij te pleiten van de beschuldigingen.

Nero dacht enkele ogenblikken na over Scaevinus' verdediging. Hij was omringd door bebaarde en broeken dragende Germaanse lijfwachten. Toen hij over een mogelijke dreiging hoorde had de angst toegeslagen en had hij onmiddellijk zijn lijfwacht verdubbeld, de beide praetoriaanse prefecten laten komen en vervolgens geweigerd de zaal nog te verlaten. Vespasianus hield Faenius Rufus heimelijk in de gaten, maar die liet op geen enkele manier blijken dat hij iets van een samenzwering afwist, laat staan dat hij er deel van uitmaakte. Het hele gedoe leek hem vooral te vervelen, net als Tigellinus en Epaphroditus, de enige andere aanwezigen.

Ze hadden Milichus eerst naar Epaphroditus gebracht, wat volgens Vespasianus een sluwe zet van hun kant was, want als er niets waar was van de beschuldiging zou de schuld verdeeld worden en als het wel waar was zou het delen van het krediet met de machtige vrijgelatene hun positie bij hem verbeteren. Voorlopig leek het eerste het geval te zijn.

'En hoe zit het met je opdracht aan je vrijgelatene om de volgende ochtend verband en andere spullen voor verwondingen klaar te hebben liggen?' vroeg Nero, zijn ogen vernauwend.

Scaevinus hield zijn handen omhoog en haalde zijn schouders op, duidelijk verbaasd. 'Wat kan ik zeggen, princeps? Zo'n opdracht heb ik helemaal niet gegeven, vraag het aan alle anderen in mijn huishouden, ze zullen allemaal bevestigen dat ze me nooit een dergelijke opdracht hebben horen geven. Ik neem aan dat het weer een kwaadaardige leugen is, bedacht om een nogal wankele zaak te steunen, princeps.'

'Maar hij heeft het gedaan!' schreeuwde Milichus bijna uit.

'Stilte!' blafte Nero zonder zijn ogen van Scaevinus te halen, zijn zwakke stem krakend. 'Spreek nog eens voor je beurt en ik laat je tong afsnijden.' Nero krabde aan de baard op zijn weke onderkin. 'Er lijkt niets bezwarends tegen je te zijn, Scaevinus, ik denk dat ik je maar laat gaan. Neem die ondankbare bruut van je mee en doe met hem wat je wilt.'

Scaevinus boog zijn hoofd. 'Dank u, princeps. Het spijt me dat een lid van mijn huishouden u zoveel zorgen heeft bezorgd. Ik zal hem en zijn kreng van een vrouw verstoten zonder enige middelen en ervan genieten als ze ten onder gaan.'

'Maar hij is bevriend met Natalis!' riep Milichus wanhopig uit. 'Ze zijn gisteren de hele dag samen geweest. Waar hebben ze over gepraat? Ondervraag ze afzonderlijk.'

'Tigellinus, zijn tong eruit,' beval Nero alsof hij om niet meer dan een beker water had gevraagd.

Tigellinus toonde zijn hondsdolle grijns en trok zijn pugio. Op dat moment zag Vespasianus een lichte verandering in het gezicht van Faenius Rufus, iets wat weleens een klein zuchtje van verlichting kon zijn bij de gedachte dat Milichus voor altijd het zwijgen werd opgelegd. Hij was er zeker van dat hij het goed had gezien. Milichus had niet gelogen, er was echt een complot.

'Wacht!' Nero stak zijn wijsvinger op. 'Misschien is er wel iets waar van wat dat ongedierte zegt. Als het niets is, is hij zijn tong kwijt. Het is interessant om van beiden te horen waar ze over gepraat hebben.' Hij wendde zich tot Faenius Rufus. 'Prefect, laat Marcus Cocceius Nerva Natalis halen voor ondervraging. Laat hem niet met Scaevinus praten of hem zelfs maar zien, maar laat hem duidelijk weten dat Scaevinus is ondervraagd en dat dat de reden is dat hij nu wordt verhoord. Als er iets niet klopt, moet je het uitspitten.'

Rufus slikte en salueerde. 'Het zal gebeuren, princeps.'

Toen de praetoriaanse prefect zich omdraaide om Nero's orders uit te voeren had Vespasianus duidelijk de indruk dat Rufus met de situatie in de maag zat. De voorspelling van Caenis leek heel nauwkeurig te zijn.

'Het was gewoon een vriendschappelijk bezoek,' hield Natalis vol. Hij wimpelde Rufus' vraag af op een manier die verraadde hoe ongemakkelijk hij zich voelde nu hij voor Nero stond met de hand van centurio Sulpicius Asprus op zijn schouder. Hij keek naar de keizer, die nog altijd door zijn Germaanse lijfwachten omringd was. 'We hebben het niet over belangrijke dingen gehad, we hebben gewoon een paar uur genoeglijk zitten kletsen, roddeltjes en zo.'

Rufus knikte, schijnbaar tevreden. 'Dat lijkt te kloppen met wat

Scaevinus beweert, princeps. Hij zegt dat ze gewoon wat bij elkaar zaten. Niets specifieks.'

Nero begon zijn geduld te verliezen. 'Zorg dan dat ze iets specifieks zeggen, Rufus.'

'Ja, princeps.' Rufus keerde zich weer naar de gevangene, een flikkering in zijn ogen verraadde de man die bezig was zijn eigen doodvonnis te tekenen, waardoor Vespasianus overtuigd raakte. 'Geef me een voorbeeld van de roddels die jullie gisteren hebben uitgewisseld.'

Natalis deed of hij het zich probeerde te herinneren. 'De heropening van het Circus Maximus vanmiddag.'

Nero schudde zijn hoofd. 'Dat is geen roddel, heel Rome heeft het daarover. Ik wil iets wat alleen Scaevinus en jij kunnen weten, het onderwerp dat jullie het meest hebben besproken.'

Natalis slikte en deed weer alsof hij nadacht, maar het was naar Vespasianus vermoedde niet meer dan een voorwendsel voor een wanhopige berekening. 'We spraken over hoe snel de herbouw van de graanschuren verloopt en hoe goed dat voor mijn zaken is.'

Dat was een slimme zet, moest Vespasianus toegeven, met een licht gevoel van teleurstelling.

'Mooi,' zei Nero. 'Breng hem weg en leid Scaevinus weer naar binnen.'

Scaevinus keek om zich heen toen tribuun Subrius hem weer de zaal in bracht, duidelijk Natalis zoekend in de hoop een aanwijzing te krijgen over wat hij moest zeggen.

Nero knikte naar Rufus dat hij kon beginnen.

De prefect schraapte zijn keel alsof hij het moment nog even wilde uitstellen. 'Geef ons een specifiek voorbeeld van wat u gisteren met Natalis hebt besproken, het onderwerp waar jullie het het langst over hadden.'

Scaevinus fronste alsof hij nadacht. 'De heropening van het Circus Maximus?'

'Afgezien van de heropening van het Circus Maximus!' bulderde Nero, zijn gelaatskleur gelijk aan die van Scaevinus. 'Antwoord!'

Scaevinus trok hetzelfde nadenkende gezicht om wanhopige berekeningen te maskeren. Hij haalde diep adem en probeerde: 'Natalis' zaken?'

'Ja, maar hoe zat het met zijn zaken?' snauwde Nero.

'Dat ze goed gaan?'

'Dat was het, princeps,' kwam Rufus met een tikkeltje te veel haast ertussen. 'Ik geloof dat ze elkaars alibi hebben bevestigd.'

'Is dat zo, prefect?' vroeg Nero. 'Is dat echt zo? Dan moet hij de volgende vraag kunnen beantwoorden: Scaevinus, waarom gaan de zaken van Natalis op het moment zo goed? Welke reden gaf hij je?'

In paniek begon Scaevinus' gezicht te trekken. Hij keek wanhopig om zich heen voor een antwoord, maar zag niets.

'Kom op, het was pas gisteren.'

Scaevinus sloot zijn ogen. 'Omdat er dit jaar een goede oogst is in Afrika en Egypte?'

'Fout.'

'Omdat de prijs is gestegen?'

'Fout, dat is niet zo, ik heb de prijs bevroren. Je liegt, jullie hebben gisteren mijn dood lopen beramen en niet gepraat over hoe de snelle herbouw van de graanschuren goed was voor Natalis' zaken.'

'Nee, princeps, nee. Het waren de graanschuren.'

'Te laat. Wie is er nog meer bij betrokken?'

'Niemand, princeps, er is geen complot.'

'Echt? We zullen zien. Prefect Sabinus, laat Blaesus uit het Tullianum komen en zeg dat hij zijn huisdier en al zijn speelgoed moet meenemen. Ik denk dat we deze twee heren eens wat nader aan de tand moeten voelen.'

Het was niet de punt van centurio Sulpicius' zwaard in zijn rug, maar de aanblik van de harige Schatje en de instrumenten die hij in zijn grote vuist vastklemde waardoor Natalis' vastberadenheid werd ondermijnd. Het beest was overduidelijk van plan te genieten van hun samenzijn en Natalis had de inktzwarte geruchten over diens culinaire voorkeuren in het Tullianum gehoord.

Schatje naderde met het tevreden gegrom van een beest dat van zijn werk hield. Natalis viel op zijn knieën en snikte. 'Gaius Calpurnius Piso zou uw plaats innemen, princeps, hij moest bij de tempel van Ceres wachten tot de daad was verricht.'

'Mooi. En wie is er nog meer bij betrokken?'

'Seneca. Hij zou niet aan de eigenlijke moord meedoen, maar in zijn villa net buiten de stad wachten. Als u dood was zou hij komen om zijn steun aan Piso te geven, want die is cruciaal.'

Nero's gezicht toonde een grimmige voldoening. 'Zo, Seneca? Dat komt goed uit. Maar alleen jullie vieren zou niet genoeg zijn. Wat je nu vertelt kan van invloed zijn op de ernst van je straf. Dus noem de namen en vertel me hoe het allemaal in zijn werk had moeten gaan.'

'We waren met een aantal,' bekende Scaevinus, zijn ogen op Schatje gericht, wiens ongeduldige gegrom aangaf dat hij de hoop nog niet had opgegeven om met zijn speelgoed te mogen spelen. Tribuun Subrius hield Scaevinus stevig vast zodat hij niet kon wijken voor het beest. 'Het moest vanmiddag bij uw aankomst in het circus gebeuren. De aankomende consul, Plautius Lateranus, moest smekend voor u op zijn knieën vallen en u om financiële steun vragen en daarbij, alsof het per ongeluk ging, tegen u aan vallen en u omgooien en vasthouden.' Hij liet zijn hoofd hangen. 'Ik zou als eerste steken.'

'Eerste?'

'Ja.'

'En wie dan?'

'Iedereen om u heen met de moed om tussen uw Germaanse lijfwachten toe te slaan.'

Nero knipperde snel met zijn ogen terwijl hij de implicaties van die uitspraak tot zich liet doordringen. 'De mensen die het dichtst bij me zijn als ik naar het circus ga zijn, afgezien van de Germanen, altijd de praetoriaanse centuriones en tribunen.'

Scaevinus antwoordde niet maar zijn zwijgen was veelzeggend. Rufus kneep zijn hand samen.

'De namen van de officieren?'

Scaevinus schudde zijn hoofd. 'Dat weten we niet, princeps, het werd via tussenpersonen geregeld.'

Rufus' hand ontspande zich.

Nero's stem schoot omhoog. 'Wie zijn dat?'

'Alleen Plautius Lateranus weet wie het zijn.'

Nero wendde zich in paniek tot zijn twee praetoriaanse prefecten. 'Rufus, zoek uit wie me vanmiddag zou escorteren en ondervraag ze grondig. Grondig! Begrepen?'

'Ja, princeps.'

'En laat Nerva Plautius Lateranus halen.'

Toen Rufus zich omdraaide om te vertrekken raakte centurio Sulpicius het gevest van zijn zwaard aan en zijn blik schoot naar Nero. Rufus schudde zijn hoofd en liep naar buiten.

Nero ontging de uitwisseling in zijn opwinding. 'Tigellinus, vertel Piso en Seneca dat ik verwacht dat ze snel dood zijn.'

'Wilt u ze ondervragen?'

'Nee, hoe langer ze in leven blijven, hoe groter de kans dat ontevreden mensen zich om hen heen scharen. Ze moeten nu sterven, Rufus zal alle andere namen opgraven.' Nero nam een uitgeputte pose aan, zijn hoofd gebogen in zijn handen, het eerste beetje melodrama dat hij zichzelf in deze crisis toestond. 'Eerlijke Rufus, hij zal ze krijgen. Ga nu, Tigellinus, haast ze naar hun dood.' Zijn hoofd kwam overeind en zijn ogen gingen wijd open, hij raakte met zijn vingers zijn voorhoofd aan alsof er hem een gedachte te binnen schoot. 'Nee, wacht. Ik wil dat je hier bij me blijft.' Zijn blik ging naar de twee Flavianen. 'Jullie twee, gaan jullie het ze maar vertellen, en als ze weigeren, dan weten ze wat ze kunnen verwachten.'

Vespasianus en Sabinus snelden door een half geschilderde gang, in de verte echoden Rufus' voetstappen.

'Waarom wil je met hem praten?' vroeg Sabinus.

'Ik heb nog een paar rekeningen te vereffenen,' antwoordde Vespasianus. Ze sloegen een hoek om en zagen Rufus niet al te ver voor zich. 'Prefect! Prefect, ik moet u even spreken voordat u vertrekt.'

Rufus keek om om te zien wie hem aansprak. 'Wat wilt u, Vespasianus?'

'Een babbeltje.'

'Ik heb haast.'

'Dat hebt u niet.'

Dat leek Rufus te schokken en hij deinsde terug. 'Wat bedoelt u?'

'Precies dat: u hebt geen haast en we weten beiden waarom.'

'Ik heb geen idee waar u het over hebt.' Rufus draaide zich om en liep verder.

Vespasianus bleef naast hem, zijn stem gedempt. 'Wie heeft er nu haast om zijn medesamenzweerders te ontmaskeren?'

Rufus zei niets.

'Ik weet het, Rufus. Caenis heeft het gisteravond uitgedacht en ik heb u vanochtend in de gaten gehouden. Ze zei dat een van de praetoriaanse prefecten erbij betrokken moest zijn en dat u het was en dat Nero u vanwege uw reputatie de leiding over het onderzoek zou geven. Nu moet u de mensen onderzoeken met wie u hebt samengezworen. Dat is lastig, maar niet onmogelijk als u ze ervan weet te overtuigen dat hun leven toch al voorbij is, maar als ze u niet aangeven kan de samenzwering blijven bestaan en zal Nero sterven. Heb ik geen gelijk?'

Rufus zweeg nog steeds.

'Nu kan ik Nero vertellen wat een dwaas hij is om u te vertrouwen, zonder dat woord te gebruiken natuurlijk, of...'

Vespasianus wachtte, niet langer dan tien passen.

'Wat wilt u van me?'

'Twee namen slechts.'

'Twee namen? Waarvoor?'

'Twee namen die deel van de samenzwering worden; beschuldig ze en u koopt mijn zwijgen.'

Rufus keek even naar Vespasianus, zijn blik minachtend, maar hij knikte niettemin instemmend. 'Wie?'

'Catus Decianus en Marcus Valerius Messalla Corvinus.'

Sabinus keek verbaasd naar zijn broer toen Rufus wegliep. 'Hij is er echt bij betrokken.'

'Natuurlijk,' antwoordde Vespasianus met een grijns. 'Caenis is erg goed in politieke analyse. Ik denk dat ze zelf ook nog een babbeltje met onze eerlijke prefect gaat maken. Misschien wil jij nog een paar namen aan de lijst toevoegen?'

'Nee, ik zit goed op het moment; Epaphroditus en Tigellinus zijn de enige mensen die ik op de lijst zou willen hebben, maar geen van beiden zou geloofwaardig zijn.'

Vespasianus haalde zijn schouders op en liep verder. 'Zoals je wilt. Nadat we Piso en Seneca gesproken hebben en verslag aan Nero hebben uitgebracht, moeten we maar kijken of we de favoriete tactiek van onze oom kunnen uitvoeren: een tijdje onopvallend blijven.'

'Jij kunt het proberen, maar als prefect van Rome denk ik dat ik het de komende dagen nogal druk heb.'

Gaius Calpurnius Piso begroette Vespasianus en Sabinus toen die zijn atrium betraden. Het leek alsof hij bezoek had verwacht. 'Prefect, senator, welkom in mijn huis, ook al kan ik wel raden waarom jullie hier zijn. De arrestatie van Scaevinus en Natalis is niet onopgemerkt gebleven en ik heb geen enkele illusie dat ze niet aan het praten zijn gemaakt.'

'Nero weet het,' zei Vespasianus, 'en hij gaat Rome binnenstebuiten keren om alle samenzweerders te vinden.'

'En waarom word ik dan niet opgehaald om ondervraagd te worden?'

'Hij wil dat jullie onmiddellijk jullie eigen leven nemen zodat niemand zich om jullie heen kan scharen. Faenius Rufus heeft opdracht de rest van de samenzwering bloot te leggen.'

'Rufus? Natuurlijk, hij is eerlijk en de mensen zullen zijn rapport ongetwijfeld geloven.' Piso gaf geen krimp, wat Vespasianus bewonderenswaardig vond. 'U weet dat na de arrestatie van Scaevinus en Natalis mensen mij hebben gevraagd om naar de rostra te gaan en naar voren te treden, maar ik heb geweigerd.'

'Waarom?' vroeg Vespasianus.

'Omdat Nero nog leeft en als ik zou doorzetten zou het op gevechten zijn uitgelopen, met vele slachtoffers als gevolg. Alleen met een dode Nero was er kans van slagen.'

'Een nobele gedachte.'

'Uiteraard, het draaide allemaal om een nobel optreden tegen verachtelijke tirannie. Hebben jullie nog meer... eh, bezoeken af te leggen?'

'Alleen Seneca.'

'Ah! Dus hij heeft de strijd met zijn voormalige pupil verloren. Nero voegt zijn leermeester bij de lijst van vermoorde broer, moeder en vrouw, hij raakt door de mensen dicht bij hem heen, wie moet hij nu nog vermoorden? Poppaea kan maar beter oppassen, of beter nog, de echtgenoot, die walgelijke Doryphorus. Tja, ik laat een treurige wereld achter. Jullie hoeven niet op me te wachten, het zal snel gebeuren, want ik heb geen behoefte aan treuzelen.'

'U had u bij ons moeten aansluiten in plaats van ons aan te geven, Sabinus.' Seneca's stem was kalm maar Vespasianus zag de woede in hem koken. Ze zaten in het tablinum van zijn huis vier mijl buiten Rome. Ze kregen niets aangeboden. Seneca's testament lag op tafel voor hem. 'Met u hadden we Rome gehad en hadden we veel eerder kunnen toeslaan, nog voor de brand zelfs.'

Sabinus bleef stoïcijns. 'Ik heb beloofd samen met mijn broer op te trekken, als één familie.'

'Samen met die, eh, laffe, ja, "laffe" is precies het juiste woord, die laffe oom van jullie die in zijn eentje de grenzen van schuwheid heeft verlegd en het onvermogen om een mening te hebben tot een kunst heeft verheven.'

'Maar hij leeft nog,' bracht Vespasianus te berde.

Seneca schamperde en wuifde de woorden weg. 'Hij leeft zonder eer.'

'En zonder meningen. U had anderzijds altijd een heleboel meningen over hoe we onze levens moesten leven, grote opvattingen, het waard om te overdenken en ernaar te handelen. Maar dat hebt u zelf nooit gedaan, nietwaar? Nee, u schreef over regels voor het leven, maar zelf leefde u volgens heel andere regels: regels die door het geld werden gedicteerd. Toen u de leningen van de Britse stamhoofden terug wilde hebben omdat u dacht dat Nero zich uit de provincie zou terugtrekken, leidde dat tot Boudicca's opstand. U hebt in uw eentje de dood van honderd-zestigduizend mensen veroorzaakt. U hebt het vragen van woekerrente tot een kunstvorm verheven. Dus kom niet aan met een lesje over de moraliteit van onze familie, Seneca.' Vespasianus stond op. 'Ik wens u alle goeds in uw laatste uur. Ik hoop dat u de dood tegemoet treedt met hetzelfde opgeheven hoofd als Piso.'

'Piso!' Seneca's lach was grimmig. 'Arme Piso. Wat er ook gebeurd was, hij had vandaag niet overleefd.'

'Hoezo?' vroegen de broers gelijktijdig.

'Kunt u zich Piso als keizer voorstellen? Denkt u dat de legioenen aan de Rijn of de Donau of ver in het oosten hem zouden accepteren en een eed van trouw aan hem zouden zweren? Wat had hij om het volk aan zich te binden afgezien van een vlekkeloze afstamming? Dat hebben veel gouverneurs van provincies met legioenen ook, zoals jullie goede vriend Corbulo bijvoorbeeld. Hij werd alleen naar voren geschoven om andere mensen over te halen. Zodra Nero dood was zou Piso naar het praetoriaanse kamp worden gebracht, maar voordat hij tot keizer kon worden uitgeroepen zou hij vermoord worden door een praetoriaanse centurio. Tigellinus zou ook gestorven zijn.'

Vespasianus' ogen gingen wijd open in ongeloof. 'U wachtte hier niet om Piso te steunen, u wachtte hier om hem te vervangen.'

Seneca's gezicht drukte diepe spijt uit. 'Zo zou het rijk in mijn handen zijn gevallen. Ik kon het me veroorloven, Piso niet, en hij besefte niet dat hij het rijk moest kopen. Ik heb mijn persoonlijk fortuin klaarliggen om de legioenen en de gouverneurs te kopen. Het was allemaal geregeld. Het had me alles wat ik bezit gekost, maar wat een rijke prijs was het geweest.'

'Dus daar draaide het allemaal om: u wilde Rome helemaal niet van een gek redden, u wilde gewoon zelf keizer worden.'

'En ik zou een goede keizer zijn geweest. Een… voorbeeld, ja, ik geloof dat ik dat woord wel mag gebruiken, een voorbeeld voor al mijn onderdanen.'

'Eerder een voorbeeld van extreme inhaligheid.' Vespasianus draaide zich walgend om en liet de grootste denker en grootste woekeraar van zijn tijd achter om te sterven.

De twee broers keerden laat die middag terug naar een Rome dat in de greep was van de angst. Zelfs het gejuich van de kwart miljoen toeschouwers in het Circus Maximus, dat door de hele stad weerklonk, kon de vrees in de rijkere buurten niet overstemmen, want in elke straat waar ze door kwamen werden verdachten uit de hogere klassen afgevoerd naar het Gouden Huis.

'Rufus is druk geweest,' zei Vespasianus toen hij Afranius Quintianus uit zijn huis op de Caelius zag komen, begeleid door vier soldaten van de stadscohorten onder leiding van de praetor, Nerva. 'De verdachten geven ongetwijfeld de namen van anderen aan Nerva, in de hoop daarmee hun leven te redden.'

Sabinus' gezicht betrok toen hij in de verte weer een samenzweerder afgevoerd zag worden. 'Vind je echt dat we het juiste hebben gedaan? Hadden we niet moeten deelnemen aan de samenzwering? Dan was Nero nu dood geweest, want als we mee hadden gedaan hadden we Milichus nooit naar Nero gebracht.'

Vespasianus haalde zijn schouders op. 'Vergeet niet dat we met Piso over onze beloning hadden onderhandeld als we aan de samenzwering hadden meegedaan, we wisten niet dat Seneca de zaak wilde kapen. Seneca had geen enkele verplichting aan ons gehad, dus was het uiterst onzeker of je prefect van Rome zou blijven en of ik een provincie met legioenen zou krijgen. Achteraf bekeken hebben we zeker het juiste gedaan, want als we de samenzwering niet hadden onthuld, zou Piso nu dood zijn, net als Tigellinus, en Seneca was keizer met de steun van de praetoriaanse garde, hem bezorgd door Faenius Rufus. We zouden op zijn best, als we niet meegedaan hadden, smekelingen zijn, en op zijn slechtst, als we wel hadden meegedaan, keizermoordenaars. De nieuwe keizer zou vervolgens ongetwijfeld een voorbeeld van ons hebben ge-

maakt zodat mensen niet op het idee komen dat ze een keizer onge-
straft kunnen vermoorden. Weet je nog wat er met de moordenaars van
Caligula gebeurde?'

'Ik uitgezonderd natuurlijk.'

'Ja, maar dat was alleen omdat het nooit bekend is geworden dat je
meedeed en dat wisten we ook maar net te voorkomen.'

'Net is voldoende, broer.'

'Inderdaad. En voel je niet schuldig over al die mensen die worden
opgepakt. Seneca zou zodra hij aan de macht was precies hetzelfde hebben gedaan. Ze waren hoe dan ook gedoemd, wat er ook gebeurd was,
en dat is nog een heel goede reden om nooit mee te doen aan een complot tegen de keizer.'

Het geluid van militaire spijkersandalen echode in het galmende
atrium van het Gouden Huis. Wachters brachten verdachten binnen
en sloten hen op. Vespasianus en Sabinus stonden naast een van de reusachtige witte marmeren zuilen te wachten tot Epaphroditus een bediende zou sturen om hen naar de keizer te brengen. Tot zijn verrassing zag Vespasianus Caenis, die op hem af liep langs een met touw
afgezet stuk vloer waar ambachtslieden bezig waren een mozaïek te
voltooien.

'Wat doe jij hier?' vroeg Vespasianus toen ze bij hen was.

'Ik heb een praatje met Faenius Rufus gemaakt,' zei Caenis met gedempte stem. 'Ik zag dat jij ook zo'n gesprekje hebt gevoerd; Decianus
en Corvinus zijn zojuist binnengebracht, ze protesteerden en zeiden dat
ze onschuldig waren tegen iedereen die het maar wilde horen, en dat
was niemand.'

'Dat is bevredigend.'

'Nero ondervraagt Decianus op dit moment.'

'Hij zegt ongetwijfeld alles wat Nero wil horen.'

'Dat doen ze allemaal. Lucanus de dichter heeft zelfs zijn eigen moeder aangegeven, Acilia, toen hem immuniteit werd beloofd. Een belofte die Nero onmiddellijk introk toen hij de naam had, hij veroordeelde hem direct ter dood. Hij is niet helemaal stabiel, om het zacht
uit te drukken. Poppaea is bij hem in een poging hem te kalmeren. Hij
weigert de koepelzaal te verlaten tot de samenzwering volkomen verpletterd is. En dan nog is hij bang voor een volgende en dus heeft hij

kennelijk bevel gegeven om een reis naar Griekenland te organiseren, waar hij aan alle spelen en feesten wil meedoen zodat iedereen kan zien wat een groot kunstenaar hij is, waarna elk verlangen om hem te vermoorden zal verdwijnen.'

'Ik geloof dat hij niet helemaal op het juiste spoor zit,' meende Sabinus. 'Niettemin vind ik het niet erg als hij een paar maanden weg is, ik neem aan dat iedereen die dit overleeft er zo over denkt.'

Caenis glimlachte. 'Jij zit goed, Sabinus, tenminste als je stadsprefect blijft, want dan moet je net als alle andere magistraten hier blijven. Maar hij is van plan de rest van de Senaat mee te nemen zodat jullie hem kunnen zien optreden.'

Vespasianus kreunde.

'En hij verwacht dat alle vrouwen meekomen, dus liefje, al ben ik dan wel niet officieel, ik ga mee en zal proberen je wakker te houden.'

'Dat is in ieder geval nog een troost.'

'Je mag wel iets enthousiaster klinken.'

'Het spijt me.'

'Nou ja, het duurt nog wel even, want Tiridates is nog maar net uit Armenia vertrokken om zijn kroon hier in Rome uit Nero's handen te ontvangen, hij zal niet willen vertrekken voordat...'

Een beleefde kuch onderbrak haar. Er stond een paleisfunctionaris vlakbij. 'De keizer heeft jullie ontboden.'

Een gebroken Decianus werd door twee wachten de koepelzaal uit gesleept, net toen Vespasianus en Sabinus naar binnen wilden gaan.

Toen ze elkaar aankeken barstte Decianus los: 'Ik word geëxecuteerd! Ik heb zelfs de kans niet gekregen om mijn eigen leven te nemen vanwege die achterbakse leugens die je over de zwarte parels hebt verteld. En ik zat niets eens in Piso's complot.'

Vespasianus wendde bezorgdheid voor. 'Het spijt me dat te horen, Decianus.'

'Jij kunt voor me instaan, Vespasianus; vertel de keizer dat ik te corrupt, te egoïstisch en te laf ben om zelfs maar te overwegen om aan een complot mee te doen. Dat kun je hem toch wel vertellen?'

'Dat zou ik kunnen, Decianus, dat zou ik zeker kunnen, want het zou geen leugen zijn, je bent al die dingen en meer. Maar kun je één reden bedenken waarom ik dat zou doen na alles wat je me hebt aangedaan?

316

Mijn eigen zoon tot spionage in mijn eigen huis aanzetten en mijn vrouw chanteren, om maar twee dingen te noemen. En dan hebben we het nog niet eens over het feit dat je mij en mijn vrienden achterliet om te sterven in de handen van Boudicca. Nee, Decianus, ik zal niet doen wat je vraagt, ik ga je niet helpen, want dan zou alle moeite om je in je huidige situatie te krijgen voor niets zijn geweest.'

Decianus barstte in woede uit terwijl de twee wachters hem weg-sleepten. 'Jij!'

'Uiteraard, en het was me een genoegen.' Vespasianus draaide zich om, want Tigellinus gebaarde bij de deur dat ze naar binnen moesten. Hij betrad de zaal met de protesten van Decianus in zijn oren, die naar zijn executie werd geleid.

'Is hij dood?' Nero schreeuwde de vraag bijna toen Vespasianus en Sabinus langs de vier Germaanse lijfwachten naar de keizer liepen.

Poppaea, die naast haar echtgenoot zat, kromp in elkaar door het vo-lume.

'Wie, princeps?' vroeg Sabinus.

Nero sprong uit zijn stoel op en stampte met zijn voet. 'Wie? Seneca natuurlijk! Piso is er niet meer en heeft me heel wat nagelaten in zijn testament, en hoe zit het met Seneca? Is hij dood?'

'Hij was nog in leven toen we vertrokken, princeps.'

'Wat!'

'Kalm, lieve,' zei Poppaea, die opstond en een kalmerende hand op zijn arm legde, terwijl ze over haar opzwellende buik streelde. 'Je maakt het kind aan het schrikken.'

Nero sloeg de hand weg. 'Sodemieter op met dat kind! Hou je er-buiten, mens!' Hij wendde zich weer tot de broers, er volgde geen melodramatische pose of het voorwenden van emoties; hij toonde alleen paniek, de pure paniek van doodsangst. 'Waarom zijn jullie weggegaan voordat hij dood was? Hebben jullie hem het vonnis ver-teld?'

'Dat hebben we gedaan, princeps,' zei Vespasianus.

'En?'

'En we lieten hem achter om het uit te voeren.'

'Jullie hebben hem achtergelaten! Zag hij eruit alsof hij zijn aderen ging opensnijden?'

Vespasianus slikte en keek naar Sabinus en weer terug naar de hijgende, paars aangelopen Nero. 'Hij zat in zijn tablinum en was met zijn testament bezig.'

'Niet in zijn bad met doorgesneden aderen?'

'Nee, princeps.'

'Nee!'

'Kalmeer, schat, het kind.'

'Sodemieter op met dat kind, mens! Het is mijn leven waar het om gaat. Seneca leeft en wie weet wat hij van plan is.' Hij wendde zich met angst in zijn ogen tot Tigellinus, die naast de gesloten deur stond. 'Stuur een tribuun om te zorgen dat het gebeurt.'

Met een valse grijns knikte Tigellinus. 'Gavius Silvanus zal het doen, princeps; op hem kunt u vertrouwen, anders dan op die twee stoethaspels.' Hij verliet de zaal.

Nero keek weer naar de broers. 'Zevenentwintig al! Zevenentwintig! Onder wie twee van mijn praetorianen, Sulpicius en Subrius! Die waren hier vanochtend, in dezelfde ruimte als ik toen ik Natalis en Scaevinus ondervroeg! Ze waren gewapend, ze hadden me kunnen vermoorden! Mij! De grootste kunstenaar die ooit geleefd heeft.'

'Mijn lieve…'

'Zwijg, vrouw! Ze hadden me kunnen vermoorden! Weet je wat Subrius zei toen ik hem vroeg waarom hij me dood wilde?'

Vespasianus schudde zijn hoofd. 'Wat, princeps?'

'Hij zei dat hij me haatte! Me háátte! Hij zei dat ik mijn vrouw en mijn moeder had vermoord. Wat een leugens! Iedereen weet dat ze geëxecuteerd moesten worden omdat ze tegen me samenzwoeren, ik heb ze niet vermoord! En vervolgens noemde hij me een brandstichter. Mij! Het waren de volgelingen van die gekruisigde jood, dat weet iedereen, jij hebt het ze verteld, nietwaar, Sabinus? Niemand haat me! Hoe kan iemand mij haten? Ik ben te perfect!'

'Mijn lieve, alsjeblieft…'

Plotseling draaide Nero zich om en haalde uit met zijn voet.

Poppaea schreeuwde toen ze met volle kracht in haar buik werd geraakt, waardoor ze achteroversloeg en op de grond viel. Haar hoofd knalde tegen het marmer en ze bleef stil liggen.

Even heerste er stilte en iedereen staarde geschokt naar Poppaea, bewegingsloos op de grond, haar benen gespreid en een arm onder haar rug. Onder haar hoofd kwam een stroompje bloed tevoorschijn.

318

Nero gilde en trok aan zijn haar.

Poppaea kreeg stuiptrekkingen, haar benen trilden en haar buik trok samen.

Ondanks de afkeer die hij voor haar voelde rende Vespasianus naar haar toe en knielde naast haar neer; ze ademde onregelmatig. Haar buik trok weer samen, een kleine rode vlek bloeide tussen haar gespreide benen op haar saffraangele stola op.

Nero gilde opnieuw en boog zich voorover, zijn hoofd in zijn handen.

Sabinus snelde naar Vespasianus en keek om zich heen, hulpeloos, nutteloos.

Tigellinus kwam de zaal binnengestoven.

Poppaea's ogen gingen open, haar gezicht was vertrokken van de pijn. Ze kreeg weer een stuiptrekking en de rode vlek groeide. Met een doordringende kreet ging ze overeind zitten en staarde naar de steeds groter wordende rode vlek tussen haar benen; haar stola plakte inmiddels aan haar vast, zoveel bloed kwam er. 'Mijn kind! Mijn ki...' Ze gilde het opeens uit, de pijn maakte haar stem schel. Ze greep met beide handen naar haar kruis.

'Haal een dokter!' schreeuwde Vespasianus tegen Tigellinus. 'Of een vroedvrouw of gewoon een vrouw! Iemand die weet wat er moet gebeuren.'

Tigellinus draaide zich om en rende weg.

Nero bleef schreeuwen en jammeren, zijn hoofd ging op en neer, zijn handen klauwden in de lucht, alsof hij houvast zocht om van zijn misdaad weg te klimmen.

De rode vlek bleef groeien en er vormde zich een plasje bloed op het doorweekte linnen.

Poppaea was bleek geworden, ze hield op met schreeuwen en haar borst ging met horten en stoten op en neer terwijl ze verkrampt naar adem hapte.

Vespasianus en Sabinus legden beiden een arm onder haar schouders in een poging haar te kalmeren. Maar Poppaea liet zich niet kalmeren en haalde met bloedige handen uit naar hun gezichten, terwijl Nero aan de lucht bleef trekken, huilend als een maanzieke hond.

'Ga bij haar weg!' De stem was dwingend.

Vespasianus en Sabinus gingen snel naar achteren, opgelucht buiten het bereik van de nagels te komen. Het was Caenis die binnen was komen snellen, met Tigellinus vlak achter haar. Ze trotseerde de maaiende armen van Poppaea en drukte haar stevig op haar rug. 'Hou haar daar.'

Vespasianus en Sabinus deden wat hun bevolen was, waarna Caenis Poppaea's van bloed druipende stola omhoogtrok. Met behendige vingers maakte ze de knopen van de lendendoek los en trok die open.

Vespasianus slikte het opkomende braaksel terug. Een bloederig iets bewoog zich in de doek, iets wat in de palm van zijn hand paste. Een piepklein armpje klauwde in de lucht als in imitatie van zijn vader, toen was het stil. Caenis trok aan de lendendoek zodat die loskwam, de foetus viel in de plas bloed.

Het geworstel van Poppaea begon krachteloos te worden.

Caenis wrong de lendendoek uit en verfrommelde die tot een bal die ze tussen Poppaea's benen duwde. Epaphroditus kwam binnengerend. 'De dokter komt eraan, princeps,' zei hij en hij legde zijn hand op Nero's schouder. Nero leek het niet te merken en bleef tegen het koepelplafond jammeren.

Poppaea's ademhaling werd zwakker en bleef onregelmatig. Caenis hield de doek op zijn plek, maar hij raakte snel weer verzadigd. Vespasianus liet Poppaea's schouder los, het was duidelijk dat ze niet langer in bedwang gehouden hoefde te worden.

Caenis keek Vespasianus aan. 'Wat is er gebeurd?'

Hij knikte naar de duidelijk gestoorde keizer, die leek te kalmeren van de woorden die Epaphroditus in zijn oor fluisterde. 'Hij trapte haar vol in de buik, ik zag zijn voet een stuk naar binnen gaan. Het kind had geen enkele kans.'

Caenis keek naar het bloed dat bleef stromen. 'Zij ook niet.'

'Laat me haar zien,' zei de dokter, die fronsend knielde en Caenis' handen wegduwde.

Vespasianus keek Sabinus aan en fluisterde: 'Het lijkt me geen goed idee als wij hier met een lijk in onze handen zitten.'

Sabinus begreep het onmiddellijk en stond op.

'Ik blijf,' zei Caenis, 'ik kan misschien helpen.'

Vespasianus volgde zijn broer en liep naar de deur, terwijl de dokter een keizerin onderzocht die al halverwege naar de veerman was. Nero was opgehouden met jammeren, Epaphroditus had hem min of meer naar de werkelijkheid teruggebracht.

Hij staarde naar het slappe lichaam van zijn vrouw. 'Hoe is dat in de naam der goden gebeurd?' Zijn stem was zwak en rauw. 'Het ene moment was ze in orde en toen…' Hij snikte. 'En toen lag ze bloedend op de vloer. Mijn kind, mijn geliefde kind is weg. Ik heb geprobeerd hem te redden, ik heb het geprobeerd, nietwaar?'

'Ja, princeps, u hebt het geprobeerd, we hebben het allemaal gezien,' zei Epaphroditus, zijn stem kalmerend, terwijl hij en Tigellinus Nero naar een bank brachten.

Vespasianus liep de zaal uit en liet de keizer zijn eigen versie van de werkelijkheid formuleren, die hem in een gunstig daglicht zou stellen en waarin hij niet de veroorzaker van de ellende was.

'Hij zal nooit toegeven dat hij het gedaan heeft,' zei Vespasianus toen ze al flink ver van de koepelzaal vandaan waren.

'Ja,' stemde Sabinus in. 'Hij zal tegenover zichzelf waarschijnlijk niet eens toegeven dat ze dood is. En wij zullen nooit toegeven dat we aanwezig waren. Met een beetje geluk verdringt hij alle herinneringen aan de gebeurtenis uit zijn geest.'

'Als hij nog een geest heeft,' merkte Vespasianus op. 'Ik dacht even dat hij helemaal weg was.'

'Wat is er aan de hand, boertje?'

Vespasianus keek in het atrium om en zag Corvinus zitten, bewaakt door een stel praetoriaanse centuriones.

'Wat was al dat geschreeuw?'

'Ik heb geen idee, Corvinus. Maar het klonk als de keizer.'

Corvinus keek bezorgd. 'Het is de bedoeling dat ik mijn zaak bij hem bepleit, dat ik bewijs dat ik onschuldig ben en geen deel uitmaak van Piso's samenzwering. Antonius Natalis heeft me beschuldigd en die heeft nu immuniteit gekregen omdat hij zoveel namen heeft genoemd. Nerva is al de hele dag mensen aan het arresteren, hij lijkt ervan te genieten.' Er verscheen een kwaadaardige glans in zijn ogen. 'Ik denk dat ik jou ga beschuldigen, Vespasianus, in ruil voor immuniteit als ik Nero niet van mijn onschuld kan overtuigen.'

Vespasianus krulde zijn lippen. 'Je kunt het proberen, Corvinus, doe het alsjeblieft. Maar wij hebben het complot onthuld, dus ik denk niet dat iemand je gelooft. Als ik jou was zou ik een boodschap naar huis sturen zodat je slaven je messen kunnen slijpen en het bad vullen. Ik denk niet dat je in de toekomst problemen hebt om je als een dode te gedragen, zoals je ooit gezworen had te doen.'

321

Corvinus keek minachtend. 'Boertje!'

Vespasianus glimlachte en liep weg. 'Dode!'

'Het heeft kennelijk een hele nacht geduurd voordat hij leeggebloed was en een groot deel van die tijd heeft hij brieven geschreven,' vertelde Gaius de volgende ochtend tegen Vespasianus, Sabinus, Caenis en Magnus toen ze zich bij Sura's huis hadden verzameld voor Titus' huwelijk met Marcia Furnilla. 'Zijn bloed vloeide nauwelijks en uiteindelijk moesten zijn mensen hem naar het stoombad brengen, waar hij in de stoom is gestikt. Zijn vrouw probeerde ook zelfmoord te plegen, maar ze hebben haar polsen verbonden en ze leeft nog.' Gaius genoot overduidelijk van de details. 'Er zijn ruim veertig mensen veroordeeld, onder wie je vrienden Corvinus en Decianus.' Gaius wierp Vespasianus een vragende blik toe. 'Een gelukkig toeval of een van de bonussen van het onthullen van de samenzwering?'

Vespasianus deed zijn best om onschuldig te kijken. 'Ik heb gehoord dat Corvinus toestemming heeft gekregen om zelfmoord te plegen en dat zijn familie een groot deel van zijn bezittingen mag houden, anders dan Decianus.'

'Alle ter dood veroordeelde senatoren hebben zelfmoord mogen plegen, de equites en praetorianen zijn geëxecuteerd. Ruim de helft van de schuldigen had het geluk om alleen verbannen te worden.'

'Geluk?' schamperde Magnus. 'Het geluk om je geld kwijt te raken en vervolgens gedwongen te zijn om de rest van je leven in een of ander achterlijk gat te zitten met alleen geiten om een goed gesprek mee te voeren? Gelul. Is er ook maar één senator of eques die dat boven zelfmoord en het redden van de status van zijn familie verkiest?'

Gaius was hierover aan het nadenken toen Titus' gezelschap arriveerde onder gejuich en de gebruikelijke dubbelzinnige opmerkingen.

'Iemand heeft gisteravond kennelijk ook Faenius Rufus genoemd,' zei Sabinus, terwijl het gezelschap achter de bruidegom aan het huis betrad. 'Ik weet niet hoe het precies zit, maar ik hoorde vanochtend dat Nerva de overwinningsornamenten heeft gekregen voor het ontmaskeren van Rufus. Nymphidius Sabinus is tot praetoriaans prefect benoemd en ik krijg een nieuwe prefect voor de vigiles als Nero klaar is met rouwen en zich ertoe kan zetten om erover na te denken.'

Vespasianus was niet verbaasd. 'Nymphidius krijgt zijn beloning voor zijn aandeel in de brand. En nu zal een stel echte loeders elkaar in de haren vliegen in de hoop de nieuwe keizerin te worden.'

'Die positie lijkt al ingenomen te zijn,' zei Caenis met trillende stem.

Nu was Vespasianus wel verbaasd. 'Dat is snel, wie?'

Caenis huiverde bij de gedachte. 'Die knappe jonge slaaf die zoveel op Poppaea lijkt.'

'Die jongen die haar plaats in de huwelijksnacht innam vanwege haar vergevorderde zwangerschap,' zei Gaius geschokt.

'Sporus,' zei Vespasianus.

'"Sperma" in het Grieks,' bracht Sabinus hun in herinnering.

Caenis huiverde opnieuw. 'Dat zal hij in ieder geval niet meer produceren, dat is zeker. Toen Poppaea eenmaal dood was, liet Nero Epaphroditus de jongen halen, waarna de dokter hem ter plekke heeft gecastreerd, ik moest helpen. Het was de volledige versie, niet alleen, je weet wel... Ik heb nog nooit iemand zo horen schreeuwen. Hoe dan ook, Nero heeft Sporus alle kleren, pruiken en juwelen van Poppaea gegeven en gezegd dat als hij de operatie overleeft hij met hem zal trouwen tijdens zijn tournee door Griekenland, tijdens een van de feesten. Hij, of zij, want zo ziet Nero hem nu, zal keizerin worden.'

Vespasianus schudde zijn hoofd in ongeloof, terwijl de bruid en bruidegom elkaars handen vastpakten. 'In zijn hoofd heeft hij Poppaea helemaal niet gedood.'

'Nee, voor hem is het alsof het nooit gebeurd is, hij noemde Sporus zelfs Poppaea toen zijn genitaliën werden verwijderd.'

Vespasianus richtte zijn aandacht weer op de ceremonie, zich afvragend wat de Grieken zouden denken van een keizer die een gecastreerde slaaf wilde huwen tijdens een van hun religieuze feesten en hem tot keizerin Poppaea zou uitroepen. 'Is er dan geen enkel taboe dat hij niet breekt?'

Het huwelijksgezelschap liep door een sombere stad. Het leven ging door als altijd, maar het traditionele geroep van 'Talassio!' om het bruidspaar geluk te wensen was veel minder uitbundig dan normaal; zelfs het enthousiasme voor het gooien met walnoten was beperkt, zodat de jonggehuwden met minder noten en van minder hoog bestrooid werden. De huwelijksgasten probeerden de onverschilligheid van het publiek goed te maken en Vespasianus had zich vrijwel schor geschreeuwd toen ze bij zijn oude huis in de Granaatappelstraat aankwamen, dat hij Titus als huwelijksgeschenk had gegeven.

'U en uw broer hebben heel wat vijanden gemaakt door het complot te onthullen,' zei Sura, die naast Vespasianus liep. 'Volgens sommigen hebben jullie bloed aan jullie handen.'

Vespasianus wierp een zijdelingse blik op Sura. 'Maar u hebt het huwelijk niet afgezegd.'

'Ik ken geen man die niet een zekere hoeveelheid bloed aan zijn handen heeft. Bovendien begreep ik uw berekening: u had niets te winnen als Piso keizer zou worden.'

'Hij zou nooit keizer zijn geworden. Seneca wilde hem uit de weg ruimen en het purper zelf nemen door de legioenen en de gouverneurs van de gemilitariseerde provincies om te kopen.'

Sura kon zijn verbazing niet verbergen. 'Echt waar? Tja, dat had kunnen werken, want de legioenen hebben een grote stem in wat er na Nero gebeurt. Iemand als Piso kan zichzelf niet zomaar tot keizer uitroepen en dan verwachten dat de legioenen trouw aan hem zweren. Mijn broer Soranus zal extra opgelucht zijn dat hij Piso's aanbod van een consulschap als hij zou meedoen heeft afgeslagen.'

'Alleen een dwaas zou zich bij die samenzwering hebben aangesloten.'

'Klopt. Maar binnenkort zal er een succesvolle zijn, een waarbij de legioenen betrokken zijn.' Sura wierp Vespasianus een sluwe blik toe. 'Ik denk dat u en uw broer daarvan uitgaan. Geen van beiden waren jullie in een positie om te profiteren, want geen van beiden controleren jullie legioenen; Sabinus heeft natuurlijk wel de drie stadscohorten en de zeven cohorten vigiles, maar met die macht had hij nauwelijks van de onrust kunnen profiteren. Zie ik het goed?'

Vespasianus keek neutraal en zei niets.

'Vooral gouverneurs van een provincie met legioenen zullen in de dood van Nero en de strijd om diens opvolging geïnteresseerd zijn. Als de kalmte weerkeert en Nero eraan denkt om u te belonen voor het redden van zijn leven, dan hoopt u daar natuurlijk op. Syria of een van de provincies langs de Rijn of de Donau, en dan zullen we zien.'

Vespasianus gaf geen blijk van instemming of afkeuring.

Sura sloeg Vespasianus op de rug. 'Ik zie dat mijn beslissing om mijn dochter in uw familie te laten trouwen een verstandige was. Zodra Titus quaestor is, dan… tja, dan zien we wel wat we nog meer met mijn families geld kunnen kopen.'

'U bent een gul man, Sura.'

'Nee, ik ben een ambitieus man. Maar verstandig genoeg om te beseffen dat ik zonder glansrijke militaire carrière geen kans heb om boven te komen drijven in de chaotische nasleep na Nero's dood, en dus heb ik de bescherming nodig van iemand die dat wel heeft.'

'Gaius Vespasius Pollo,' riep een praetoriaanse tribuun bij de deur aan de Granaatappelstraat tot het huwelijksgezelschap, dat net aankwam.

Gaius keek geschrokken naar de tribuun terwijl hij zich tussen de mensen door naar voren drong. 'Wat is er?'

De tribuun hield een rol op. 'Bevel van de keizer.'

Gaius werd bleek en pakte hem met een bevende hand aan. 'Lieve goden.'

Vespasianus voelde een knoop in zijn maag.

Gaius rolde de rol uit, wierp er een blik op, werd nog bleker en gaf hem toen aan Vespasianus.

'De klootzakken!' grauwde Vespasianus toen hij het gelezen had.

Caenis ging naar hem toe. 'Wat is er, mijn lief?'

'Seneca heeft gisteravond toen hij stervende was de keizer geschreven dat Gaius de contactman tussen hem en Piso was.'

'Maar dat is onzin.'

'Natuurlijk is dat zo en Nero zegt hier dat hij het eerst niet geloofde, vooral niet omdat ik en Sabinus het complot hebben onthuld. Hij dacht dat Seneca alleen maar kwaadaardig wraak wilde nemen en wilde het negeren, tot een van de samenzweerders onafhankelijk met dezelfde beschuldiging kwam.'

'Wie?'

'Corvinus. Alle goden beneden, wat heb ik gedaan?'

Gaius beefde. 'Je hebt mijn dood veroorzaakt, beste jongen, vannacht moet ik sterven.'

Vespasianus keek naar de gezichten van zijn familie terwijl de resten van een sombere maaltijd werden afgeruimd door vier van Gaius' ranke blonde jongens. Het was niet de feestelijke gelegenheid die een trouwdag moest zijn, verre van dat. De rituelen van het huwelijk waren doorgegaan en het werd geconsummeerd, maar geen van de gasten voelde enige vreugde en iedereen dacht dat Gaius' doodvonnis het slechtst mogelijke voorteken voor het huwelijk was.

Gaius zelf had afscheid van het paar genomen en was samen met Magnus onmiddellijk vertrokken om thuis zijn zaken op orde te brengen en zijn kok opdracht te geven om de beste maaltijd te bereiden die hij ooit had gemaakt.

De resten daarvan werden nu weggebracht, terwijl de zon in het westen richting horizon zakte. Vespasianus besefte dat het moment, het onvermijdelijke moment, steeds dichterbij kwam.

Vespasianus wendde zich tot zijn oom, die naast hem lag. 'Het spijt me, oom, we hadden u mee moeten vragen toen we de samenzwering bij Nero gingen aangeven. Dan was u veilig geweest voor valse aantijgingen. We hebben gewoon niet nagedacht.'

Gaius rukte zich los uit de mijmeringen waarin hij in de loop van de maaltijd langzaam was verzonken en leegde zijn beker zonder de voortreffelijke wijn de aandacht te geven die hij verdiende. 'Natuurlijk heb je nagedacht, of liever gezegd, je hoefde niet te denken, want je wist mijn antwoord toch wel als je het me had gevraagd.'

Vespasianus' glimlach was droevig. 'U had gezegd dat u veel te zichtbaar zou worden als u bij de onthulling was en dat de veiligste optie was om thuis te blijven en te zorgen dat niemand te weten kwam wat u deed of dacht.'

Gaius' glimlach was gelijk aan die van Vespasianus. 'Iets dergelijks, beste jongen. Ironisch, nietwaar? Ik zou de kans om mezelf immuun voor valse beschuldigingen te maken hebben afgeslagen, want ik zou het te gevaarlijk hebben gevonden en wilde alleen veilig zijn.'

Magnus wendde zich tot Vespasianus. 'Kunt u niet in beroep gaan bij Nero en zeggen dat u Corvinus valselijk hebt beschuldigd en dat die nu zo wraak heeft willen nemen?'

Caenis, die rechts van Vespasianus lag, schudde het hoofd. 'Dat hebben we al besproken, maar wie zou dat geloven nu Corvinus dood is? Nero zou alleen maar denken dat Vespasianus liegt om zijn oom te redden.'

'Precies,' stemde Sabinus in. 'Faenius Rufus had misschien Nero kunnen overtuigen, maar hij is vanochtend geëxecuteerd. Nerva probeerde een goed woordje te doen als gunst aan mij, maar Nero vroeg of hij al het krediet dat hij had opgebouwd weer wilde verspelen door een overduidelijke verrader te redden, dus hij liet het er verder natuurlijk bij zitten.'

'Niettemin aardig dat hij het geprobeerd heeft,' zei Gaius. 'En het toont zijn respect voor onze familie, beste jongens. Jullie moeten Nerva te vriend zien te houden, want hij lijkt een ambitieus man.'

'Dat zullen we doen, hij heeft erg veel garen bij de samenzwering gesponnen en daarom is hij ons dankbaar dat we die hebben onthuld.'

'Ja,' stemde Vespasianus in. 'Als je het zo bekijkt staat hij bij ons in het krijt.'

'Klotepolitiek,' mompelde Magnus. 'Jullie klasse leeft in een grimmige wereld.'

'Niet grimmiger dan de jouwe, oude vriend,' zei Gaius, die zijn beker neerzette en met moeite overeind kwam. 'Ik ben me goed bewust van de onaangename dingen waarmee je je in jouw wereld bezighoudt.'

'Dat is omdat ik ze voor u deed.'

Gaius grinnikte en legde een hand op Magnus' schouder. 'Dat is maar al te waar, Magnus, en dat zul je terugvinden in mijn testament.' Hij keek de aanwezigen aan. 'Ik mag niet klagen, ik ben bijna vijfenzeventig en dat is een stuk ouder dan de meesten van mijn generatie zijn geworden. Ik heb bovendien de kans mijn leven vreedzaam in bad te eindigen met mijn familie om me heen, en ze kunnen, op voorwaarde dat ik een flinke som aan de keizer nalaat, het grootste deel van mijn bezit erven. Ik heb mijn leven geleid zoals ik het wilde en dat kunnen maar weinig mensen zeggen.' Zijn ogen dwaalden naar de vier slaven die aan het opruimen waren. 'Laat maar, jongens, het is tijd om afscheid te nemen.' Hij glimlachte naar zijn gasten en liep het triclinium uit, gevolgd door zijn fraaie bezit. 'Het duurt niet lang.'

Gaius overhandigde Vespasianus zijn testament nadat hij vanuit de slaapkamer het atrium was binnengelopen, waar de familie zich had verzameld om op hem te wachten. Hij was enkel in een los wit linnen gewaad gekleed. 'Bewaar het tot ik er niet meer ben, beste jongen. Ik heb je mijn jongens nagelaten aangezien ze te jong zijn om vrijgelaten te worden. De drie slaven boven de dertig heb ik vrijgelaten, zij zullen jou of Sabinus als meester erkennen. Dat moeten jullie onderling maar uitmaken. Maar de jongens zijn van jou, ik weet dat je geen persoonlijk nut voor ze hebt, maar hou ze om mij een plezier te doen, ze gaan me aan het hart en ze hebben me een hoop genot geschonken. Je vrijgelaten Hormus heeft misschien plezier van ze.'

Vespasianus probeerde er blij uit te zien over de erfenis. 'Ik zal hem de... eh, kans bieden als hij terug is uit Afrika.'

'Ik weet zeker dat hij die met beide handen aangrijpt,' zei Magnus, 'als u begrijpt wat ik bedoel.'

Dat deed iedereen, maar niemand was in de stemming voor luchtigheid.

Gaius keek de ruimte rond en zuchtte. 'Het is vreemd, een waarzegger vertelde me ooit dat ik in mijn eigen huis zou sterven, een voorspelling waar ik veel troost in vond. Ik had niet gedacht dat het door mijn eigen hand zou zijn.' Hij schudde zijn hoofd spijtig en leidde hen het atrium uit. 'Ik heb zonet te horen gekregen dat mijn bad vol en warm en mijn mes scherp is, ik zie geen reden tot verder uitstel.'

Caenis hield Vespasianus' hand vast toen ze Gaius volgden naar zijn badhuis aan het einde van de ommuurde tuin. Wolken hoog boven Rome gloeiden in de zon, die voor de laatste keer in Gaius' leven onderging.

Het badhuis was helder verlicht met talrijke lampen en kaarsen, zodat de marmeren muren en het koepeldak warm licht weerkaatsten. In het midden van de ruimte was een verzonken bad, bekleed met mozaïeken met aquatische thema's, zoals allerlei soorten vissen, die leken te zwemmen als het warme water rimpelde. Rond het bad waren stoelen voor Gaius' gasten neergezet. Op een lage tafel naast het bad lag een mes.

Met een moed die Vespasianus niet van zijn oom verwacht had aarzelde Gaius niet; hij liet zijn gewaad vallen en stapte in het bad. Water, verplaatst door zijn enorme omvang, stroomde over de vloer en maakte de voeten van de gasten nat. Openlijk huilend om hun meester stonden Gaius' jongens langs de muren om het sombere tafereel af te maken.

Gaius pakte het mes en ging met een vinger langs de snede, waarna hij tevreden knikte. 'Dat moet voldoende zijn.' Hij keek op. 'Goed, vrienden, het is tijd om te zien wat de veerman waard is, hij zal hard moeten werken om mij naar de overkant te roeien. Ik moet zeggen dat toen ik deze ochtend opstond ik niet had gedacht deze reis vandaag te zullen maken.'

'Meester! Meester! Wacht!' Gaius' huismeester kwam naar binnen gerend, hij had een verzegelde rol bij zich. 'Deze is net voor u gekomen.'

Alle aanwezigen voelden een sprankje hoop in hun hart.

Gaius keek naar de rol, maar nam hem niet aan. 'Lees jij hem maar, Vespasianus.'

Vespasianus rolde hem open en las hardop: 'Ik hoop dat ik dit op het juiste moment heb laten bezorgen. Hopelijk opent Gaius Vespasius Pollo ongeveer nu, vlak voor zonsondergang, zijn aderen. Deze brief zal iedereen hoop op een pardon op het laatste moment geven. Het spijt me jullie te moeten teleurstellen, want het is niet meer dan een boodschap vanuit de dood. Ik ben gewroken, boertje. Corvinus.' Vespasianus' handen trilden van woede. 'De smeerlap! Ik dacht echt dat het een herroeping van het vonnis was.' Hij verfrommelde de rol en smeet hem in een hoek.

'Ik niet, beste jongen,' zei Gaius, het mes bestuderend. 'Ik niet. Zo is het leven niet.' Met een haal sneed hij zijn linkerpols in de lengterichting open en terwijl het bloed naar buiten spoot nam hij het mes in de andere hand over en opende de rechter op dezelfde manier.

Het bad kleurde rood. Gaius legde het mes neer, leunde met zijn hoofd tegen de rand en sloot zijn ogen; hij slaakte een zucht die als tevredenheid of spijt geïnterpreteerd kon worden. 'Het zij zo. Vaarwel allemaal. En Vespasianus, zorg voor mijn geliefde jongens.'

Vespasianus greep Caenis' hand en voelde tranen van verdriet en schaamte langs zijn gezicht stromen. Hij keek naar zijn oom die leegbloedde, in het besef dat het zijn fout was. In zijn verlangen naar wraak had hij de dood van zijn oom veroorzaakt.

EPILOOG

THRACIË, APRIL 67 n.C.

Het waren zes lange maanden geweest, waarvan drie met een laag sneeuw op de grond en een bitterkoude noordenwind die over de vlakte raasde. Vespasianus sloeg zijn arm om Caenis heen terwijl ze keken naar de vijf ruiters die vanuit het zuiden naderden over het uitgestrekte grasland dat hun thuis was sinds hun ballingschap; een ballingschap waarvoor Vespasianus alleen zichzelf de schuld kon geven.

Het was dom van hem geweest en het had Nero nog extra misnoegd omdat Tiridates, de onlangs gekroonde koning van Armenia, aanwezig was bij het optreden. Het optreden was namelijk bedoeld ter viering van de kroning van Tiridates door Nero in Rome, die niet één maar twee keer had plaatsgevonden, omdat de keizer zo van de eerste keer had genoten. Hij had van de gelegenheid gebruikgemaakt om zich als opperste vorst van de wereld te presenteren, gezeten op een curulische zetel op de rostra op het Forum Romanum. Hij ging gekleed in triomf-gewaden en was omringd door militaire eretekens en legerstandaards: het toonbeeld van een krijgshaftige keizer, ware het niet dat zijn uiter-lijk dat tegensprak. Tiridates was omhooggelopen naar Nero en had zich aan diens voeten geworpen. Nero had vervolgens een hand uitge-stoken naar de jongere broer van de Grote Koning van Parthië, hem overeind geholpen, hem gekust en een koninklijk diadeem op zijn hoofd gezet. De menigte die hem toejuichte was zo omvangrijk dat er geen dakpan meer viel te zien, elk denkbaar plekje om te kijken was bezet. Met tranen die over zijn gezicht stroomden had Nero beleefd-heden met de nieuwe koning uitgewisseld en vervolgens bevel gegeven om de deuren van de tempel van Janus te sluiten, waarna hij verklaarde dat de oorlog daarmee beëindigd was.

Nero had zoveel plezier in zijn rol als de man die koninkrijken toe-
wees dat hij de hele gebeurtenis later nog een keer overdeed in het
theater van Pompeius, waarbij hij tegenover het publiek benadrukte
hoe grootmoedig hij was geweest. Tot slot bracht hij een ode die hij
speciaal voor de gelegenheid had gecomponeerd.

En daar was het probleem ontstaan: de ode was lang, heel erg lang,
zelfs voor Nero's doen, en iedereen wist dat het absoluut verboden was,
op straffe van de dood, om tijdens de voorstelling weg te gaan, om welke
reden dan ook. Een vrouw op een van de bovenste rangen van het theater
had zelfs halverwege een kind gebaard, haar geschreeuw werd gedempt
door haar buren.

Terwijl Nero doorploegde, vers na vers vol eigen lof, was de zon op
zijn hoogste punt gekomen en de combinatie van hitte en verveling
bleek onweerstaanbaar slaapverwekkend te zijn. Vespasianus' gesnurk
had het genot van de pas gekroonde koning verstoord, die in zijn richting had gekeken. Caenis had hem snel wakker gemaakt, maar dat ging
met zoveel gesnuif en geproest gepaard dat Nero woedend over een zin
struikelde. En toen begon hij, tot afgrijzen van iedereen, helemaal van
voren af aan, na met een boze blik in Vespasianus' richting te hebben
aangekondigd dat de ode zonder onderbreking moest worden gehoord
om het geniale ervan echt te kunnen waarderen. Op dat moment deed
een stoutmoedige toeschouwer alsof hij dood neerviel, waarna hij uit
het auditorium werd gedragen, want een lijk in het publiek werd als
een ongunstig teken beschouwd.

Met grote haast waren Vespasianus en Caenis uit het theater vertrokken nadat de ode was voltooid, ze doken onder in het gedrang
van de mensen die zich uit de voeten maakten voor het geval de keizer zou besluiten dat zijn talent nog niet voldoende geëtaleerd was
aan de oosterse potentaat. En ze waren er vervolgens vandoor gegaan,
zo groot was Vespasianus' angst voor Nero's woede over het bederven
van zijn optreden. Bovendien was Vespasianus nog altijd onzeker over
hoe de keizer over hem dacht na de gedwongen zelfmoord van zijn
betreurde oom vanwege diens vermeende rol in Piso's samenzwering.
Vanuit Brundisium, waar ze een schip naar Epirus hadden genomen,
had Vespasianus een brief aan Sabinus gestuurd waarin hij schreef dat
hij zich verborgen zou houden tot de keizer óf hem zijn belediging
had vergeven óf die vergeten zou zijn, al leken beide mogelijkheden

voorlopig weinig waarschijnlijk. Over de plek waar ze heen gingen zweeg hij. Hij schreef alleen dat als Sabinus contact wilde opnemen Magnus wel wist waar hij te vinden was als die besefte dat hij Caenis had meegenomen.

En zo, veertig jaar nadat hij hier voor het eerst was geweest, bracht hij Caenis terug naar het land van haar voorouders, het land van de Caenii in Thracië; het land vanwaaruit ze als zuigeling in de armen van haar moeder als slaaf naar Rome was gebracht. Het land waarvan ze niet wist dat het bestond tot Vespasianus was teruggekeerd en haar vertelde hoe haar amulet van Caenus zijn leven had gered toen hij, Magnus, Corbulo en centurio Faustus als gevangenen van de Caenii op het punt stonden zich dood te vechten. Het stamhoofd Coronus had de amulet herkend en na een ondervraging van Vespasianus was gebleken dat hij Caenis' oom was. Hij had Vespasianus en diens metgezellen gespaard en Vespasianus had op zijn beurt beloofd om Caenis ooit mee te nemen naar het land van haar voorouders. Deze belofte kwam hij nu na, maar niet in de omstandigheden die hij had gewenst.

Vespasianus kneep zijn ogen samen en schudde zijn hoofd. 'Jouw ogen zijn beter dan de mijne, kun jij zien wie het zijn?'

Caenis keek in de verte. 'Ik geloof dat ze een uniform onder hun reismantel dragen, het moet iets officieels zijn.'

Vespasianus voelde een knoop in zijn maag. 'Praetorianen?'

'Het is te ver om er zeker van te zijn, maar ze dragen geen helm, alleen een hoed.'

'Hoe hebben ze ons gevonden?'

'We weten niet of dat zo is, misschien is het toeval.'

Vespasianus gebaarde naar het landschap om hen heen: afgezien van de bergen in de verte in het noorden en westen was er niets te zien. Alles was eentonig grasland, afgezien van de enorme kom waarin de Caenii hun hoofdnederzetting hadden gebouwd, waardoor die onzichtbaar was tot de reiziger er bijna was. Nu stonden ze op de rand van de kom. 'Wie komt hier toevallig?'

Caenis schermde haar ogen af. 'Een paar van de ruiters zijn burgers, een ervan is duidelijk niet gewend aan paardrijden. Ik denk dat de soldaten een escorte zijn.' Ze kneep haar ogen nog harder samen. 'Ik geloof dat ze ook honden bij zich hebben.'

'Jagers misschien? We kunnen maar beter niet hier blijven staan, laten we weer naar beneden gaan zodat ze ons niet zien.' Vespasianus draaide zich om en rende de helling af.

Caenis wacht nog enkele ogenblikken en probeerde uit te maken wie de bezoekers waren voor ze hem volgde.

Coronus was al achter in de zeventig en heerste nog altijd soeverein over de Caenii. Thracië was weliswaar al twintig jaar eerder in het rijk opgenomen, maar het Romeinse bewind liet zich hier nauwelijks voelen. De belastingen die de stam betaalde gingen nu naar de Romeinse gouverneur in plaats van de koning en de jonge mannen namen dienst bij Romes hulplegioenen in plaats van het koninklijke leger. Maar verder was het leven na de annexatie op de oude voet verdergegaan en de Caenii fokten als vanouds hun paarden en visten in de rivieren, en dus was Coronus verrast door het nieuws van naderende Romeinen. Hij wreef over zijn neus, waarvan het puntje was verdwenen bij een allang vergeten schermutseling. 'Ik stuur een van mijn kleinzonen naar ze toe.' Hij wendde zich tot een jonge man die op een bank bij de deur hing. Hij had warrig rood haar dat onder een muts van vossenbont tevoorschijn kwam en een al even rode baard. 'Caeneus, zoek uit wat de vreemdelingen willen.'

Caeneus hoorde zijn grootvaders wens aan en verdween door de deur.

'Jullie kunnen in de tussentijd maar beter hier blijven, ik zal ontkennen iets van jullie te weten als ze op zoek naar jullie zijn.'

Caenis pakte Coronus' hand. 'Erg vriendelijk van u, oom.'

De oude man glimlachte naar zijn onlangs teruggevonden nicht, twintig jaar jonger dan hij. 'Ik ken heel wat mensen in deze wereld die me nooit van die ondeugd zouden beschuldigen.'

Afgaand op de felheid van Coronus' trekken, in combinatie met de verminkte neus, kon Vespasianus die bewering heel goed geloven en hij had het zelf ondervonden toen hij gevangen was genomen door de Caenii. 'Verzet u niet als ze tot geweld overgaan, Coronus, ik wil niet dat uw volk voor ons moet lijden. U hebt ons zes maanden onderdak geboden, het nieuws dat er mensen bij de Caenii schuilen heeft alle tijd gehad om bekend te worden en de verkeerde oren te bereiken.'

'Zover zal het niet komen, ze zijn maar met zijn vijven.'

'Vijf praetoriaanse centuriones met een mandaat van de keizer zijn moeilijk tegen te spreken. Als ze met lege handen terugkeren of helemaal niet terugkeren, zal je stam de gevolgen voelen. Zo werkt dat.'

'Dan moeten we maar hopen dat ze niet naar jou op zoek zijn.'

'Wanneer zijn de Romeinen hier voor het laatst geweest?'

Coronus krabde in zijn grijze baard. 'Ik ben bang dat jij dat was.'

'En ik kan jullie vertellen dat ik hier veertig jaar geleden ook was!' De stem kwam vanachter de leren voorhang voor de deuropening en was onmiskenbaar. 'En ik weet dat hij hier met Caenis is en daarom ben ik dat hele klote-eind gereden zodat deze heren hem goed nieuws kunnen brengen.'

Vespasianus glimlacht opgelucht. 'Het is in orde, Coronus, ze kunnen binnenkomen. Dat is Magnus en hij zou me nooit verraden.'

Coronus trok de leren voorhang opzij en liet de bezoekers binnen.

Vespasianus deed een stap naar achteren toen Castor en Pollux naar binnen stormden, gevolgd door Magnus, Titus, Sura, Hormus en, opvallend, vond Vespasianus, Nerva.

'Het begon allemaal in Caesarea met een klacht over mensen die een stel vogels aan Apollo offerden voor een van hun synagogen, zoals de joden hun tempels noemen,' vertelde Nerva toen ze rond een tafel in Coronus' huis zaten en gebraden geit, brood en donkere Thracische wijn geserveerd kregen. 'Het escaleerde in een protest tegen de zware en stijgende belastingen waaronder Judaea lijdt en toen werd het erger gemaakt door Gessius Florus, de procurator van Judaea, die zeventien talenten goud uit hun tempelschat pakte en die naar Nero stuurde ter financiering van het Gouden Huis. Ik hoef natuurlijk niet te vertellen dat niet al het geld Rome bereikte.'

'Wat een verrassing,' mompelde Magnus door een mondvol taai geitenvlees; Castor en Pollux lagen naast hem op de grond en knaagden aan reusachtige botten.

Nerva nam een slok van zijn wijn en stikte er bijna in. 'Sterk spul! Hoe dan ook, het liep allemaal snel uit de hand toen de joden mandjes doorgaven om geld op te halen en Florus bespotten als een arme sloeber. Nou heeft hij absoluut geen gevoel voor humor en daarom kruisigde hij er een stel en dat leidde weer tot een openlijke opstand. De koning, de tweede Herodes Agrippa, en zijn zuster Berenice probeerden de boel te sussen, maar ze werden bedreigd door de opstandelingen en zijn toen gevlucht. Florus deed een beroep op zijn directe meerdere, Cestius Gallus, de gouverneur van Syria, om versterkingen te sturen.'

'Wanneer was dat?' vroeg Vespasianus.

'Herfst vorig jaar,' antwoordde Titus. 'Hebt u er niets over gehoord, vader?'

Vespasianus schudde zijn hoofd en brak een stuk brood af. 'Het punt van hier zijn was juist dat ik geïsoleerd van de wereld ben.'

Magnus won eindelijk zijn gevecht met de geit. 'Het heeft gewerkt. Toen Hormus uit Afrika terugkeerde met een aardige som geld voor u, die we bij de gebroeders Cloelius hebben gedeponeerd, had ik een eeuwigheid nodig om te bedenken wat u bedoelde toen u zei dat ik wist waar u was omdat u Caenis bij u had.'

Vespasianus wendde zich tot zijn vrijgelatene. 'Echt?'

'Ja, meester, de zaken liepen goed en we blijven groeien. Ik vertel het u nadat de heren klaar zijn.'

Vespasianus moest zijn nieuwsgierigheid nog even onderdrukken en richtte zich weer tot Nerva. 'En waarom moest je me vinden als het alleen maar om een kleine opstand in Judaea gaat?'

'Dat is het hem nou juist,' zei Nerva, 'het is geen kleine opstand. Gallus kwam met een leger van dertigduizend man naar Judaea om de opstand te verpletteren. Aanvankelijk deed hij het goed, hij nam een paar steden in, rekende met ruim achtduizend rebellen in Caesarea en Jaffa af en had de situatie grotendeels onder controle.'

Vespasianus zag het aankomen. 'Tot?'

'Tot hij op een hinderlaag stuitte bij een plaats met de naam Beth Horon. Hij liep plompverloren in de val en zesduizend van zijn mannen werden afgeslacht voordat hij wist te ontsnappen, met achterlating van de adelaar van de Twaalfde Fulminata.'

'Is hij een adelaar kwijtgeraakt? Aan dat gepeupel?'

'Het mag gepeupel zijn, maar het is wel fanatiek gepeupel. Hoe dan ook, Gallus bracht nog meer schande over zich door zijn troepen in de steek te laten en naar zijn provincie terug te vluchten, waar hij, gelukkig maar, het juiste heeft gedaan. Lucinius Mucianus is onderweg om hem te vervangen.'

'Mucianus?' peinsde Vespasianus. 'Hij heeft denk ik wel genoeg ervaring om de opstand neer te slaan, hij was een goede militair tribuun in mijn tijd bij de Tweede Augusta.'

'Maar waarom zijn jullie helemaal hierheen gekomen om ons dat te vertellen?' vroeg Caenis.

'Omdat Mucianus deze oorlog niet gaat voeren, al weet hij dat zelf nog niet, Vespasianus moet het doen.'

Vespasianus was verbluft, hij voelde Caenis' hand in zijn dij knijpen. 'Ik? Maar Nero...'

Sura glimlachte. 'Nero heeft besloten dat u de beste generaal bent om de opstand aan te pakken, hij werd daarbij een handje geholpen door wat geld van mijn familie en door het pleidooi van uw broer Sabinus en van Nerva om u het commando te geven. Al denk ik niet dat Mucianus het ons ooit zal vergeven als hij het ontdekt.'

'Dank u, Sura,' zei Vespasianus, oprecht ontroerd door zijn generositeit. 'En u, Nerva, dank u.'

Nerva haalde zijn schouders op. 'Ik beschouw het als een afbetaling van schuld. Ik ben hoog in de achting van de keizer gestegen sinds u Piso's complot hebt onthuld, al denk ik dat Sura's geld belangrijker was dan mijn verzoek om een gunst als dank voor mijn diensten van vorig jaar.'

Sura wuifde de gedachte weg. 'De keizer is vooral met zijn rondreis door Griekenland bezig en het geld was buitengewoon welkom, zeker ook omdat hij eenmaal daar aangekomen vrijwel direct met Sporus trouwde, of liever gezegd Poppaea Sabina, zoals we haar nu moeten noemen. Hij heeft een fortuin aan het huwelijksbanket uitgegeven. Hij is vorige maand in de provincie aangekomen en heeft een groot deel van de Senaat meegenomen, en dat is de reden waarom we zo snel hebben kunnen handelen.'

'U hebt mijn positie dus gekocht?'

'Nee, ik heb de positie van onderbevelhebber voor mijn dochters echtgenoot gekocht bij wat de grootste militaire operatie sinds de invasie van Britannia kan worden.'

'Hij heeft gelijk, vader, dit kan heel goed voor ons uitpakken. Ik ga nu eerst naar Egypte om de Vijftiende Apollinaris over zee naar het noorden te brengen, naar Ptolemais, waar de Vijfde Macedonica en de Tiende Fretensis ook zullen zijn.'

'Ik heb hun orders om vanuit Syria naar het zuiden te marcheren bij me,' zei Nerva. 'Ik breng ze naar Mucianus. Als het allemaal goed gaat, als Mucianus het besluit zonder morren accepteert, beschikt u over drie legioenen plus nog eenzelfde aantal hulplegioenen en dan is er nog Herodes Agrippa's leger, dat aan het begin van het campagneseizoen klaar zal zijn.'

Vespasianus had moeite het allemaal te verwerken. 'Dat alles is allemaal al georganiseerd, zo snel?'

Nerva knikte. 'Natuurlijk, dat was noodzakelijk. We hadden het geluk dat Magnus en Hormus onderweg waren met brieven van Sabinus voor diverse mensen in Nero's entourage en zich in Corinthus bij ons voegden, waardoor we u vlug hebben kunnen vinden. De joden moeten zo snel mogelijk verpletterd worden. Ze hebben Judaea aan de Grote Koning van Parthië aangeboden op voorwaarde dat het judaïsme de enige erkende godsdienst van Judaea wordt. De Parthen zouden daarmee toegang tot onze zee hebben. Omdat zijn jongere broer op dat moment nog in Rome was heeft hij het aanbod gelukkig geweigerd, maar nu Tiridates op weg naar Armenia is, zou hij weleens van gedachten kunnen veranderen.'

'Maar hoe zit het met Corbulo? Hij zit nog in het oosten en kan onmiddellijk ingrijpen.'

Titus schudde het hoofd. 'We weten het niet, vader, maar daar komt u wel achter. Nero heeft bevel gegeven dat u direct naar Griekenland komt, waar hij u persoonlijk zal instrueren zodat u van zijn adviezen kunt profiteren. Corbulo moet ook komen.'

Het heiligdom van Olympia, tien dagen later

Met groot vertoon van nederigheid stapte Nero de baan van het hippodroom op, dat in de zuidoosthoek van het heiligdom van Olympia lag. Het was de tweede dag van de Olympische Spelen, die enkele jaren naar voren waren geschoven zodat de keizer kon meedoen.

Hij was inmiddels bijna een maan bezig met zijn tournee door Griekenland en in die tijd had hij zichzelf overtroffen door al meer dan tweehonderd overwinningskronen in de wacht te slepen. Hij had ze allemaal gewonnen met voordrachten tijdens de vele wedstrijden die georganiseerd waren opdat de inwoners van dit oude en geleerde land de kans hadden om het onovertroffen talent van hun keizer te leren kennen. En ze kregen kansen genoeg, want Nero trad in elke stad die hij aandeed op en zijn talent was zodanig dat de jury's de eerste prijs aan niemand anders konden toekennen. En 's avonds streden de lokale hoogwaardigheidsbekleders erom wie de keizer en keizerin mocht ontvangen, waarbij men er beleefd voor zorgde niets te zeggen over de ontbrekende borsten van de keizerin.

Maar vandaag was Nero niet verschenen om te zingen, nee, vandaag had Nero een veel gevaarlijker evenement op het oog, want hij wilde tot olympisch kampioen bij het wagenrennen worden gekroond. Om er absoluut zeker van te zijn dat het zou lukken kwam hij in een wagen getrokken door tien paarden. Het gejuich van het publiek op de volgepakte tribunes galmde door het oude heiligdom, waar al achthonderd jaar wedrennen met vierspannen werden gehouden.

Na zijn aankomst in Olympia die ochtend had Vespasianus te horen gekregen dat de keizer hem na de rennen zou ontvangen. Vespasianus zat daarom als toeschouwer in het stadion, samen met Caenis, Magnus, Hormus, Sura en de rond driehonderd man uit Nero's entourage. Nadat Nero op zijn wagen was gestapt reden de andere deelnemers in hun vierspannen naar de getrapte startlijn, waar ze op hun plek werden gehouden door poortjes die bij de start omhoog zouden worden getrokken. De tien paarden van Nero werden elk in bedwang gehouden door een stalknecht die hun halster vasthield, maar ze waren duidelijk schichtig, want ze waren nooit eerder in een dergelijke formatie ingespannen. Onbezorgd over het gedrag van zijn paarden nam Nero de tien paar teugels in zijn ene hand terwijl hij met de andere het juichende publiek groette. De stalknechten leidden de paarden naar de startlijn, aan de buitenkant van de zeven andere wagens die inmiddels klaarstonden.

'Dat kan nooit goed gaan,' merkte Vespasianus op toen de stalknechten opzij renden, waarna Nero aan de teugels trok zonder te kunnen voorkomen dat zijn span naar voren drong, tegen het speciaal verbrede poortje.

De starter, een priester van Zeus, zag het gevaar en gaf onmiddellijk het startsignaal. De poortjes gingen een voor een omhoog, te beginnen met het buitenste, dat van Nero, en eindigend bij het binnenste bij de spina. Als weggeschoten door een katapult stoof Nero's span naar voren, meer uit angst dan uit gretigheid, en Nero bleef met moeite op de been nu de paarden aan de teugels trokken. Een voor een startten de andere teams, met steeds een moment ertussen. De wagens waren niet van het Romeinse lichtgewichtontwerp, maar traditionele houten constructies gebaseerd op de oorlogsmachines van het verleden: lastig bestuurbaar, log en zwaar. Bij Nero was dat gewicht verdeeld over tien paarden en die galoppeerden dan ook ruim voor de vierspannen uit, tot verrukking van de toeschouwers en duidelijke doodsangst van Nero. Zijn paarden vlogen over de baan op weg naar de eerste bocht van honderdtachtig graden, zonder dat ze in de hand werden gehouden. Het was daardoor onvermijdelijk, zoals menig toeschouwer hoofdschuddend zag aankomen, dat niet alle tien paarden beseften dat ze de bocht gelijktijdig moesten nemen. Zonder hulp van de menner, die inmiddels in paniek schreeuwde, deden ze elk wat ze het beste achtten en dat had catastrofale gevolgen. Met doordringend gehinnik, uithalende benen en zwaaiende nekken hinderden ze elkaar en vielen; ze gleden en rolden door het stof, waardoor de wagen richting muur van het hippodroom werd gelanceerd, horizontaal spinnend. Nero werd opzij geworpen en gleed op zijn rug door het zand, zijn tuniek werd opengereten en zijn huid schaafde van zijn schouders, billen en kuiten.

Het publiek hapte naar adem en keek vol afschuw toe. De keizerin sprong op en gilde met haar handen voor haar gezicht geslagen. De rest van het veld denderde langs het wrak, vastbesloten de twaalf ronden te voltooien die traditioneel de lengte van de olympische wagenrennen waren. Sporus rende naar beneden, naar de rand van de tribune, en sprong de tien voet omlaag naar de baan. Epaphroditus volgde zijn voorbeeld, terwijl de koers doorging. Vespasianus keek vol ongeloof naar de gecastreerde slaaf die langs de baan rende zonder op zijn eigen veiligheid te letten om de man te helpen die zo wreed tegen hem – of haar – was geweest. De vierspannen galoppeerden door, maar Sporus en Epaphroditus sleepten Nero naar de zijkant van de baan, zetten hem met zijn rug tegen de muur en controleerden hem op botbreuken.

Na de laatste ronde stopten de drie overgebleven vierspannen voor de priester van Zeus, met de winnaar vooraan. Maar de priester wees met de olijfkroon van de overwinnaar naar de keizer en met groot vertoon van bescheidenheid en opluchting strompelde Nero over de baan om zijn prijs uit handen van de priester in ontvangst te nemen, die geen verklaring voor zijn beslissing gaf, want die was ook niet nodig.

Na de kroning van de overwinnaar begon het publiek het stadion te verlaten op zoek naar ander vermaak in het uitgestrekte heiligdom.

Vespasianus liep naar Nero's tent, die naast het hippodroom was opgezet. Epaphroditus leidde hem en Sura naar binnen in de grote, hoge ruimte die weelderig was ingericht naar de smaak van een man die zonder problemen een fors deel van de rijkdom van het rijk aan een huis voor zichzelf uitgaf.

'Ah, de onderduiker!' Nero, plat op een bank gelegen, keek Vespasianus met een vuile blik aan, terwijl de keizerin zalf op zijn geschaafde achterwerk smeerde. 'Je denkt zeker dat ik de belediging vergeten ben?'

'Het spijt me oprecht, princeps,' zei Vespasianus met een dunne, nederige stem. 'Ik begrijp niet hoe het heeft kunnen gebeuren, ik kan u alleen danken dat u overnieuw begonnen bent zodat ik het deel dat ik gemist had kon horen.'

Nero kreunde en huiverde toen Sporus zijn aandacht op een buitengewoon rauwe plek richtte. 'Ik ben nog nooit zo beledigd, maar goed, het komt me nu wel goed uit dat je gevlucht was, want anders was je je verraderlijke oom op zijn laatste reis gevolgd en had ik je talenten nu niet kunnen gebruiken. Ik heb je nodig en je weet wat je moet doen.'

'Ja, princeps, ik zal u niet teleurstellen.'

'Dat zou ik zeker niet doen, en als je terug bent denk ik misschien beter over je.' Hij gebaarde naar een koker die Epaphroditus vasthield. 'Dat zijn Corbulo's orders, hij wacht in Corinthus op je om je in te lichten over de officieren van de Vijfde Macedonica en de Tiende Fretensis, want hij kent ze het beste. Als hij dat eenmaal tot je tevredenheid heeft gedaan, geef je hem zijn bevelen; ik weet zeker dat hij blij is om de last van het oosten, die hij zo lang gedragen heeft, neer te kunnen leggen. In Cenchreae wachten schepen op je met twee cohorten hulptroepen. Ga nu.'

'Ja, princeps, en gefeliciteerd met uw schitterende overwinning.'

'Ja, die was geweldig,' antwoordde Nero zonder een spoor van ironie, waarna hij Vespasianus wegwuifde. De keizerin boog zich voorover om de billen van haar echtgenoot te kussen met een blik alsof die het mooiste op aarde waren.

Vespasianus nam de koker van Epaphroditus aan en vertrok. Nero kreunde van genot toen de gecastreerde Sporus zijn gezicht tussen zijn billen begroef.

Corinthus, twee dagen later

'Goed, Vespasianus, om het samen te vatten: ik geef onmiddellijk toe dat dankzij mij zowel Sextus Vettulenus Cerialis als Marcus Ulpius Traianus een veel betere legaat is geworden.' Corbulo zweeg even om zelfingenomen te snuiven terwijl hij een minzame blik op Vespasianus wierp, die samen met Magnus tegenover hem aan tafel zat. Ze bevonden zich voor een taveerne aan de kade van Cenchreae, Corinthus' haven aan de Egeïsche Zee. Talrijke schepen lagen voor anker en werden geladen of gelost in een voortdurende cyclus van handel. Iets verderop waren de landmeters die met Vespasianus meegekomen waren op de kade bezig metingen te verrichten met hun *groma*, want Nero wilde een kanaal door de landengte laten aanleggen. Achter hen werden de hulptroepen ingescheept. 'Ze tonen goede eigen initiatieven en kunnen militaire problemen zonder emoties analyseren en snel naar hun conclusies handelen. U zult veel aan ze hebben, vooral ook omdat ze allebei lang genoeg in het oosten hebben gediend om een flinke afkeer van de joden en hun eeuwige asociale gedrag te hebben ontwikkeld.'

'Dat klinkt heel bevredigend, Corbulo, dank u,' zei Vespasianus oprecht.

Corbulo schonk Vespasianus nog een beker wijn in, maar Magnus negeerde hij volkomen, zoals hij de hele ontmoeting al had gedaan. 'Het is niets, het is het minste wat ik kon doen aangezien onze kinderen nu verloofd zijn; het is een waardige verbintenis nu u consul bent geweest en een provincie hebt bestuurd, ook al komt u uit een provinciale nieuwe familie.'

Vespasianus knikte instemmend, hij nam absoluut geen aanstoot aan Corbulo's arrogantie; de man was altijd zo geweest en Vespasianus was eraan gewend.

'Dank u, Corbulo, erg aardig van u,' zei Magnus en hij pakte de kan toen Corbulo die neerzette. 'Ik schenk mezelf wel in.' Castor en Pollux keken op vanuit de hoek in de schaduw, gewekt door de scherpe toon van hun meester. Gerustgesteld dat hij niet bedreigd werd gingen ze weer verder met hun siësta.

Corbulo keek naar Magnus en fronste, alsof hij hem nu pas zag. 'Neemt u uw man, eh... hem mee?'

'Magnus? Ja.'

'Denkt u dat hij het aankan?'

Magnus zette zijn beker met een klap op tafel. 'Dat kan ik zelf het beste beoordelen, Corbulo, en ja, ik kan het aan; vechten en neuken kan ik nog als de beste, u zult het zien.'

Corbulo wees op Magnus' glazen oog. 'Maar dat kun jij nauwelijks.'

Vespasianus had het merkwaardige geluid dat vervolgens uit Corbulo's keel kwam en dat nog het meest op het geblaat van een angstige ram leek eerder gehoord, en daardoor wist hij dat Corbulo een van zijn zeldzame uitstapjes naar het rijk van de humor maakte, al was het met weinig succes. Hij legde een kalmerende hand op Magnus' schouder. 'Ik heb nieuwe orders van de keizer, Corbulo.' Hij haalde de koker uit een tas die over zijn stoelleuning hing en schoof hem over de tafel.

Corbulo's vrolijkheid was op slag verdwenen en hij keek vol afschuw naar het ding.

Vespasianus herinnerde zich hoe hij Corbulo vierentwintig jaar geleden in Germania Superior ook een rol had overhandigd. Dat was toen hij als legaat de Tweede Augusta overnam in de nasleep van de val van Corbulo's halfzuster Milonia Caesonia en haar echtgenoot Caligula. 'Nee, ik weet niet wat erin staat, Corbulo. Nero zei alleen dat u blij zou zijn dat u de last van het commando niet meer hoefde te dragen.'

Corbulo pakte de koker op en balanceerde die op zijn hand, alsof hij de inhoud op grond van het gewicht wilde raden, net zoals hij de vorige keer had gedaan. 'Tja, er is maar één manier om het te weten te komen.' Hij verbrak het zegel en maakte het deksel los. De rol was dun. Hij rolde hem uit, er stond niet veel op geschreven. Corbulo werd bleek, gaf de rol aan Vespasianus en stond op.

Vespasianus las de drie woorden en keek op naar Corbulo. 'Het spijt me heel erg, Corbulo.'

Corbulo trok zijn zwaard. 'Ik ben te succesvol geweest, Vespasianus. Ik had het al verwacht. Ik ben overduidelijk een bedreiging voor hem. Onthoud dat als je het commando over mijn legioenen overneemt, want Nero heeft gelijk.' Hij ging op zijn knieën zitten, zette de punt van zijn zwaard net onder zijn ribben aan de linkerkant en liet zich zonder aarzelen op zijn zwaard vallen. Hij maakte geen geluid.

Vespasianus staarde naar de succesvolste generaal van zijn tijd, uit wie het laatste beetje leven wegvloeide. Met een ziekmakend inzicht besefte hij dat hem hetzelfde lot wachtte als hij succes zou hebben in Judaea en ook als hij dat, tot ongenoegen van Nero, niet had.

Terwijl Corbulo zijn laatste adem uitblies zag Vespasianus de val waarin hij zat. Met groeiende zekerheid begreep hij dat hij na de opstand in Judaea alleen aan het hoofd van een leger veilig kon thuiskomen.

NAWOORD

Deze roman is evenals de vorige vooral gebaseerd op het werk van Tacitus, Suetonius en Cassius Dio.

Nero's dochter Claudia Augusta is echt jong gestorven en vergoddelijkt. Door zijn verdriet en de bouw van de tempel verwaarloosde Nero de staatszaken in 63 n.C.

Tacitus vertelt hoe Sabinus' schoonzoon Lucius Caesennius Paetus in datzelfde jaar door de Parthen vernederd werd, die twee legioenen in Armenia gevangennamen en onder het juk door lieten gaan. De bittere rivaliteit tussen hem en Corbulo over wie de Armeense oorlog mocht voeren maakte dat Corbulo niet stond te trappelen om hem te hulp te komen. Nero vergaf het Paetus na zijn terugkeer naar Rome snel, met als argument dat het ondraaglijk was voor een zo timide man om zo lang te moeten wachten tot er over zijn lot werd beslist; voor mij is dat de enige glimp van wat Nero's gevoel voor humor zou kunnen zijn.

Het koninkrijk van de Garamanten moet een wonder hebben geleken zoals het op een reeks heuvels midden in de Sahara lag: de bronnen spreken over fonteinen en stromend water in de straten en over een irrigatiesysteem dat het land vruchtbaar maakte en gevoed werd door een ondergronds reservoir. Het koninkrijk was grotendeels zelfvoorzienend, met uitzondering van olijfolie, wijn en, uiteraard, degenen die nodig waren om al het werk te doen: slaven. Skeletten van Garamanten vertonen geen tekenen van zware arbeid, wat het geloofwaardig maakt dat ze een leven in luxe leidden, dat mogelijk werd gemaakt door een groot aantal slaven. De slavenopstand heb ik verzonnen, maar gezien de situatie denk ik niet dat het onmogelijk was geweest.

Het mag verbazingwekkend lijken, maar kamelen werden pas in die tijd vanuit Egypte in de Romeinse provincie Afrika geïntroduceerd. Dat Vespasianus als gouverneur van Afrika in 63 n.C. met de import van kamelen begon is iets wat ik heb verzonnen, maar iemand moet in die tijd de eerste zijn geweest.

Tigellinus' feestje op het bassin is gedocumenteerd door Tacitus en verliep grotendeels zoals beschreven. Suetonius vertelt ook over bordelen vol dames van stand langs de oevers van de Tiber; ik heb de twee dingen gecombineerd. Zoals ik altijd over dat soort dingen zeg: je verzint het niet! Nero heeft zich niet noodzakelijkerwijs tijdens dat feest gekleed in de huiden van wilde dieren op genitaliën gestort, maar het was wel een hobby waar hij dol op was, zoals Suetonius bevestigde.

Nero trouwde met zijn vrijgelatene en vond het heerlijk om een echtgenote te zijn; Cassius Dio stelt dat zijn naam Pythagoras was, terwijl Suetonius beweert dat hij Doryphorus heette. Ik heb de laatste gekozen.

Toen de grote brand in een bakkerij in het Circus Maximus uitbrak was Nero volgens Tacitus in Antium, waar hij aan een wedstrijd deelnam. Of hij echt opdracht heeft gegeven voor de brand zullen we hoogstwaarschijnlijk nooit zeker weten, al beweert Suetonius van wel; maar veel van de negatieve berichten over Nero zijn afkomstig van latere schrijvers die de reputatie van de laatste Julisch-Claudische keizer probeerden te besmeuren om het nieuwe regime te rechtvaardigen. Ik neig naar de theorie dat Nero verantwoordelijk was en ik vind het veelzeggend dat toen de brand was gedoofd hij weer oplaaide in de Basilica Aemilia, die eigendom was van Nero's handlanger Tigellinus.

De voorspelling dat er een grote verandering zou komen bij de opkomst van de Hondsster bestond echt, dat Paulus die aan Nero vertelde tijdens zijn proces heb ik verzonnen.

Josef ben Matthias, beter bekend als de historicus Josephus, was rond de tijd van de brand in Rome als lid van een delegatie die de vrijlating van twaalf priesters bepleitte en dus is het niet onmogelijk dat Vespasianus hem heeft ontmoet.

Piso's samenzwering moet als een van de klungeligste pogingen tot een staatsgreep ooit worden beschouwd. Hij werd onthuld door Scaevinus' vrijgelatene Milichus, aangezet door zijn vrouw. Rufus kreeg opdracht het complot te ontrafelen, ook al was hij er zelf bij betrokken; hij werd uiteindelijk ontmaskerd, net als de praetoriaanse tribuun Subrius en de centurio Sulpicius. Seneca en Piso werden tot zelfmoord gedwongen, net als Seneca's neef Lucanus. De toekomstige keizer Nerva kreeg de overwinningsornamenten toegewezen voor zijn aandeel in het blootleggen van de samenzwering. Of Seneca van plan was het complot naar zijn hand te zetten om zelf keizer te worden zullen we nooit zeker weten, maar het idee staat me aan.

Nero heeft Poppaea echt in de buik geschopt toen ze zwanger was, waardoor ze overleed. Het was echter niet tijdens het ontrafelen van de Pisonische samenzwering, ik heb de twee dingen om dramatische redenen gecombineerd.

Vespasianus viel óf in slaap tijdens een optreden van Nero óf vertrok halverwege, maar wat het ook was, hij vreesde voor zijn leven en dook ook echt onder tot hij de opdracht kreeg om de joodse opstand neer te slaan. Corbulo kreeg van een jaloerse Nero bevel om zelfmoord te plegen, maar dat Vespasianus hem het briefje overhandigde heb ik verzonnen.

Ik wil nogmaals mijn dank uitspreken aan de mensen die in de opdracht van dit boek zijn genoemd. Dank ook aan Tamsin Shelton voor het redigeren en ontcijferen van mijn aantekeningen en voor het zien van fouten die zo groot waren dat ze onzichtbaar waren voor de meeste ogen! Ook dank aan Tim Byrne voor weer een fantastisch omslag. En tot slot mijn liefdevolle dank aan mijn vrouw Anja omdat ze het verdragen heeft dat ik zes maanden in mijn studeerkamer verdween.

Het verhaal van Vespasianus gaat verder in *Keizer van Rome* – hoe anders zou ik het kunnen noemen?

BEN KANE

Krijgsbanier van de Adelaars

'De rijzende ster van historische fictie.' – Wilbur Smith

9 na Christus, Germania, ten oosten van de Rijn. Vijandige stammen bereiden een dodelijke hinderlaag voor op de Romeinen. Hun aanvoerder is een charismatisch stamhoofd en vertrouweling van Rome, Arminius, wiens droom het is om de Romeinse indringers uit Germania te verdrijven.

Centurion Lucius Tullus, die al vele veldslagen meemaakte, en de gewiekste provinciale gouverneur Varus staan lijnrecht tegenover Arminius. Samen met drie lokale legioenen verlaten zij hun zomerkampementen en marcheren terug naar hun forten aan de Rijn. Ze hebben er geen idee van dat in de mistige bossen van het Teutoburgerwoud alleen bloed, modder en de dood op hen wachten…

'Ben Kane staat bovenaan in het genre van de historische fictie en is met deze serie een nieuwe trilogie begonnen die fans zal laten snakken naar meer.' – *Western Mail*

ISBN 978 90 452 1216 6 | ISBN e-book 978 90 452 1226 5

Deel 2 in de serie:

Jacht op de Adelaars

ISBN 978 90 452 1287 6 | ISBN e-book 978 90 452 1457 3

Lees ook van Karakter Uitgevers B.V.

CHRIS HOUTMAN

Akte van berouw

Intrige en verraad in het hart van het Vaticaan

Filmische thriller met internationale allure
voor de lezers van *Conclaaf* van Robert Harris

'Interessant, spannend en succesvol debuut met een originele basis
die met grote zorgvuldigheid is neergezet.' – Bruna.nl, 4 sterren

Martin Hochstettler, commandant van de Zwitserse Garde, staat voor de
grootste uitdaging van zijn leven als hij een aanslag op de paus moet zien te
voorkomen. Het roept traumatische herinneringen bij hem op. Herinneringen
aan de nacht van 28 september 1978, de nacht dat paus Johannes Paulus I tijdens Hochstettlers wacht overleed onder mysterieuze omstandigheden.

Jaap Hofhuis, pastor in de Nederlandstalige Kerk der Friezen in Rome, ver-
neemt dat zijn vader, met wie hij een zeer moeizame relatie onderhoudt, op
sterven ligt. Zijn geloof in de Kerk krijgt een enorme dreun te verwerken als
hij zijn vaders grote geheim hoort: hij is een van de vele slachtoffers van mis-
bruik binnen de Rooms-Katholieke Kerk. De toch al niet evenwichtige Jaap
ontvlamt in woede en gaat op zoek naar de inmiddels hoogbejaarde dader.

Ondertussen vecht Hochstettler met zijn eigen demonen terwijl hij alles op
alles moet zetten om de veiligheid van de paus te waarborgen. Maar hij heeft
te maken met een eigenzinnige en tegendraadse paus Franciscus die ook nog
eens op ramkoers lijkt te liggen met een toenemend aantal zeer conservatieve
kardinalen die beïnvloed zijn door dubieuze organisaties als Breitbart News en
Opus Dei. De spanning loopt helemaal op als de paus aankondigt het onder-
zoeksverslag over de financiële misstanden en de corruptie binnen het Vaticaan
openbaar te maken. De laatste paus die voornemens was een dergelijk rapport
te publiceren was binnen 33 dagen dood…

De verhaallijnen worden op ingenieuze wijze met elkaar verbonden waarbij de
intrige zich in sneltreinvaart ontspint om tot een indrukwekkende, zinderende
climax te komen.

ISBN 978 90 452 1345 3 | ISBN e-book 978 90 452 1355 2

Robert Fabbri

Arminius

'Uitstekende historische roman.' – *AD Magazine*, 4 sterren

De grootste overwinning van één man is
de grootste nederlaag van Rome

Het jaar 9 na Christus. In de diepten van het Teutoburgerwoud, in een land-schap vol diepe ravijnen, verduisterd door oeroude eiken en verscheurd door snelstromende rivieren, leidde Arminius van de Cherusken een bondgenoot-schap van zes Germaanse stammen tijdens hun grootste overwinning: de bloe-derige vernietiging van drie Romeinse legioenen.

Diep in het bos werden bijna twintigduizend mannen genadeloos afgeslacht; minder dan tweehonderd van hen zouden ooit terugkeren naar de andere kant van de Rijn. Tot diepe schaamte van Rome verloor het die dag drie heilige standaarden met daarop in goud gegoten Adelaren. Wat de nederlaag des te vernederender maakte: Arminius was niet opgegroeid in Germania Magna (Groot-Germanië) – hij was opgevoed als een Romein.

Dit is het verhaal over wat Arminius ertoe aanzette zijn rug naar de mensen te keren die hem hadden grootgebracht, en hoe hij tot zo'n gigantisch en verwer-pelijk verraad kon komen dat eeuwen later nog altijd nagalmt.

'Een krachtige vertelling van een van de meest
ingrijpende gebeurtenissen uit de oudheid.'
– *BBC History Magazine*

ISBN 978 90 452 1200 5 | ISBN e-book 978 90 452 1201 2